D1531499

LE GARDIEN DES PROMESSES

ANTOINE GARAPON

LE GARDIEN DES PROMESSES

Le juge et la démocratie

Préface de Paul Ricœur

15, RUE SOUFFLOT, 75005 PARIS
ISBN 2-7381-0364-2

A Claire, Marie, Pierre et Béatrice

Ce livre doit beaucoup à beaucoup. A Olivier Mongin tout d'abord : sans ses encouragements et ses critiques toujours bienveillantes, je n'aurais probablement jamais osé me lancer dans une entreprise aussi audacieuse. A Irène Théry qui m'a montré l'exemple à suivre, à Pascal Bruckner, à Xavier Galmiche et à mon frère Paul Garapon qui ont relu patiemment le manuscrit. A Jacques Lenoble et à Jean De Munck qui, par l'intermédiaire d'un contrat de recherche du Centre de philosophie de l'Université catholique de Louvain-la-Neuve, m'ont offert un environnement irremplaçable. A Paul Ricœur, enfin, à qui cette réflexion doit tant et qui m'a fait l'honneur de rédiger la préface.

Ce livre est le fruit de plusieurs années de travail à l'Institut des Hautes Études sur la Justice. Cette aventure n'aurait jamais vu le jour sans la confiance initiale d'Hubert Dalle et de Jacques Commaille, ni celle de ses présidents successifs – Pierre Drai, Robert Badinter et Marceau Long. Il n'aurait pu survivre sans le soutien actif de Myriam Ezratty et de Pierre Truche, ni l'amitié de ses principaux partenaires – Pierre Bouretz, Yves Dezalay, Alain Girardet, Robert Jacob, Daniel Lecrubier, Daniel Ludet, Sergio Lopez, Raymond Verdier –, ni, enfin, sans l'équipe qui l'anime : Denis Salas dont le dialogue quotidien est source d'enrichissement permanent et Anne Avy, sans laquelle il n'est pas trop fort de dire que rien de ce qui y a été fait n'aurait été possible.

PRÉFACE

Le livre d'Antoine Garapon paraît à un moment opportun, au moment où la contradiction devient criante entre l'emprise grandissante que la justice exerce sur la vie collective française et la crise de délégitimation à laquelle sont affrontées dans nos pays démocratiques toutes les institutions exerçant l'une ou l'autre forme d'autorité. La thèse majeure du livre est que c'est ensemble que justice et démocratie doivent être critiquées et amendées. En ce sens, ce livre d'un juge veut être un livre politique.

La jonction entre le point de vue du droit et celui de la démocratie commence dès le diagnostic : avec Philippe Raynaud parlant de « la démocratie saisie par le droit », il refuse de voir dans l'extrême « juridisation de la vie publique et privée une simple contamination par l'esprit procédurier des États-Unis » ; c'est dans la société démocratique elle-même qu'il voit la source du phénomène pathologique. C'est en particulier dans la structure même de la démocratie qu'il faut chercher la raison de la fin des immunités qui mettaient tant de gens importants et l'État jacobin lui-même à l'abri de poursuites ; c'est dans le champ politique que se produit l'affaiblissement de la loi nationale, rongée aussi bien par en haut, par des instances juridiques supérieures, que par en bas, par la multiplicité et la diversité des lieux de juridicité. C'est donc à la transformation de la démocratie elle-même qu'il faut rattacher celle du rôle du juge. C'est donc jusqu'aux raisons de délégitimation de l'État qu'il faut remonter pour expliquer ce qui se donne d'abord comme une inflation du judiciaire. Délégitimation qui doit elle-même être reportée au foyer de l'imaginaire démocratique lui-même, en ce lieu intime de la conscience citoyenne où est reconnue l'*autorité* de l'institution politique.

L'auteur consacre la première moitié de son livre à justifier un diagnostic qui lie les destins du judiciaire et du politique dans ce qui apparaît à un regard superficiel comme une simple inversion de place entre le judiciaire et le politique, dont le judiciaire seul serait l'agent arrogant – le « petit juge » devenant le symbole de cette usurpation à sens unique. Si l'activisme juridictionnel fait paradoxe, c'est dans la mesure où il affecte « la démocratie juridique » prise en bloc.

Ce souci de lier les deux destins du judiciaire et du politique explique que l'auteur n'accueille pas ce qu'il faut bien appeler « activisme juridictionnel » sans expresse réserve. Loin de toute satisfaction corporatrice, de toute glorification professionnelle, ce sont les dérives liées à ce phénomène inflationniste qui sont les premières soulignées : soit que les juges s'érigent encore en cléricatures nouvelles, soit que des personnalités portées par les médias s'érigent en gardiens de la vertu publique, réveillant ainsi « le vieux démon inquisitoire toujours présent dans l'imaginaire latin ». C'est seulement à ce niveau de la mise en garde que sont valables les comparaisons entre systèmes anglo-saxon et français, mais elles permettent seulement de distinguer les voies privilégiées que prennent là-bas et ici les mêmes dérives. A cet égard, A. de Tocqueville demeure, du début à la fin du livre, le perspicace analyste de la divergence des voies qu'adopte le phénomène massif de la juridisation de la vie politique. Concernant notre pays, Garapon a ce mot cruel : « Voilà la promesse ambiguë de la justice moderne : les petits juges nous débarrassent des politiques véreux et les grands juges, de la politique tout court. »

Il n'est pas possible de s'avancer plus loin dans le double diagnostic du déclin du politique et de la montée en puissance du juridique sans avoir dit ce qui constitue le noyau dur du juridique, et donc ce par rapport à quoi tout le système dérape. L'idée clé du livre est la caractérisation du « soubassement juridique de la justice » par la mise à distance, plus précisément la conquête de la juste distance dont on comprend peu à peu qu'elle concerne à la fois le justiciable et le citoyen. Une raison majeure de mettre en place tout près du point de départ ce thème de la mise à juste distance, c'est que l'illusion de la démocratie directe, qu'entretient et même que crée de toutes pièces le système médiatique, est la tentation majeure qui guette conjointement le juridique et le politique : ainsi l'on voit en même temps, sous la pression médiatique, la nouvelle cléricature des juges hantée par le vieux rêve de la justice rédemptrice, tandis que la démocratie représentative est court-circuitée par celui de la démocratie directe. C'est en même temps, et toujours sous la pression des médias, que la justice est délogée de son espace protégé, privée de la mise à distance des faits dans le temps et de la mise à part de ses démarches professionnelles – et que la délibération politique est rendue superflue par le matraquage publicitaire à fonction tribunicienne et la supercherie des sondages qui réduit l'élection à un sondage en grandeur réelle. Le lecteur sera peut-être étonné par la virulence de cette attaque contre les effets pervers du médiatique. Mais une fois qu'on a compris que c'est à la même menace que sont soumises la position du tiers dans la relation juridique et la médiation institutionnelle dans la relation politique, on ne s'étonne plus de voir Garapon rejoindre Claude Lefort dans sa dénonciation de l'idéologie invisible des médias.

On est prêt à poursuivre, au-delà de ce sévère jugement, le diagnostic à double entrée qui fait l'originalité de la première partie de l'ouvrage. Afin de mettre un terme au procès unilatéral que l'on est tenté de faire à la justice, au prétexte de son invasion de toutes les sphères de la vie publique et privée, c'est du côté de la démocratie elle-même qu'il faut d'abord chercher la faille. Bien plus, c'est dans cela que Tocqueville a loué sous le titre *L'Égalité des conditions* qu'il faut chercher le début de toutes les dérives ; « l'égalité des conditions » ne pouvait que se faire aux dépens des hiérarchies anciennes, des traditions naturelles, qui assignaient à chacun sa place et limitaient les occasions de conflit. Restait alors à inventer, à créer artificiellement, à fabriquer (tous ces mots se lisent chez Garapon) l'autorité. Et c'est faute d'y parvenir que la société s'en remet aux juges. La demande de justice vient du politique en détresse, « le droit devenant la dernière morale commune dans une société qui n'en a plus ». Les phrases du même ton s'accumulent à mesure qu'on avance dans le livre : « La démocratie ne tolère aucune autre magistrature que celle du juge. » « Une norme commune sans mœurs communes... » ! On se demandera plus loin si ce diagnostic sévère admet encore une thérapeutique qui porterait à la fois sur la justice et sur la démocratie. D'individus dispersés, qu'un effet pervers de l'« égalité des conditions » contraint à obéir, pourrait-on jamais tirer des justiciables qui seraient des citoyens ?

L'auteur poursuit de façon intrépide sa descente aux enfers de la démocratie déboussolée : contrat envahissant qui pallie la perte d'un monde commun, contrôle judiciaire qui ne peut plus dire au nom de quoi il est exercé, renforcement de la fonction asilaire de la prison aux lieu et place d'une prise en charge motivée des sujets les plus fragiles, intériorisation de la norme faute de règles extérieures reconnues, tous ces symptômes donnent raison à François Ewald : « Moins le droit est sûr, plus la société est astreinte à devenir juridique. » Mais si la justice sert à réintroduire en aval des médiations qui manquent en amont, de quoi s'autorisera la prudence requise des individus lorsque la responsabilité présumée du délinquant sera devenue l'objectif lointain de la grande entreprise de tutélarisation des sujets dans la version nouvelle de l'État providence qui se met péniblement en place sur les ruines du précédent ?

Nous sommes ici au fond du cercle vicieux que dessinent ensemble le recul des pratiques démocratiques et l'avancée des inventions judiciaires. Ce qui se dérobe, c'est le sujet lui-même dans sa double capacité de justiciable et de citoyen. Le vrai paradoxe que pose la situation présente, tant politique que judiciaire, c'est que la responsabilité est à la fois le postulat de toute défense de la démocratie et, par choc en retour, de tout endiguement de la juridisation foisonnante, *et* le but poursuivi par toute entreprise de reconstruction du lien social. Dans les derniers chapitres consacrés au diagnostic de la société, à la fois judiciarisée et dépolitisée, un bilan est fait des expressions contemporaines de la fragilité qui envahissent la scène. Tout se passe, à vrai dire, comme si la crise démocratique et l'enflure juridique ne se suscitaient mutuellement que parce qu'elles procèdent d'une tierce source, à savoir précisément les figures nouvelles de la fragilité. C'est à une inquiétante relation triangulaire que le débat entre justice et politique cède la place : « dépolitisation, juridisation, fragilité... ». Plus gravement, le judiciaire est poussé en première ligne par des institutions politiques en voie de décomposition, et confronté à une tâche impossible : présupposer cette responsabilité que les formes tutélaires de la justice qui prennent la place de la répression ont paradoxalement pour fonction de réveiller, voire de tirer du néant.

C'est sous l'angle de ce paradoxe de la tutélarisation du sujet, et sous le signe de l'impossible tâche que cette fonction tutélaire suscite, à mi-chemin de la contrainte et du conseil, que l'on peut replacer toutes les pathologies que le livre accumule avant de se risquer à la double reconstitution du citoyen et du justiciable.

Tout le monde parle des impasses de l'individualisme : mais le juriste a une manière propre d'en parler ; ne perdant pas de vue le profil du juge comme le tiers dans les conflits, il voit dans l'identification émotionnelle aux victimes le symptôme le plus voyant de cet effacement de la position d'impartialité – identification émotionnelle aux victimes qui aurait sa contrepartie dans la diabolisation du coupable. A la limite se profile le lynchage, ce corps à corps, à quoi expose l'échec de toute mise à distance symbolique et qui marque le retour en force de la vieille idéologie sacrificielle. La montée en puissance de la logique victimaire peut alors être vue comme une entrave à la tentative de mise en place par la justice de cette fonction tutélaire dont on montrera plus loin qu'elle est inséparable de conditions précises de démocratisation de la société. On se gardera, après cela, de céder à la simple déploration dans la description des fonctions substitutives d'identité assumées aujourd'hui par une délinquance juvénile devenue initiatique, ni sur les autres formes de violence désocialisées. On se bornera à rattacher ces maux sociaux aux grands paradoxes qui structurent le livre ; en effet, peur de l'agresseur, identification à la victime, diabolisation du coupable, témoignent du même effacement de la position tierce occupée par le juge : « Le consensus se forme autour de souffrances et non plus autour de valeurs communes. » Il s'agit bien de bout en bout de dépolitisation du sujet, que celui-ci soit victime ou accusateur, voire justicier autoproclamé. C'est le grand triangle : plaignant, prévenu, juge, qui est mis en pièces.

La nouvelle fragilité constitue, il est vrai, un défi d'une ampleur inédite et qui vient de plus loin que la sphère politique. Du moins donne-t-elle à penser politiquement : c'est à la vacance des références communes qu'il faut rattacher, et la décrédibilisation des instances politiques, et l'inflation de l'intervention juridique, qui apparaissent alors comme des effets des phénomènes de marginalisation caractéristiques de la nouvelle criminalité. C'est pourquoi on rencontre au terme de la première partie, non un juge triomphant, mais un juge perplexe, chargé de réhabiliter une instance politique dont il devrait n'être que le garant.

Se pose alors la question de savoir si davantage de procédure serait susceptible de pallier la faiblesse du normatif, tant dans la dimension judiciaire que dans la dimension politique. C'est la question qui domine la deuxième partie du livre. Or les thérapeutiques conjointes du judiciaire et du politique ne trouvent quelque crédibilité que si le judiciaire refuse la surévaluation dont on le gratifie perfidement, et s'il est ramené à sa fonction minimale, qui est en même temps sa position optimale, à savoir la tâche de *dire le droit*. Non pas punir, réparer, mais prononcer la parole qui nomme le crime, et ainsi met la victime et le délinquant à leur juste place au bénéfice d'une œuvre de langage, laquelle s'étend de la qualification du délit jusqu'au prononcé de la sentence au terme d'un vrai débat de parole. La justice aidera la démocratie, qui est aussi œuvre de parole, de discours, en remplissant modestement, mais fermement, son « obligation envers le langage, l'institution des institutions ». « Le jugement signifie le rapatriement dans la patrie humaine, c'est-à-dire la patrie du langage. » Avant même sa fonction d'autorisation de la violence légitime, la justice est une parole et le jugement un dire public. Tout le reste en découle : la purgation du passé, la continuité de la personne et aussi – et presque surtout – l'affirmation de la continuité de l'espace public. Entendons : si le jugement est un acte de la parole publique, tous ses effets, y compris la détention, qui est une exclusion, doivent se dérouler dans le même espace public ; qu'il s'agisse des peines additives, des rapports humains, des rapports familiaux, du travail, etc. Ce plaidoyer est politique : il signifie que, même privé de liberté, le détenu reste un citoyen et que la finalité de la privation de liberté, c'est le recouvrement de toutes les capacités juridiques qui font un citoyen à part entière. Promesse serait par là faite à la communauté de lui restituer un citoyen.

Comment l'autorité constituerait-elle un « moment soustrait à la contractualisation démocratique », si à une autorité indiscutable se substitue simplement « l'autorité de la discussion et une autorité toujours soumise à la discussion » ? Et comment le débat permanent sur la légitimité engendrerait-il de l'autorité, si l'éthique de la discussion reposait sur le seul prestige de la procédure de discussion ? S'il ne reste plus que cette issue, l'attente que le juge puisse « légitimer l'action politique, structurer le sujet, organiser le lien social, aménager des constructions symboliques, cultiver la vérité » ne peut que ramener aux illusions de l'activité juridictionnelle dénoncée dans le premier chapitre. C'est pourquoi je me sens plus à l'aise avec d'autres formules de Garapon telles que celles-ci : « L'autorité assure le lien avec les origines, le pouvoir la projection vers le futur. [...] L'autorité est fondation, le pouvoir innovation. » « Les règles gardent le pouvoir, l'autorité garde la règle. » « Le pouvoir est ce qui peut et l'autorité ce qui autorise. » Quelle contrainte procédurale sera jamais à la hauteur de cette ambition ? Je croirais volontiers que l'origine de l'autorité est fuyante, qu'elle hérite de convictions déjà préalables, dont la critique assure tour à tour la déchéance, le remplacement, le renouvellement. Sinon la position tierce du juge deviendrait celle d'un tiers absolu, plus démuni que tout tyran. « Le juge, dit encore Garapon, ne doit pas se substituer au tiers absolu dont la démocratie ne finit pas de faire le deuil. » Soit, qu'est-ce qu'un deuil qui n'intérioriserait pas d'une façon ou d'une autre l'objet d'amour perdu pour l'élever au rang de la symbolique structurante ?

A vrai dire, tout le reste de la deuxième partie repose sur un premier geste de reconstruction dont il est dit, au seuil de cette nouvelle navigation, qu'il visera à « refaire le chemin de l'institution en partant de ceux qui la fondent ».

Mais, si c'est en insistant ainsi sur le lien à préserver entre la justice et l'usage public de la parole qu'il faut commencer toute entreprise de restauration ou même d'instauration du lien qui reste la visée de cette réflexion, à savoir le lien entre le justiciable et le citoyen, la difficulté est alors de continuer sur cette lancée sans trébucher sur l'obstacle que constitue, et pour la justice, et pour la démocratie, la délégitimation de l'autorité dans sa fonction fondatrice, aussi bien à l'égard de la position du tiers au plan juridique que de l'institution de médiations sur le plan politique. On l'a dit, l'exercice de la parole publique et l'exercice du pouvoir sont l'un et l'autre en manque de légitimation. Dès lors, la substitution de la justice à la politique comme dernier recours, comme dernier instituant, peuvent-ils constituer autre chose qu'un effet de leurre par rapport à ce manque qui affecte le substitut aussi bien que le paradigme politique ? La disparition d'un monde commun s'avère être finalement la thèse la mieux retranchée du livre, dans sa partie thérapeutique comme dans sa partie diagnostic. Car la substitution ne vaut pas guérison, mais éventuellement aggravation : « La position de la justice est paradoxale : elle réagit à une menace de désintégration qu'elle contribue cependant à promouvoir. » Le sous-titre le plus troublant, voire le plus désarmant du livre est celui-ci : « L'autorité nécessaire et impossible ». Ici Garapon semble se rallier sans réserve aux thèses de Gauchet : « Une société qui est sortie du régime de la contrainte tenue pour allant de soi, issue d'une communauté qui toujours précéderait les individus, une telle société, dite émancipée, a plus besoin que la précédente d'autorité. » J'avoue que je ne vois pas de solution à ce paradoxe dans le recours proposé à la formule de Montesquieu : « non pas l'absence de maître mais l'acceptation de ces égaux comme maîtres ». Qu'un égal soit tenu comme maître suppose encore que sa fragile maîtrise soit reconnue supérieure et digne d'être obéie. Plutôt que de m'abandonner à la tâche digne de Sisyphe de recréer en permanence une instance symbolique, je chercherai plutôt pour ma part l'issue du paradoxe du côté de Rawls parlant tour à tour de « convictions bien pesées », de « tolérance dans une société pluraliste », de « consensus par recoupement », de « désaccords raisonnables », toutes expressions qui supposent la revivification d'héritages culturels aujourd'hui fragmentés mais toujours motivants en dernière instance. J'évoquerai encore avec Charles Taylor, dans *The Sources of the Self*, la possible mise en synergie des héritages immenses et encore non épuisés, non interprétés quant à leurs promesses non tenues, reçus du judéo-christianisme, du rationalisme des Lumières et du grand romantisme allemand et anglo-saxon du XIXe siècle. Sans héritages multiples et mutuellement critiqués, je ne vois pas comment on ferait sortir du « symbolique fondateur » du vide. Peut-être n'en avons-nous pas fini avec des ressources de symbolisation marquées du triple sceau de l'antériorité, de l'extériorité et de la supériorité. Ce qu'illustre par défaut l'aventure de la Terreur et des totalitarismes, qui ont prétendu repartir de zéro et créer un homme prétendument nouveau... Aussi bien Garapon, après avoir prêté l'oreille aux aveux d'une société désenchantée, affirme-t-il sans réticences apparentes que la justice, en tant qu'elle dit le juste, est légitimée à se poser en *institution identificatrice* à la faveur précisément de sa dimension symbolique.

La profession de cette dimension symbolique joue le rôle d'un nouveau départ, que je dirai de conviction, pour toute la suite du livre. La justice est appelée à remplir cette fonction d'institution unificatrice en faisant du débat, et de sa mise en scène acceptée sans état d'âme, le lieu visible dans les limites duquel une cérémonie de parole instaure la juste distance entre tous les justiciables. Mais la méditation perplexe évoquée plus haut revient sous une forme lancinante à l'occasion du courageux plaidoyer dressé en faveur du rituel du procès. Comment demander aujourd'hui, après les déclarations portant sur « l'autorité indispensable et impossible », au déploiement symbolique de répéter l'expérience de la fondation ? C'est bien Garapon qui cette fois évoque le monde de la Bible, la raison grecque, le juridisme romain, Justinien, Saint Louis, Charlemagne, Napoléon. Quelle réconciliation avec le père tué permet ainsi à l'autorité de se fonder sur un antérieur, à la différence du pouvoir dont Hannah Arendt disait qu'il n'existe qu'aussi longtemps que subsiste le vouloir vivre ensemble d'une communauté historique ? La suite du livre reposera néanmoins sur cet acquis : l'autorité est la force de la mise en forme. Fondation, répétition. Il semble que Garapon fasse porter par la procédure la charge entière de cette relation entre fondation et répétition : « Le cadre est alors ce qui tient lieu de tradition pour les modernes. » « Le recours au moment de la fondation, par définition indisponible, est d'autant plus nécessaire et vital que le pluralisme est grand. » L'idée d'un futur fondateur dispensera-t-elle de celle d'un événement fondateur ? Et n'attend-on pas trop de la fonction symbolique en lui demandant de jouer le rôle d'« autorité par défaut » ?

Les pages qui suivent sur le spectacle donné dans l'enceinte du tribunal, de la répétition de la transgression et de sa résorption sous le signe de la parole médiatrice, sont tout à fait remarquables. L'idée forte de joindre étroitement à l'apologie de ce lieu que la mise en scène met à part le thème de la formation d'un sujet de droit au-delà de l'individu psychologique – c'est-à-dire d'un sujet dont les capacités sont immédiatement ordonnées à la qualité de citoyen. Le justiciable est citoyen. Sujet de droit et État de droit. Tout repose ici sur le primat de la fonction symbolique, donc de la parole commune, sur des individualités psychologiques identifiées à leur souffrance et à leur désir. Revient comme un leitmotiv « le défi que constitue pour une société désacralisée et un individu désorienté la préservation d'un moment d'autorité, c'est-à-dire le maniement à la fois de la force légitime et de la dimension symbolique ».

Ce qui est dit ensuite du compromis entre la fonction sanction et la fonction réintégration de la détention découle directement de la thèse de la juste distance dans un espace public continu, garant en retour de la continuité du sujet de droit. A cet égard, une approche purement psychiatrique, donc thérapeutique, de la sanction reste paradoxalement parente d'une vision sacrificielle qui met la victime radicalement à part du groupe. Entre expiation et thérapie, les passages secrets demeurent. L'auteur n'ignore rien des lourdeurs, des résistances, des préjugés, des peurs qui freinent la conquête de l'idée de sanction-réintégration, aux dépens de celle de sanction-punition ; à ce prix la violence résiduelle de la punition pourrait faire partie d'une institution juste. Mais la fonction du réformateur est de penser, de donner sens à un réformisme qui n'aurait cédé ni au scepticisme de Foucault ni à l'obsession sécuritaire du public. La foi dans la parole publique est de bout en bout la conviction mobilisatrice d'un réformisme réfléchi. Permettre au sujet de prendre des engagements, c'est le maintenir à l'intérieur du cercle de la parole publique commun à l'homme libre et aux détenus. Entre la culture de vengeance et l'utopie d'un monde sans peine, il y a place pour une « peine intelligente », où la sanction serait pensée au-delà de la peine, selon son sens étymologique d'approbation/réprobation. Et, pour ne pas succomber à une nouvelle sorte d'utopie, réformiste celle-là, l'auteur appuie sur son expérience et celle de ses pairs et sur des propositions précises dont le caractère professionnel est manifeste.

Mais je ne voudrais pas terminer ces pages d'introduction, qui ne sont guère que des notes de lecture, sans ramener le balancier du livre du côté de la défense de la démocratie ; on a vu combien dans le diagnostic l'activisme juridique était tributaire d'un effacement du politique ; la transition vers une posture militante sur les deux fronts était assurée par l'idée de la parenté et de la solidarité entre la position tierce de la justice, génératrice de juste distance entre les justiciables, et le rôle médiateur des institutions représentatives de l'État de droit. C'est ce dernier aspect de la reconstruction qui est réaffirmé dans les dernières pages du livre. Le danger d'une nouvelle forme d'utopie en matière juridique, qui ne ferait qu'ajouter à l'activisme juridique dénoncé, ne peut être conjuré que si en même temps on remet en chantier le problème de la représentation politique. Si l'on veut rapprocher le lieu de justice des justiciables, il faut en même temps que soit déprofessionnalisée au maximum la représentation politique. Un « nouvel acte de juger » requiert une contextualisation de nature politique, à savoir l'avancée de la démocratie associative et participative. Que la clé même des institutions judiciaires soit entre les mains des politiques est d'autant plus inévitable que le judiciaire, dans notre pays, n'est pas un pouvoir distinct de l'exécutif et du législatif, mais une autorité. Il est important, dès lors, que notre auteur se garde de toute invocation incantatoire de l'indépendance de la justice ainsi que de tout retour à la tentation rédemptrice. En dernière analyse, c'est le même pouvoir de juger qui fait le juge et le citoyen.

PAUL RICŒUR

INTRODUCTION

Ouvrons le journal d'aujourd'hui. Qu'y lit-on ? Que deux responsables politiques vont comparaître en correctionnelle pour complicité de trafic d'influence. Qu'un juge espagnol s'apprête à mettre en détention l'ancien secrétaire d'État à la sécurité. Que le chômage multiplie le nombre de familles surendettées et que les juges sont de plus en plus sollicités. Que le garde des Sceaux a déclaré qu'il souhaitait que les procureurs soient plus autonomes. Que la couverture des démêlés judiciaires des élus locaux embarrasse les journaux intimement associés à leur cité et habitués à une vie locale plus paisible. Que le Conseil d'État a déclaré pour la première fois recevables les recours formés par un militaire et par un détenu contre des sanctions disciplinaires.

Les grands débats de société sont souvent posés aujourd'hui à l'occasion de procès retentissants – celui de l'effondrement du stade de Furiani, celui de l'affaire du sang contaminé – qui tiennent en alerte l'opinion publique pendant des semaines. Ne parlons pas de l'affaire O. J. Simpson aux États-Unis, retransmise en direct à la télévision, qui a tenu en haleine l'Amérique pendant plus d'un an. En France, l'affaire du petit Grégory a pris des proportions invraisemblables. Au plus fort de l'affaire, plusieurs centaines de journalistes étaient sur place pour couvrir ce qui n'est qu'un banal fait divers. S'articulant autour d'un fait réel et dépassant les clivages idéologiques, le combat judiciaire permet à une démocratie désorientée de mieux se repérer en s'identifiant à des personnes que la télévision rend très proches.

L'emprise grandissante de la justice sur la vie collective est « un des faits politiques majeurs de cette fin de XXe siècle [1] ». Plus rien ne doit échapper au contrôle du juge. Ces dernières décennies ont vu les contentieux exploser et les juridictions croître et se multiplier, se diversifier et affirmer chaque jour un peu plus leur autorité. Le juge se manifeste dans un nombre de secteurs de la vie sociale chaque jour plus étendu. Dans la *vie politique* tout d'abord, où l'on a vu se développer un peu partout dans le monde ce que les Américains appellent un « militantisme juridictionnel » (*judicial activism*). Le juge est désormais appelé comme arbitre des mœurs, voire de la moralité politique : l'actualité quotidienne nous offre de multiples exemples qui ne concernent pas qu'une seule famille politique. Cela se vérifie également dans la *vie internationale* où, pour la première fois depuis 1945, la société internationale a réussi à instituer un tribunal pénal international pour les crimes commis dans l'ex-Yougoslavie, puis à juger les auteurs du génocide ruandais. Dans la *vie économique* également, quoique de manière plus nuancée, les affaires préférant la confidentialité de l'arbitrage à la publicité de la justice. Il n'empêche que les départements juridiques des grandes entreprises, comme les grands cabinets d'avocats d'affaires, se sont considérablement développés ces dernières années en France. On a vu le juge jouer un rôle important dans la *vie morale*, où lui sont soumises, notamment en matière de bioéthique, des questions quasiment indécidables. C'est vrai dans la *vie sociale* où le juge est intervenu dans des conflits sociaux importants, comme lors de la grève des pilotes d'Air Inter. On ne recherche pas seulement le juriste ou l'arbitre dans le juge mais également le conciliateur, le pacificateur des relations sociales, voire l'animateur d'une politique publique comme en matière de prévention de la délinquance. On a vu des psychiatres et des travailleurs sociaux faire l'objet de poursuites pour non-dénonciation de viol ou de mauvais traitements à enfant : même le dévouement n'est plus exonérateur. Cela se vérifie également dans la *vie privée*, à tel point que certains ont parlé, lors de la loi de 1975 sur le divorce, de ménage à trois. Le juge des enfants est tenu de distinguer les méthodes éducatives normales d'avec celles qui ne le sont pas et trace, au cas par cas, la frontière entre la différence culturelle acceptable et celle qui ne l'est plus. Le juge devient également un référent pour *l'individu* perdu, isolé, déraciné que nos sociétés engendrent, qui recherche dans la confrontation à la loi l'ultime repère. Reportons-nous ne serait-ce que dix années en arrière, le juge ne connaissait

---

1. P. Raynaud, « Le juge, la politique et la philosophie », *Situations de la démocratie*, Paris, Gallimard/Le Seuil, 1993, p. 110.

pas ces questions avec la même acuité, soit parce que la science ne les avait pas encore soulevées, soit que le lien social était plus solide ou l'État moins disqualifié.

Cette exigence est *absolue.* Tout, et tout le monde, doit désormais être justiciable : la loi, du Conseil constitutionnel ; la politique économique du gouvernement, de la Cour de Luxembourg ; le fonctionnement des institutions pénales et disciplinaires, de la Cour de Strasbourg ; les ministres, de la Cour de justice de la République ; les hommes politiques, de la justice pénale ordinaire. La plupart de ces juridictions n'existaient pas il y a quelques décennies.

La sollicitation de la justice est, ensuite, *générale* : plus personne n'est intouchable. La justice paraît s'ancrer dans un sentiment de justice que des décennies de marxisme et de bien-être providentiel avaient fini par endormir. Cette nouvelle sensibilité traduit une demande *morale* : l'attente d'une instance qui dise le bien et le mal et fixe l'injustice dans la mémoire collective. Le débat sur la bioéthique a révélé l'inquiétude d'un monde dépourvu d'autorité supérieure, la recherche d'un Autre de la démocratie qui en apaisera les questions existentielles. Nous voici peut-être à un tournant moral des régimes libéraux. N'ayant plus à se poser la question de la survie, de la sécurité extérieure grâce à la fin de la guerre froide, la démocratie regarde en elle-même et s'interroge sur ses fondements moraux.

Cette demande de justice est, enfin, *universelle,* comme le montre l'importance tout à fait inédite que le crime contre l'humanité a pris ces dernières années. Les procès Barbie et Touvier, qui ont eu le retentissement que l'on sait, sont là pour le rappeler. Une même justice doit s'appliquer non seulement à toute relation (hommes/femmes, maître/serviteur, gouvernants/gouvernés, parents/enfants, etc.), mais également à tous les hommes quels que soient leur culture et l'État qui les a nourris. Si tout et tous sont désormais justiciables, on attend également *tout* de la justice ; non seulement une justiciabilité illimitée mais aussi une « justice totale ». La justice ne peut plus se contenter de dire le juste, elle doit tout à la fois instruire et décider, se rapprocher et garder ses distances, concilier et trancher, juger et communiquer.

Cette progression de la justice n'est pas homogène : si certains contentieux ont explosé, d'autres tombent en désuétude, de nouveaux délits apparaissent d'autres disparaissent. Ce mouvement est, ensuite, paradoxal : en même temps que l'on vante les mérites de la dérégulation, des réglementations de toute sorte prolifèrent. Enfin, cette montée en puissance de la justice cache deux phénomènes en apparence très différents – voire contradictoires – dont les effets convergent et se renforcent : l'affaiblissement de l'État sous la pression du marché d'une part, l'effondrement symbolique de l'homme et de la société démocratiques d'autre part.

Le tournant judiciaire de la vie politique – premier phénomène – voit dans la justice le dernier refuge d'un idéal démocratique désenchanté. L'activisme judiciaire, qui en est le symptôme le plus apparent, n'est qu'une pièce d'un mécanisme plus complexe nécessitant d'autres rouages comme l'affaiblissement de l'État, la promotion de la société civile et, bien sûr, la force des médias. Les juges ne peuvent prendre une telle place qu'à la condition de rencontrer une nouvelle attente politique qui n'est apparemment pas satisfaite par les instances politiques traditionnelles. Leur langage est celui du droit – des droits de l'homme sur le Continent, des droits des minorités en Amérique – et leur grammaire, la procédure. L'affaiblissement de l'État n'est que la conséquence de la mondialisation de l'économie : le marché, en même temps qu'il nargue la puissance tutélaire de l'État, multiplie les recours au juridique. Ce double mouvement – flux du droit et reflux de l'État – se perçoit aisément et, d'ailleurs, est-il si nouveau ? Des historiens n'auraient probablement pas grand-peine à trouver des précédents historiques. Mais à s'arrêter à ce constat, on risque de manquer une autre explication à l'ascension du juge, moins perceptible, plus anthropologique et radicalement inédite dans l'histoire : l'effondrement de l'homme démocratique.

La brutale accélération de l'expansion juridique n'est pas conjoncturelle mais bien liée à la dynamique propre des sociétés démocratiques. « Nous ne sommes pas devenus plus procéduriers parce que les barrières de procédures se sont ouvertes. L'explosion du nombre de procès n'est pas un phénomène juridique mais social. Il prend sa source dans une dépression sociale qui s'exprime et se renforce par l'expansion du droit [2]. » La promotion contemporaine du juge procède moins d'un choix délibéré que d'une réaction de défense face à un quadruple effondrement : politique, symbolique, psychique et normatif. Après l'ivresse de la libération, on découvre que c'est notre identité tout entière qui risque de vaciller : celle de l'individu, celle de la vie sociale et celle du politique. Le juge apparaît comme un recours contre l'implosion des sociétés démocratiques qui n'arrivent plus à gérer autrement la complexité et la diversité qu'elles engendrent. Le sujet, privé des repères qui lui donnent une identité et structurent sa personnalité, cherche dans

2. J. K. Lieberman, *The Litigious Society*, New York, Basic Books, 1981, p. 186.

le contact avec la justice un rempart contre l'effondrement intérieur. Face à la décomposition du politique, c'est désormais au juge que l'on demande le salut. Les juges sont les derniers occupants d'une fonction d'autorité – cléricale, voire parentale – désertée par ses anciens titulaires.

La mutation de l'État-providence et la fragilité de l'homme démocratique portent le droit sur le devant de la scène mais pour des raisons différentes. La première y recherche un palliatif à la disparition du pouvoir tutélaire de l'État pour organiser le commerce entre égaux, la seconde un substitut à la religion ; l'une est horizontale, l'autre verticale. La première cause est d'origine externe et affecte les institutions politiques, la seconde, interne et plus anthropologique, concerne la société démocratique. Ces deux faits, relativement étrangers l'un à l'autre, rendent l'interprétation de ce phénomène déroutante : qu'y a-t-il de commun entre la montée en puissance des grands cabinets d'avocats internationaux, les fameuses *Law Firms*, et l'augmentation du nombre de détenus dans toutes les démocraties ?

On sait depuis Tocqueville que la démocratie est autant une organisation politique qu'une société qui place l'égalité des conditions en son cœur. La judiciarisation ne traduirait-elle pas une double souffrance, dans les deux sens de douleur et d'abandon, tant des institutions que de la société démocratique qui partagent une même fragilité ? La justice n'est-elle pas convoquée pour les protéger ? Plus la démocratie, sous sa double forme d'organisation politique et de société, s'émancipe, plus elle cherche dans la justice une sorte de sauvegarde : voilà l'unité profonde du phénomène de la montée en puissance de la justice. La sauvegarde – l'informatique le rappelle – a partie liée avec la fragilité et la mémoire. Le destin des sociétés est d'oublier leur tradition, de refouler leur héritage pour réinventer leur destin, mais peut-on vivre sans mémoire ? Le juge devient le dernier gardien des promesses et ce tant pour le sujet que pour la communauté politique. Faute de garder la mémoire vive des valeurs qui les fondent, ces derniers ont confié à la justice la garde de leurs serments.

Il n'empêche que l'engouement actuel pour la justice peut conduire à une impasse. Le report irraisonné de toutes les frustrations modernes vers la justice, l'enthousiasme naïf dans sa toute-puissance, peuvent jouer contre la justice elle-même : c'est ce que nous essaierons de montrer dans la première partie. L'invocation à tort et à travers du droit et des droits a pour effet de soumettre au contrôle du juge des pans entiers de la vie privée, auparavant hors de tout contrôle public. Pire, cette « judiciarisation » finit par imposer une version pénale à toute relation – politique, administrative, commerciale, sociale, familiale, voire amoureuse – désormais décryptée sous l'angle binaire et réducteur du rapport victime/agresseur. Ce langage juridique simpliste, s'enracinant dans une logique sacrificielle que l'on croyait définitivement maîtrisée, a pour conséquence de faire progresser le nombre de détenus dans des proportions inquiétantes, phénomène qu'aucune démocratie n'arrive véritablement à enrayer. Les médias, sous prétexte d'assurer une transparence maximale, risquent de priver les citoyens de garanties minimales – comme la présomption d'innocence – en entretenant l'illusion d'une démocratie directe. S'agissant des juges, ne va-t-on pas se livrer pieds et poings liés à une nouvelle cléricature aussi détestable que l'ancienne bureaucratie ? Les avocats ne finiront-ils pas par imposer un surcoût juridique à toute transaction sociale en multipliant des barrières imaginaires ? Les juristes sont tentés d'abuser de cette position dominante – inédite dans notre pays – pour rançonner la démocratie. Jusqu'à en épuiser les richesses.

L'inventaire de ces paradoxes invite à repenser la place de la justice dans une démocratie rénovée : ce sera l'objet de la seconde partie. S'agissant d'un mouvement puisant sa force dans une double crise des institutions politiques et de la société démocratique elle-même, les réponses sont à la fois institutionnelles et sociétales. La démocratie ne s'effondre pas, elle se transforme par le droit. Les deux précédents modèles – droit formel de l'État libéral, droit matériel de l'État-providence – sont à présent à bout de souffle, et un nouveau modèle de droit et de démocratie est en train de naître. Nous voici donc à un moment capital de l'histoire de la justice et à un tournant de nos démocraties. Pour les comprendre et si possible en anticiper les évolutions, la confrontation de notre droit continental avec l'autre grand système, celui de la Common Law, sera un guide précieux. D'où ce dialogue entre les deux modèles qui n'a pas vocation à être conclu de manière définitive. Le défi est en effet de savoir comment la justice pourra constituer un repère collectif fort aussi bien pour les délibérations publiques que pour les individus sans menacer les valeurs démocratiques. Ce qui obligera, pour finir, à proposer de nouvelles relations entre le juge et la communauté politique.

La justice est un sujet difficile, qui risque de devenir vite apologétique ou polémique, deux genres aujourd'hui fort répandus. C'est pourtant une question passionnante à condition d'y voir concentrées les souffrances, les contradictions et les impasses de nos sociétés modernes. A travers la justice, le vœu démocratique est confronté à la chair du social, aux passions démocratiques, à la démesure des hommes, à l'absurdité de la violence et à l'énigme du mal. Assumer la part humaine de la justice amènera à parler des passions autant que de la raison, des émotions autant que de l'argumentation, des médias autant que de la procédure, de la prison autant que des libertés. Notre démocratie a peut-être moins besoin de constructions – ou de déconstructions – théoriques que de nouveaux repères pour assumer les « médiations imparfaites » que sont nos juridictions. Ce livre d'un juge qui se retourne sur son expérience à mi-carrière ne se veut ni académique ni polémique mais bien politique, en ce qu'il souhaite mesurer les résistances que rencontre la vertu de justice à l'épreuve de la pratique du jugement et confronter l'intention démocratique à sa réalisation.

PREMIÈRE PARTIE

LES IMPASSES DE LA DÉMOCRATIE JURIDIQUE

Chapitre I

LA RÉPUBLIQUE SAISIE PAR LE DROIT

Serait-ce, comme on le prétend souvent, le souvenir de l'arbitraire de nos anciens Parlements ? Ou la trace d'un vieil antijuridisme français déjà perceptible chez Pascal, plus affirmé chez Voltaire et éclatant dans l'œuvre de Victor Hugo [1], sans parler de l'hostilité révolutionnaire à l'égard de « l'aristocratie thémistique » ? Nul ne sait, au juste, pourquoi, en France, on a du mal à prendre la justice au sérieux. Notre pays est aussi prompt à s'indigner et à s'emballer pour des « affaires », que lent à honorer ses juridictions. Il pourrait bien s'agir d'un refoulement au sens freudien tant, dans notre pays, le juge a de pouvoirs. La question, précisément parce qu'elle est cruciale, serait évitée ; et l'énergie révolutionnaire déployée à lutter contre le juge n'aurait d'équivalent que l'importance que ce dernier continue d'avoir dans l'imaginaire inquisitorial de nos institutions sinon dans leur réalité. Les étrangers sont souvent impressionnés par la majesté lapidaire des arrêts de la Cour de cassation : comme si, chez nous, le juge n'avait pas à se justifier. Obnubilé par le prestige du juge anglais, on en oublie l'effort d'argumentation exigé de lui. Se risque-t-on à imaginer des réformes ? Les esprits ne tardent pas à s'échauffer, et le trouble-fête est taxé d'anglomane, c'est-à-dire de mauvais Français. Nous ne sommes toujours pas parvenus à modifier la procédure pénale ou constitutionnelle, en dépit de multiples tentatives. Le refoulement se complique, alors, d'un blocage.

---

1. J.-N. Jeanneney, *L'avenir vient de loin*, Paris, Éd. du Seuil, 1994, pp. 137-163.

Ce caractère national se transforme en handicap le jour où nous nous découvrons membre d'une communauté supranationale instituée en droit et lorsque l'essentiel de notre commerce se fait avec des gens qui ne badinent pas avec la règle du jeu. Le prix de ce particularisme français est chaque jour un peu plus élevé : pour nos juristes tout d'abord, qui n'ont pu résister à l'invasion des *lawyers* américains, pour l'administration ensuite, qui manque cruellement de juristes, pour nos hommes d'affaires et notre classe politique, enfin, qui ne semblent pas avoir encore compris qu'un État moderne, un exécutif crédible – comme une économie forte – ont désormais besoin d'une justice respectée.

C'est que le juge reste une question *politiquement incorrecte*, celui-ci n'ayant toujours pas acquis la pleine dignité démocratique. Son rôle est aux yeux de beaucoup *juridiquement inconsistant* : on ne lui reconnaît toujours pas la possibilité d'être dans certains cas diseur de droit. Que gagne-t-on à nier l'évidence, si ce n'est à accuser le retard avec les débats étrangers ? Il a fallu près de vingt ans pour traduire Dworkin ou Rawls. Parce que la justice, enfin, a longtemps été reléguée au rang de question *intellectuellement inexistante*, ne constituant pas un « champ » autonome pour les sciences sociales ni une authentique source d'interrogation philosophique. Le discours philosophique dominant jusqu'à une date récente n'appréhendait la question juridique qu'en termes de « stratégie », comme « des techniques de domination et de distinction ». État de droit et État totalitaire étaient fourrés dans le même sac. Dans *Surveiller et punir*, qui a eu un immense retentissement parmi les professionnels, Foucault ne considère la justice et la prison que comme une « microphysique du pouvoir ». Ces thèses ont trouvé un terrain particulièrement favorable dans notre pays où rien ne vient médiatiser le face-à-face entre le sujet et l'État. La tradition française passe directement de la philosophie morale à la philosophie politique sans trop se préoccuper de la philosophie du droit qui n'est toujours pas enseignée dans les facultés. Pire, on a été jusqu'à refouler notre propre tradition : des auteurs comme Duguit, Hauriou ou Gurvitch ne sont pas réédités excepté... en Italie ! Ce « singulier retard [2] » de la philosophie sur notre temps marqué par le fameux « retour du droit » prive les citoyens de repères pour le débat et les professionnels, de principes pour l'action. « La justice, écrit

2. A. Renaut, L. Sosoe, *Philosophie du droit*, Paris, PUF, 1991, p. 51.

Rawls, est la première vertu des institutions sociales comme la vérité est celle des systèmes de pensée [3]. »

LA FIN DE L'EXCEPTION JACOBINE

La France est un laboratoire intéressant de la transformation de la démocratie en raison précisément de son hostilité séculaire à l'égard du juge. Cette entrée en scène de la justice, qui heurte de plein fouet sa culture jacobine, a trois manifestations principales : la fin des immunités pour ceux qui, comme les hommes politiques, n'étaient pas justiciables de la justice commune, la nécessité de porter dorénavant les conflits sur la scène publique et l'expatriation des sources du droit hors de l'État.

La fin des immunités

L'opinion publique s'est récemment émue de l'action de quelques « petits juges » ayant mis en examen des hommes politiques d'envergure nationale. Le rapprochement avec l'opération *mani pulite* en Italie est tentant ; il ne résiste pourtant pas longtemps à l'examen. Là, l'activisme est le fruit de l'action concertée de quelques membres décidés du parquet de Milan contre une cible déterminée, la corruption politique. Ici, on fourre dans le même sac des affaires très disparates : qu'y a-t-il de commun entre le défaut d'information de l'actionnaire minoritaire comme dans l'affaire Didier Pineau-Valencienne et la corruption active ? Ces affaires sont, de surcroît, traitées par des juges n'ayant aucun lien – institutionnel ou géographique – entre eux. Cela exclut d'emblée l'hypothèse d'un complot des juges, d'une part, et l'amalgame populiste, d'autre part. Est-ce la justice qui est devenue plus indépendante ? La corruption plus répandue ? Ou la presse plus intrusive ?

C'est moins le juge qui est devenu un nouvel acteur politique que les hommes politiques de nouveaux justiciables. Comme le deviennent avec eux les chefs d'entreprise, les chercheurs, les médecins, les historiens, les professeurs de droit, qui découvrent du jour au lendemain qu'ils ne sont plus au-dessus des lois. On a même assisté à une perquisition dans les locaux d'un ministère, ce qui ne s'était jamais produit dans l'histoire de la République, et vu des

3. J. Rawls, *Théorie de la justice*, Paris, Éd. du Seuil, 1987 (trad. fr. par C. Audard), p. 29.

membres de cabinet ministériel mis en examen comme dans l'affaire du sang contaminé. L'action de ces petits juges n'est pas subversive mais légaliste, ce qui déroute la défense. Ils s'attaquent aux hommes politiques et aux patrons non pas dans le but de les anéantir mais de les soumettre à la loi commune. Qu'y a-t-il de révolutionnaire à cela ? Cela le devient en France parce que, ce faisant, les juges s'attaquent aux immunités dont jouissaient traditionnellement les serviteurs – grands ou petits – de l'État. « Ce n'est pas accorder un privilège particulier aux tribunaux, écrit Tocqueville, que de leur permettre de punir les agents du pouvoir exécutif, quand ils violent la loi. C'est leur enlever un droit naturel que de le leur défendre [4]. »

La classe politique semble désemparée par ce phénomène, se défendant maladroitement, maudissant les juges ou critiquant la loi. Nos élus sont pris au dépourvu tant est grande leur inculture juridique. Non pas qu'ils ne connaissent pas les lois ou les rouages de la justice, mais parce qu'ils ne leur reconnaissent pas véritablement de force contraignante.

Ces affaires sont le signe d'une fracture profonde. Comme en témoigne, entre autres, l'apparition de la délation dans nos mœurs politiques. Ce qu'on appelle respectueusement le journalisme d'investigation n'est bien souvent qu'un journalisme de délation. Tout le monde dénonce tout le monde, ce qui n'est pas sans rappeler, au plus haut niveau, la guerre de tous contre tous. Les juges reçoivent au courrier des indications exhaustives sur des pratiques malhonnêtes. Autrefois, la difficulté de telles enquêtes était de briser l'*omertà* républicaine, à présent c'est de trier le flot d'informations que la justice reçoit. Certains hommes politiques se servent désormais de la justice pour affaiblir leur adversaire. Cet usage stratégique de la justice à des fins à très court terme est révélateur de l'individualisme qui gagne aussi la vie politique. La solidarité de la classe politique a volé en éclats et les états-majors des partis, en se dénonçant de manière suicidaire, se rapprochent de ce que l'on constate aux États-Unis où l'assassinat médiatique semble tenir lieu de programme [5].

Une inhibition a été secrètement levée. Au-delà de l'effritement de l'esprit public, ce phénomène marque la fin d'une sorte de révérence pour l'État. Un verrou symbolique a sauté et désormais le silence n'est plus respectable mais suspect. Une accusation est-elle

---

4. A. de Tocqueville, *De la démocratie en Amérique*, Paris, Garnier/Flammarion, 1981 (biographie, préface et bibliographie par François Furet), t. I, p. 173.
5. J.-J. Courtine, « Les dérives de la vie publique, sexe et politique aux États-Unis », *Esprit*, octobre 1994, p. 67.

portée contre un membre de la présidence de la République ? Il se justifie aussitôt. Un homme politique est-il mis en cause ? Il menace de révéler « tout ce qu'il sait ». Les plus hautes personnalités de l'État se croient obligées de se justifier quand un terroriste leur demande des comptes. Même les membres des services secrets, dont pourtant la première obligation est de se taire, se mettent à parler. Tous mettent en avant cette « éthique du tout dire » qui est le contraire même de l'éthique.

L'exception française – capitalisme d'État sans capitalistes se renouvelant par élitisme endogamique –, dont on s'est fort bien accommodé pendant des lustres, paraît tout d'un coup anormale, pire : perverse. Une société accepte d'autant plus les privilèges de l'État que celui-ci est généreux à son égard. Le développement économique permet de compenser le maintien d'une certaine « noblesse d'État » par l'enrichissement et l'ascension sociale. La corruption a probablement toujours existé mais elle passait inaperçue lorsque tout le monde profitait de la croissance. On pardonne plus volontiers à un État qui donne.

Les élites républicaines ne remplissent plus leur devoir de garant moral de la justice. Les serviteurs de l'État ont perdu le rôle d'autorité, c'est-à-dire de gardiens de la République : le *spoil system* [6] s'étend chaque fois davantage à chaque changement de majorité, et l'on voit augmenter la pression sur les fonctionnaires eux-mêmes pour qu'ils s'engagent. La politisation des fonctionnaires va de pair avec la fonctionnarisation de la vie politique. Les fonctionnaires paraissent plus appliquer un programme gouvernemental qu'un projet de société. Une telle évolution récompense la servilité et pénalise le professionnalisme.

L'État n'incarne plus ce lieu d'extériorité, il n'insuffle plus l'esprit public, c'est-à-dire le désintéressement et le détachement qui assurait la primauté de l'intérêt général sur l'intérêt particulier. Il est vrai que, pour exercer ce rôle, il faut accepter d'en payer le prix. L'affaire Habache, les écoutes au congrès du parti socialiste ou plus récemment la rocambolesque affaire Schuller/Maréchal se sont toutes soldées par la sanction de fonctionnaires mais pas des politiques. Cette étrange responsabilité semble obéir à une loi non écrite : « Celui qui détient le pouvoir est aussi celui qui peut échapper à sa responsabilité en cas de problème [7]. » C'est le contraire

---

6. C'est le système au terme duquel un grand nombre de fonctions changent de titulaire à chaque nouveau Président aux États-Unis.

7. O. Beaud, « L'introuvable responsabilité politique », *Libération* du 22 juillet 1994.

même de l'idée de responsabilité. De surcroît, dans la Ve République, c'est désormais devant l'exécutif et non plus le Parlement que se plaide cette responsabilité. La pratique politique a renversé l'ordre de la constitution écrite en substituant la responsabilité des ministres devant le Parlement par celle des ministres devant le chef de l'exécutif et par celle des fonctionnaires devant le ministre. La responsabilité politique est traitée dans les coulisses du pouvoir et non pas au grand jour. Qui s'étonnera, dans ces conditions, que des ministres, devant la défaillance de ce mécanisme politique, soient poursuivis directement devant la Cour de justice de la République sous une qualification pénale ?

L'externalisation des conflits

L'État jacobin n'était pas justiciable : selon la tradition monarchique encore perceptible dans nombre d'institutions de notre pays, l'État, comme le roi, ne plaide pas en « cour sujette ». C'est pourquoi il continue de bénéficier d'un privilège de juridiction, ne pouvant être jugé que par une juridiction spéciale très proche de l'administration, le Conseil d'État. Ce droit exorbitant pour l'État, dérogatoire au droit commun, n'a plus le vent en poupe, à en croire la tendance générale de notre droit à soumettre tout service public, quel que soit son objet, aux règles du droit privé [8]. La fin du monopole de la vérité oblige désormais la République à porter ses différends sur le forum public. Le Conseil d'État ne voyait autrefois que la partie émergée du contentieux, celle où des particuliers se plaignaient de l'action de l'État. Les autres conflits – surtout ceux mettant en cause les intérêts centraux de l'État – étaient souvent traités en son giron et de la manière la plus confidentielle. Cela ne veut pas dire qu'ils n'étaient pas bien résolus, au contraire, mais ils l'étaient selon des règles et un code échappant à toute transparence. Il n'y a pas si longtemps, les grands litiges opposant deux grandes entreprises nationalisées étaient tranchés dans le bureau du directeur du budget, voire dans celui du ministre lui-même.

En France, on préfère la justice ordinale à la justice ordinaire. Chaque corporation a sa justice : les fonctionnaires, les médecins, les pharmaciens, les avocats, les avoués, les dentistes bénéficient d'instances ordinales peu transparentes dans lesquelles la déontologie joue un rôle pour le moins ambigu. Un avocat, par exemple,

---

8. R. Chapus, « L'Administration et son juge. Ce qui change », *Rapport public du Conseil d'État*, Paris, La Documentation française, 1992, p. 275.

doit demander la permission de son bâtonnier avant d'attaquer un confrère... Dans toutes ces instances, la sanction est interne et invisible. « Au droit se substitue le privilège, à la règle générale l'échange particulariste, au marché ouvert l'oligopole occulte [9]. » L'affaire du sang contaminé a montré la faillite de ces instances internes de contrôle, l'incurie de l'ordre des médecins et l'irresponsabilité de la tutelle ministérielle. Pas étonnant alors que *Le Canard enchaîné* constitue *de facto* la principale instance déontologique de l'État. Ce journal est le dernier recours dans une République qui n'arrive pas à régler autrement ses conflits. Une des nouveautés de l'affaire du sang contaminé – à laquelle la presse n'a pas été étrangère – a consisté à soumettre une question de cette importance, mettant en cause le fonctionnement de l'État, à la compétence d'une juridiction judiciaire sous une qualification pénale.

L'autonomisation progressive de la justice marque la fin des régulations internes et d'un fonctionnement corporatiste de l'État. Elle menace les privilèges, les règles du jeu faussées et les cercles fermés, les « systèmes barbichette », qui ont tous en commun avec la planche photographique de se dissoudre à la lumière. On comprend alors que le rôle de la justice soit plus particulièrement important dans les pays dont la règle du jeu politique était faussée, comme l'Italie. « Quand, en 1989, le mur de Berlin est tombé et qu'il n'y a plus eu de danger communiste, la facture de ces quarante dernières années est arrivée [10]. » La montée de la justice est directement liée à la fin de la guerre froide et à l'internationalisation des échanges commerciaux.

L'irruption de l'activisme juridictionnel ne peut être comprise tant que celui-ci ne sera pas rapporté à un mouvement profond dont il n'est qu'une manifestation. Il ne s'agit pas d'un transfert de souveraineté vers le juge mais plutôt d'une transformation de la démocratie. Les juges ne jouiraient pas d'une telle popularité s'ils ne rencontraient une nouvelle attente politique dont ils se font les champions et s'ils n'incarnaient une nouvelle manière de concevoir la démocratie. Que s'est-il donc passé pendant cette dernière décennie ? C'est moins dans le droit lui-même que dans son investissement nouveau par l'imaginaire démocratique qu'il faut chercher l'origine de ce mouvement. Le droit est devenu le nouveau langage dans lequel se formulent les demandes politiques qui, déçues par un État en retraite, se reportent massivement vers la justice.

---

9. Y. Mény, *La Corruption de la République*, Paris, Fayard, 1992, p. 20.
10. M. Pirani, éditorialiste de *La Repubblica*, *Le Monde* du 11 mai 1994.

LA DÉNATIONALISATION DU DROIT

Pour la théorie classique de la démocratie particulièrement illustrée par le système français, la loi est l'expression de la souveraineté populaire. Le juge n'a aucune emprise sur elle et doit se borner à l'appliquer. Cette conception très « légicentrique » du droit se voit battue en brèche par deux phénomènes différents mais convergents : l'inflation de textes mal préparés au contenu flou d'une part, l'intégration dans une communauté politique supranationale d'autre part. L'émancipation du juge trouve tout d'abord son origine dans l'essoufflement de la loi qui assurait, dans la vision classique, la subordination du juge et dans la possibilité nouvelle de juger la loi que lui offrent des textes contenant des principes d'une valeur supérieure, comme la constitution ou les traités internationaux.

La loi, un instrument périmé ?

La loi constituait le maillon principal du positivisme puisqu'elle était supposée assurer le lien entre l'office du juge et la souveraineté populaire. Le juge n'était censé être que « la bouche de la loi » selon la célèbre expression de Montesquieu. Or cette loi si essentielle à la séparation des pouvoirs ne suffit plus pour guider le juge dans sa décision. Celui-ci doit faire appel à des sources extérieures pour dire le droit. La loi ne se confond plus avec le droit : elle garde certes une importance essentielle mais ne peut plus prétendre fonder à elle seule tout le système juridique.

Les raisons de ce discrédit de la loi tiennent tout d'abord à sa forme : la loi semble périmée dans sa démarche, « en bout de technologie » : on n'admet plus son esprit abstrait, rigide, uniforme, qui condamne à un droit doctrinal, éloigné des réalités. Le contrôle juridictionnel, plus casuiste et plus souple, paraît plus propice aux régulations fines que requièrent nos sociétés complexes. Lois-gadgets, droit gazeux, droit mou, droit flou... : l'inflation de lois qui n'ont même pas toujours de contenu normatif et la multiplication de textes d'affichage à la substance volatile finissent par constituer un stock normatif difficilement maîtrisable et générateur d'effets pervers. Il y a là une cause du discrédit de la règle – loi jetable n'est pas respectable – et un risque de « krach » juridique. Le recours à la réglementation législative, dont use et abuse le politique, menace d'épuisement le système juridique. Il faut faire retrouver au droit sa minceur. Il ne la retrouvera qu'à la condition de ne plus se concevoir seulement sous la forme de *règles* mais également sous la forme de *principes*.

Le législateur se cantonne de surcroît à la gestion plutôt qu'à la direction de la cité. Le rôle proprement législatif du Parlement est paralysé par la technicité croissante des textes qui réclament une compétence qu'il n'a pas. Dans beaucoup de pays, la loi n'est plus faite depuis bien longtemps par le Parlement mais par des technocrates politiquement irresponsables. Ce qui affaiblit le rôle de contre-pouvoir du législatif et éloigne un peu plus le gouvernant du gouverné. L'efficacité des textes parlementaires est perturbée par le jeu des alliances et des coalitions qui transforme la loi moins en l'expression d'une volonté qu'en une soustraction de multiples refus. Le compromis aime les termes flous et les dispositions ambiguës qui ne réveillent pas le désaccord. La loi devient *un produit semi-fini qui doit être terminé par le juge*.

L'apparition de sources de droit supranationales

L'affaiblissement de la loi a été accéléré par l'importance qu'ont prise dans les systèmes juridiques nationaux les sources supranationales. Le droit communautaire et la Convention européenne de sauvegarde des droits de l'homme jouent un rôle chaque jour plus déterminant dans les droits internes des pays membres. Ces textes, à l'instar de la Constitution, énoncent quelques principes fondamentaux qu'une juridiction sera chargée de garantir. Ces principes se distinguent du droit naturel par leur consignation dans des textes auxquels est reconnue une force juridique positive supérieure à la loi. Juge et texte fondateur forment désormais un couple légitime. Le texte fondateur est, par définition, incomplet : c'est au juge qu'il revient de le faire parler. Celui-ci ne doit plus se contenter d'appliquer des lois mais a dans certains cas désormais le devoir de vérifier leur conformité à un droit supérieur contenu dans ces principes. La loi implose donc et se fractionne en deux directions opposées : d'une part, des principes hors de la portée du législateur ordinaire et, d'autre part, un droit plus concret et plus opératoire. Le juge actualise l'œuvre du constituant et devient un colégislateur permanent. « Le juge récepteur et le constituant émetteur forment de la sorte un tandem de pairs indissociables, dont le concours est requis pour l'éclosion de la souveraineté constituante [11]. »

11. O. Cayla, « Les deux figures du juge », *Le Débat*, 1993, n° 74, p. 172.

Les droits de l'homme énoncés dans des textes ayant valeur positive, comme la Convention européenne de sauvegarde des libertés fondamentales, et l'intégration européenne ont progressivement fait passer l'État pourvoyeur de justice à l'État justiciable. C'est vrai de la France comme de pays qui n'ont pas de cour constitutionnelle, comme les Pays-Bas [12], voire pas de constitution écrite du tout comme le Royaume-Uni [13]. La même évolution se constate en Suède [14] depuis l'intégration européenne qui a pour effet d'ouvrir la voie à un certain activisme judiciaire.

Il n'est pas inutile de rappeler que la construction européenne a été juridique avant d'être politique. Cette construction d'un espace politique supranational apporte la démonstration qu'une communauté politique peut se passer – en apparence – d'exécutif. Si un ordre juridique peut exister sans législateur ni exécutif, il ne peut en revanche se passer d'un juge apte à se prononcer sur l'interprétation des règles et le règlement des litiges. « Il y avait des juges avant qu'il y eût des lois ; ces juges, dans ces temps d'ignorance et de grossièreté, étaient des ministres d'équité entre les hommes ; ils le sont encore quand ils ne sont point dirigés par les lois écrites ; ils ne peuvent donc, sous le prétexte de l'obscurité et du silence des lois, suspendre arbitrairement leur ministère » [15].

Une révolution juridique

L'introduction d'un niveau juridique supérieur à la loi nationale a causé une véritable révolution juridique au sens propre du mot, c'est-à-dire une rotation au terme de laquelle des éléments se trouvent dans une position exactement opposée. Le souverain, qui était encore hier le dernier recours, s'est vu coiffé par une instance supérieure devant laquelle tous ses actes pourront être revus. La justice, qui était un organe de l'État, se retrouve subitement incarner le foyer de légitimité dont procède l'État. La volonté générale ne peut plus prétendre au monopole de la production de droit mais

---

12. J. ten Kate, P. van Koppen, « Judicialization of Politics in the Netherlands : Towards a Form of Judicial Review », *International Political Science Review*, 1994, vol. 15, n° 2, pp. 143-151.

13. M. Sunkin, « Judicialization of Politics in the United Kingdom », *International Political Science Review*, 1994, vol. 15, n° 2, pp. 125-133.

14. B. Holmström, « Judicialization of Politics in Sweden », *International Political Science Review*, 1994, vol. 15, n° 2, pp. 153-164.

15. Portalis, Discours prononcé le 14 décembre 1801 pour la discussion du titre préliminaire du Code civil.

doit se rendre compatible avec des principes contenus dans des textes fondateurs que sont la Constitution, le traité de Rome puis celui de Maastricht, la Convention européenne de sauvegarde des droits de l'homme, les autres conventions internationales. Ainsi, le droit n'est plus à l'entière disposition de la volonté populaire. La souveraineté de représentants du peuple se voit bridée par des principes logés dans ces différents textes à l'énoncé clair et concis, et à forte densité morale. La Loi a désormais deux maîtres : le souverain, qui lui donne une consistance, et le juge, qui la sanctionne en visant sa conformité aux textes fondateurs et en l'accueillant dans l'ordre juridique. Il ne s'agit pas d'une opposition entre le souverain et un intrus mais entre deux états de la volonté du souverain exprimés par des titulaires différents.

Ces principes communs sont la base d'un nouveau pacte entre les nations. Ces textes deviennent la source à laquelle les juges puisent directement l'inspiration de leurs jugements par-delà l'État qui les a faits. L'universalisation est autant l'œuvre des juristes que des serviteurs de l'État qui craignent une dilution de leurs prérogatives. La justice supranationale exerce un pouvoir intégrateur considérable, à en juger, par exemple, par l'influence de l'article 6-1 de la Convention européenne des droits de l'homme relatif au procès équitable [16]. Elle tend non pas à uniformiser les différents droits nationaux mais à les rendre compatibles entre eux. Mieux, le droit communautaire et la jurisprudence de la Cour de justice des communautés européennes jettent les bases d'une *culture commune* qui permet aux différentes cultures de communiquer entre elles et même de s'émanciper d'une trop grande emprise étatique. « Dès lors, se demande Guy Canivet, que sa compétence, ses règles de procédure et ses pouvoirs sont déterminés par le système des traités et qu'il est soumis à des garanties fondamentales, le magistrat étatique ne relève-t-il pas, en définitive, d'un statut européen gouverné tant par le droit des communautés que par la Convention européenne des droits de l'homme [17] ? »

---

16. Voir à ce sujet M. Delmas-Marty, *Pour un droit commun*, Paris, Éd. du Seuil, 1994.

17. G. Canivet, « Le droit communautaire et l'office du juge national », *Droit et société*, 1992, n° 20-21, p. 141.

Politisation du raisonnement judiciaire, judiciarisation du raisonnement politique

Le pouvoir exécutif a besoin d'un pouvoir plus grand que lui. Ne serait-ce que pour arbitrer ses conflits avec l'autre pouvoir, le législatif. Ainsi en Belgique, en raison de la tension entre les communautés, la Constitution a confié à la Cour d'arbitrage le soin de garantir « l'égalité » dans le traitement des citoyens. Ce simple mot a ouvert un champ d'intervention immense au juge qui s'est posé comme le réel garant des libertés fondamentales. Une sorte de *dynamique juridictionnelle* tend à transformer en véritables juridictions des instances aux compétences initialement limitées, comme le groupe de travail sur la détention arbitraire de la Commission des droits de l'homme de l'ONU. On a vu le Conseil d'État français évoluer d'une instance de contrôle de l'action administrative à une juridiction des droits de l'homme [18]. Le Conseil constitutionnel, en France, n'a pas été initialement conçu comme une juridiction mais comme une instance de départition des domaines réglementaire et législatif pour éviter les errements de la IVe République. Le troisième pouvoir s'enrichit de la discorde des deux premiers et l'arbitre risque, tel Raminagrobis, de finir par dévorer ceux qui s'en remettent à lui.

Comment expliquer que l'extension du contrôle du juge procède souvent d'une délégation du pouvoir politique lui-même ? Les exemples se multiplient dans tous les pays où l'on voit ce dernier se décharger de certaines tâches sur le juge. La promotion du juge traduit moins un changement des titulaires de la souveraineté qu'une évolution de la référence de l'action politique, moins une rivalité qu'une *influence réciproque*.

Vallinder [19] distingue, en effet, deux modes de colonisation du politique par la justice : soit directement par l'extension de la compétence de la justice au détriment du pouvoir exécutif (colonisation de l'extérieur), soit indirectement par l'attraction que le modèle juridictionnel exerce sur le raisonnement politique (colonisation de l'intérieur). La *politisation du raisonnement judiciaire* n'a d'égale que la *judiciarisation du discours politique*. Les revendications politiques s'expriment plus volontiers en termes juri-

---

18. R. Chapus, *op. cit.*, p. 275.

19. *Judicialization from within Judicialization from without*, T. Vallinder, « The Judicialization of Politics : Meaning, Forms, Background, Prospects », *Festfrift tillägnad Hakan Strömberg pa 75-ars dagen den 18 februari 1992*, Lund (Suède), Akademibokhandeln i Lund, 1992, pp. 267-278.

diques qu'idéologiques, les droits individuels et formels supplantant les droits collectifs et substantiels.

Ces deux phénomènes – dénationalisation du droit et essoufflement de la souveraineté parlementaire – désignent le cœur de l'évolution, à savoir la migration du centre de gravité de la démocratie vers un lieu plus extérieur. La judiciarisation de la vie politique atteste ce déplacement : c'est désormais dans les méthodes de la justice que notre époque reconnaît une action collective *juste*. La justice a d'ailleurs fourni à la démocratie son nouveau vocabulaire : impartialité, procédure, transparence, contradictoire, neutralité, argumentation, etc. Le juge – et la constellation de représentations qui gravitent autour – procure à la démocratie les images aptes à donner corps à une nouvelle éthique de la délibération collective. Cela explique pourquoi l'État se défausse de certaines de ses prérogatives sur des instances quasi juridictionnelles, comme les autorités administratives indépendantes. Pourquoi ces questions seraient-elles mieux appréciées par des quasi-juridictions que par lui-même ? Peut-être parce que aujourd'hui une instance neutre et impartiale, la transparence et la régularité procédurale paraissent désormais plus légitimes que l'exercice solitaire d'une volonté politique.

C'est donc dans une forme procédurale plutôt que politique que l'action collective trouve désormais sa validation. L'apparition de l'expression « impartialité de l'État » qui a tant marqué la dernière élection présidentielle française offre une excellente illustration de cette évolution des attentes politiques. L'idée d'impartialité appartient au vocabulaire de la justice. Son application à l'État est révélatrice d'un manque et d'un transfert. D'une perte de crédit du politique, tout d'abord, et d'une réorientation des attentes politiques vers la justice puisque c'est désormais à elle que l'opinion publique adresse ses demandes d'arbitrage. La justice incarne désormais l'espace public neutre et le droit, la référence de l'action politique et le juge, l'esprit public désintéressé.

LA NOUVELLE SCÈNE DE LA DÉMOCRATIE [20]

Le droit, autant les droits de l'homme que la procédure, est devenu un référent majeur de l'action politique. Aussi bien pour traduire des revendications que pour organiser l'action administra-

---

20. P. Rosanvallon, « La justice, nouvelle scène de notre démocratie », *Libération* du 6 avril 1995.

tive. C'est sous la forme du droit et du procès que l'homme des démocraties se représente désormais l'action politique. C'est pourquoi la question de l'activisme judiciaire est mal posée. Il ne s'agit pas de l'action sporadique de quelques juges écervelés qui veulent en découdre avec le pouvoir politique mais d'une évolution des attentes à l'égard de la responsabilité politique. Comment expliquer autrement que ce soit les parlement nationaux qui aient mis en accusation Willy Claes, Secrétaire Général de l'OTAN dans le cas belge et l'ex-ministre de l'Intérieur dans le cas espagnol ? Ces instances politiques ont bien compris le message et ont agi ainsi pour leur survie. La montée en puissance de la justice ne doit pas être entendue comme un glissement de la souveraineté du peuple vers le juge, mais comme une transformation du sentiment de justice. On ne peut se sortir de cette « opposition dramaturgique » entre la souveraineté populaire et les juges dont parle Jacques Lenoble qu'à la condition de bien voir que la transformation du rôle du juge correspond à la transformation de la démocratie elle-même. Les transformations de la démocratie contemporaine tiennent moins à l'accroissement du rôle effectif du juge qu'à l'importance de la *place symbolique* qu'il est en train d'acquérir, c'est-à-dire à la *possibilité* même de son intervention. La montée en puissance de la justice a plus valeur de signe d'un changement profond de notre démocratie que d'une réalité concrète. Parler du juge au singulier comme d'une catégorie à part entière n'a de sens que si l'on y voit un type idéal auquel son existence concrète ne se conforme jamais totalement.

Ainsi, le critère de la *justiciabilité* se substitue insidieusement à celui de la positivité de la loi. Le droit se définit moins par la contrainte légitime de la loi que par la possibilité de soumettre un comportement à l'examen par un tiers. « C'est la seule éventualité du jugement, l'*eventus judicii*, qui est la justiciabilité, non pas le jugement effectif, encore moins la condamnation [21]. » Le contrôle juridictionnel ne requiert pas une règle de droit préexistante qui ouvre une action en justice : « La justiciabilité débouche sur un phénomène plus universel, englobant tout appel au juge, même s'il ne revêt pas un aspect ordonné et stratégique, même s'il n'est que plainte, clameur, querelle... Ce qui importe, c'est l'intervention d'un juge, de ce tiers personnage (arbitre privé ou fonctionnaire d'État, indifféremment) placé à part des autres pour douter dans la contradiction des litigants et finalement sortir du doute par une décision [22]. »

---

21. J. Carbonnier, *Sociologie juridique*, Paris, PUF, 1978, p. 194.
22. *Ibid.*, p. 194.

Tout désormais doit pouvoir être mis en cause devant une juridiction. Jusqu'à la politique étrangère, domaine exclusif de la souveraineté politique traditionnellement rebelle à tout recours. Imaginons une organisation non gouvernementale (ONG) déposant plainte devant une juridiction pénale contre le ministre des Affaires étrangères d'un pays de l'Union européenne pour complicité de génocide en raison de l'attitude de son gouvernement pendant le génocide ruandais ? Cette plainte n'a certes aujourd'hui pas beaucoup de chances de prospérer, mais le fondement juridique est plausible et les instruments juridiques sont disponibles, sans parler du retentissement médiatique – que les gouvernants redoutent plus que tout – qu'une telle initiative pourrait avoir.

Ce recours désormais possible contre toute activité de l'État est lourd de conséquences. Contrairement à ce que pensent certains, la justice ne se borne pas à offrir une ressource supplémentaire aux acteurs de la vie politique. Une telle promotion de la justice autorise la *transposition de toutes les revendications et de tous les problèmes devant une juridiction dans des termes juridiques.* « Il n'est presque pas de question politique aux États-Unis, disait déjà Tocqueville, qui ne se résolve tôt ou tard en question judiciaire. De là, l'obligation où se trouvent les partis, dans leur polémique journalière, d'emprunter à la justice ses idées et son langage [23]. »

Il se peut d'ailleurs que cette traduction en termes juridiques crispe encore un peu plus certains débats. Philippe Raynaud montre à propos de l'avortement que le débat n'a pas nécessairement gagné à être posé en termes constitutionnels. « En donnant à un droit une portée " constitutionnelle " et non pas seulement " légale ", on élève considérablement les enjeux et on prend le risque de radicaliser les opposants. [En France et en Angleterre] l'interruption volontaire de grossesse a été légalisée. Aux États-Unis, l'arrêt *Roe Vs. Wade,* dont l'objet était d'empêcher les législatures de contrecarrer l'avortement, a fait de celui-ci un droit constitutionnel, ce qui n'a pas manqué de provoquer deux séries de réactions violentes ; la première a consisté à poser le problème en termes de " droits de l'homme ", et à opposer les droits de l'embryon à ceux de la mère : cette idée est au centre de la rhétorique "*pro life* " et lui a permis une extraordinaire dramatisation de la discussion [24]. »

---

23. A. de Tocqueville, *op. cit.*, p. 370.
24. « Tyrannie de la majorité, tyrannie des minorités », *Le Débat*, 1992, n° 69, pp. 55-56.

Un lieu de visibilité

Le lieu symbolique de la démocratie émigre silencieusement de l'État vers la justice. Dans un système providentiel, l'État est tout-puissant, il peut tout combler, tout réparer, tout suppléer. Voici que, devant ses défaillances, cet espoir se reporte sur la justice. C'est désormais en elle, et donc en dehors de l'État, que se recherche la consécration de l'action politique. Le succès de la justice est inversement proportionnel au discrédit qui affecte les institutions politiques classiques en raison de la crise du désintéressement et de la perte de l'esprit public. Le tiers impartial compense le « déficit démocratique » d'une décision politique désormais vouée à la gestion et fournit à la société la référence symbolique que la représentation nationale lui offre de moins en moins. Le juge est appelé à la rescousse d'une démocratie dans laquelle « un législatif, un exécutif affaiblis, obsédés par des échéances électorales toujours présentes, seulement occupés du court terme, soumis à la crainte et à la séduction des médias, tâchent de gouverner au jour le jour des citoyens indifférents et exigeants, repliés sur leur vie privée mais attendant du politique ce qu'il ne sait donner, une morale, un long projet [25] ».

Cette promotion semble inscrite dans le développement même des sociétés démocratiques. C'est donc là, dans l'évolution de l'imaginaire démocratique, qu'il faut chercher les racines profondes de l'ascension du juge.

La justice est en effet avant tout une *scène*. Aussi loin que l'on fouille la mémoire, on la voit associée à un espace circonscrit, à la suspension du temps, à un débat et à la figure d'un tiers. Cette scène offre un inépuisable réservoir d'images – et de sens – dans lequel une démocratie inquiète cherche ses fondations. La scène judiciaire permet à la démocratie de se représenter dans les deux sens du terme, de se comprendre et de se mettre en scène. Elle offre à un monde qui devient obscur à lui-même et à une société aveugle sur ses projets l'occasion de se regarder en face. Les procès circonscrivent de nouveaux enjeux, posent des problèmes de société, rendent visibles des catégories de la population, brassent de l'espoir, désignent les ennemis et fixent l'angoisse. Philippe Raynaud remarque que l'enjeu principal d'actions judiciaires de minorités devant la Cour suprême américaine est « de faire admettre que tel ou tel groupe, dans sa particularité, fait bien partie de la communauté

25. J.-D. Bredin, « Un gouvernements des juges ? », *Pouvoirs*, Paris, 1994, p. 81.

nationale, dont la diversité interne a pour contrepartie secrète le fait qu'il ne suffit pas d'être formellement citoyen des États-Unis pour être pleinement " américain " [26] ».

La coopération entre les différents acteurs de la démocratie n'est plus assurée par l'État mais par le droit qui se pose ainsi comme le nouveau langage politique dans lequel sont formulées les revendications politiques. La justice devient *un lieu d'exigibilité* de la démocratie. Elle offre potentiellement à tous les citoyens la capacité d'interpeller ses gouvernants, de les prendre au mot et de les mettre en demeure de respecter les promesses contenues dans la loi. La justice leur semble offrir une possibilité d'action plus individuelle, plus proche et plus permanente que la représentation politique classique, intermittente et éloignée.

Dans cette nouvelle forme, la dimension collective du politique disparaît. Le débat judiciaire individualise les enjeux : la dimension collective s'y exprime certes, mais de manière incidente, par surcroît. Il flatte un engagement plus solitaire que solidaire. Par cette forme plus directe de démocratie, le citoyen-plaideur a l'impression de mieux maîtriser sa représentation. Il revendique, en effet, d'être plus actif, décideur de son propre destin et n'accepte plus de s'en remettre à une lutte collective ; d'où les faveurs actuelles pour la médiation, la négociation ou la conciliation qui ne sont que l'envers du procès. Dans un prétoire, l'issue de la revendication ne dépend plus du rapport de force entre deux entités politiques – un syndicat et le gouvernement, par exemple – mais de la pugnacité d'un individu qui à lui seul peut faire plier un État, les deux étant fictivement mis sur un même pied d'égalité.

Une inversion des places

La justice est l'objet d'une subite inversion de tendance : de secondaire, elle devient tout à coup première. Alors que le droit n'était que la morale des relations froides, commerciales ou politiques, il tend à devenir le principe de toute relation sociale. Nos contemporains l'appellent pour arbitrer leurs conflits les plus intimes. Alors qu'il se bornait à sanctionner les déviances, voilà qu'on demande au juge d'exercer un véritable magistère sur les personnes les plus fragiles. Alors que le conflit était menace de dissolution du lien social, il se transforme en une occasion de socialisation. La juridiction est désormais un mode normal de

26. P. Raynaud, « La démocratie saisie par le droit », *op. cit.*, p. 25.

gouvernement. L'exception devient la règle, et le procès, de règlement d'un conflit, devient le mode ordinaire de gestion de secteurs entiers comme la famille ou l'immigration. Alors qu'on la concevait négative et punitive, la justice devient positive et constructive. Alors que l'institution judiciaire accusait volontiers un certain retard sur les mœurs, elle porte désormais les espoirs du changement. On la croyait instituée, on la voit désormais instituante.

Le passage d'un droit garanti par l'État comme une sorte d'alliance entre lui et ses sujets à un juge fondateur d'une communauté politique ne va pas de soi. Alors que, dans la conception classique, le juge est soumis à la loi et ne tire son droit de juger que d'elle, à présent le juge tend à se hisser au-dessus de la loi pour devenir directement diseur de droit. Au nom de quoi le juge peut-il se prétendre instituant ?

Lorsque la justice n'était que le bras armé du pouvoir politique ou des mœurs, on n'attendait d'elle qu'une consécration : moraliser la répression ou sanctionner les mœurs. Lorsque tous les systèmes de sens capitulent, lorsque le monde commun se délite, lorsque l'État se fait plus modeste, c'est vers elle que l'on se tourne pour combler ce manque. Ne se déduisant plus de grands systèmes de sens comme les idéologies, ne pouvant plus s'appuyer sur la force de l'État ni sur une application quasi mécanique de la loi positive, la question du juste se pose de manière nouvelle. Le droit n'est plus l'instrument de la conservation sociale mais de sa contestation : il se pose désormais comme la *source* d'une société qui se constitue dans la quête d'elle-même.

Une telle inversion des places entre la justice et l'État est lourde de conséquences. En instaurant une telle distance entre les pouvoirs publics et le foyer de sens, la démocratie se condamne à un décalage permanent qui la distingue de l'État totalitaire. En élisant la justice comme nouvelle scène, la démocratie voue le droit positif à un déficit permanent. Le droit contemporain, à présent émancipé de l'État, est toujours en excès par rapport à ce qui est établi, et la justice, notamment constitutionnelle, se pose comme le lieu d'arbitrage permanent entre l'idéal du vouloir vivre ensemble et la difficulté de l'action politique.

De la célébration de l'unité à la division assumée

Face à un éloignement des institutions et à une désincorporation du pouvoir, le juge apparaît comme la forme de pouvoir la plus proche et surtout la plus *incorporée*. C'est peut-être là une des raisons de son succès actuel. Sa présence rapproche le pouvoir, donne un visage à l'autorité du collectif, à sa prééminence sur le particulier. « La notion de souveraineté, écrit Pierre Bouretz, se déploie sur une trajectoire d'abstraction croissante ou, si l'on préfère, de désincorporation progressive [27]. » Ce n'est plus dans le corps du roi ou dans l'unité de la nation que se reconnaît désormais la société démocratique mais dans le spectacle de sa division sublimée qu'offre la scène judiciaire. Ce n'est pas la gloire du juge qui y est célébrée mais la capacité de la communauté politique à fabriquer de l'ordre à partir d'une division assumée.

La justice ne donne pas une représentation de la paix, elle n'inspire pas l'idée d'un ordre harmonieux mais au contraire celui du conflit, de la dialectique, de l'affrontement, du discord. La particularité de la scène judiciaire est de ne pas célébrer l'harmonie mais plutôt la division ou plus exactement le passage de la division à l'unité retrouvée. La démocratie engendre le conflit, c'est l'une de ses différences avec le système totalitaire. « La société démocratique est une société qui repose sur une secrète renonciation à l'unité, sur une sourde légitimation de l'affrontement de ses membres, sur un abandon tacite de l'espoir d'unanimité politique [28]. » Le système totalitaire se caractérise, au contraire, par le refus de cette division originaire et l'affirmation de l'unité sociale, de la suppression des classes, de l'identité de l'État et du peuple. Si le totalitarisme se nourrit du fantasme de la possible résorption de la division, la société démocratique assume jusqu'au bout ce « déchirement intérieur ».

Il est, de surcroît, de la nature même de cette nouvelle scène de la démocratie d'être multiple. Une juridiction digne de ce nom ne statue jamais en premier et en dernier ressort. La justice offre le spectacle d'un pouvoir démultiplié, lui-même divisé, toujours susceptible de recours, d'appel, de révision. Cette scène est donc décentralisée par essence : elle s'oppose à la concentration du pouvoir. Elle n'appartient à personne puisque chaque citoyen a vocation à être alternativement plaignant ou juge. Il n'est plus possible de parler plus longtemps d'une scène unique de la justice qui viendrait prendre le relais de la figure centrale du pouvoir. L'idée d'*un* juge au singulier qui occuperait à lui seul la scène de la démocratie n'est pas acceptable tant on rencontre dans la réalité *des* juges aux fonctions, aux légitimités, aux qualités bien différentes. Contraire-

27. P. Bouretz, « Progrès du droit », *Le Débat*, 1993, n° 74, p. 161.

28. M. Gauchet, « L'expérience totalitaire et la pensée du politique », *Esprit*, 1976, n° 7-8, p. 16.

ment au pouvoir politique qui se concentre entre les mains d'un seul homme, la justice est toujours assurée par différents ordres de juridictions ou par des juges réunis en collège. Ce qu'on désigne de manière générique comme « pouvoir judiciaire » est nécessairement composé de plusieurs ordres de juridictions au fonctionnement très varié. La ligne de partage est chaque fois différente, mais partout on trouve des frontières : entre juridictions étatiques et fédérales aux États-Unis et en Allemagne, administratives et judiciaires en France, religieuses et étatiques en Israël, entre justice non professionnelle de premier degré et juges professionnels en Grande-Bretagne. Dans aucun pays n'existe, semble-t-il, un seul ordre de juridiction, c'est-à-dire à proprement parler un pouvoir judiciaire. Cette multiplicité est renforcée par la nature même de la décision de justice toujours susceptible de recours qui fait examiner une affaire par différentes juridictions. On est aux antipodes de la politique traditionnelle où le décideur unique exprime sa volonté tout de suite de manière définitive.

Une société condamnée à un décalage permanent

Ce n'est plus l'ordre mais le désordre qui apparaît naturel sur cette nouvelle scène. On comprend mieux alors pourquoi le conflit peut apparaître comme une occasion de socialisation. C'est dans cette division assumée provisoirement que la démocratie trouve son identité. Ces revendications au nom des droits de l'homme sont suffisamment hétérogènes pour ne pas entretenir l'illusion d'une solution globale. Le propre de la démocratie n'est-il pas d'ouvrir l'espace pour une revendication continuée, indéfinie, se déplaçant d'un foyer à l'autre, transversalement ? La démocratie trouve son unité et sa permanence dans cette quête perpétuelle d'elle-même au nom du droit, dans cette recherche infinie de son équilibre et dans la reconnaissance de la finitude. Le renoncement à l'unité permet à la société de se dégager de la tutelle de l'État et d'accéder du même coup à une expérience d'elle-même plurielle, foisonnante, sous le signe d'une remise en cause permanente au nom de la nouvelle référence aux droits de l'homme.

Un tel basculement du foyer de sens de la démocratie de l'État vers le droit et la justice correspond à la fin du rêve de l'unité et à la reconnaissance de la division. On comprend la difficulté particulière que l'entrée en scène de la justice pose à la France dans laquelle l'unité politique s'est faite autour de l'impartialité de l'État et son corollaire, le désintéressement et l'amour du service de l'État.

« Dans notre univers politique, dit Joël Roman, l'unité nationale est insécable. Le moindre conflit prend dès lors une dimension fondamentale qui engage la totalité de l'existence politique, des valeurs politiques de référence. Très vite l'adversaire est un mauvais Français. C'est aussi pour cela que nous n'aimons pas les partis politiques : ils figurent une division que nous n'avons de cesse de dénier par ailleurs [29]. » Cette crainte de la fragmentation sociale justifie dans notre pays un exercice centralisé du pouvoir. Cette conception relève d'une conception indivisible de la Vérité qui a plus besoin de serviteurs dévoués capables de faire la synthèse de l'intérêt général que de discutants soutenant des intérêts privés et antagonistes. C'est ce qui explique cette sorte de corruption de proximité qui fleurit aujourd'hui dans le cercle très restreint des caciques de la politique et de l'énarchie.

Un tel paysage démocratique n'est pas sans comporter de nouveaux dangers. L'excès de droit peut dénaturer la démocratie, l'excès de défense paralyser toute prise de décision, l'excès de garanties plonger la justice dans une sorte d'atermoiement illimité. A force de tout voir à travers le prisme déformant du droit, on risque de criminaliser le lien social et de réactiver la vieille mécanique sacrificielle. La justice ne peut pas se substituer au politique, au risque d'ouvrir la voie à la tyrannie des minorités, voire à une sorte de crise identitaire. Bref, un mauvais usage du droit est aussi menaçant pour la démocratie que trop peu de droit.

La démocratie juridique n'arrive plus à se penser que sur un mode négatif et défensif. Au risque d'imploser. A force de multiplier les droits, on perd la notion du droit ; à force de penser la liberté en termes négatifs, on en oublie qu'elle est aussi positive, c'est-à-dire possibilité – voire nécessité – de participer au débat sur le droit. A ne plus penser que les contre-pouvoirs, on ne sait plus comment penser la contrainte, à ne plus savoir distinguer la violence légitime d'avec la violence illégitime, on ne sait plus fixer la dette, c'est-à-dire le droit d'entrée dans la vie commune. Investie de tels espoirs, la justice risque fort de décevoir. Pour prévenir un tel effondrement de la démocratie qui pourrait lui être très préjudiciable, il faut donc analyser les paradoxes auxquels elle est confrontée, au premier rang desquels vient, bien entendu, le pouvoir inédit qui est dévolu aux juges.

---

29. J. Roman, *Le Monde* du 15 septembre 1992.

Chapitre II

LE POUVOIR INÉDIT DES JUGES

Comment éviter que le bien commun de la justice ne soit détourné par une nouvelle caste de clercs aussi menaçante pour la démocratie que les bureaucrates d'hier ? Ne risque-t-on pas de favoriser le nombre de procès dont se nourrit cette corporation ? Comment éviter les « chasseurs d'ambulance » ? Comment se prémunir contre le spectre d'une société de plaignants ? De l'autre côté de l'Atlantique, certains prennent conscience de la menace que fait peser l'excès de droit et de justice sur la démocratie. Peut-être devrions-nous nous en inspirer avant que le mal ne soit irréversible chez nous ? Beaucoup en France refusent de prendre le risque au sérieux, s'estimant protégés par notre culture. Ne faut-il pas anticiper le mal et s'immuniser ? Si oui, de quelle manière ?

Le rôle de gardiens de la vertu publique est désormais dévolu en France aux juristes et plus particulièrement aux juges qui deviennent de manière assez évidente la conscience morale de la vie sociale, politique et économique. Ceux-ci voient ainsi leur éloignement de la politique et de l'argent, dont ils se plaignaient encore hier amèrement, se transformer subitement en avantage. Ils veulent se présenter comme le dernier refuge de la vertu et du désintéressement dans une République abandonnée par ses clercs. Cette demande réveille le vieux démon inquisitoire toujours présent dans l'imaginaire latin. Ces nouvelles attentes surprennent une magistrature peu préparée à ce rôle. D'où les débordements, assez peu nombreux il est vrai, mais qui méritent néanmoins d'être analysés, ne serait-ce que pour les conjurer.

Gouvernement des juges, activisme juridictionnel, protagonisme judiciaire, tentation de la justice rédemptrice... Les mots ne manquent pas pour désigner les périls nouveaux que la justice peut faire courir à la démocratie. Comment progresser dans ce débat passionnel, souvent outré, entre justice et démocratie ? Le terme anglais *judicial discretion* – littéralement « ce qui est laissé à la discrétion du juge » – semble plus approprié pour désigner le pouvoir de ce dernier qui, s'il n'est jamais inexistant, n'est jamais non plus total. L'actuel président de la Cour suprême israélienne, Aharon Barak [1], note opportunément qu'on ne peut parler d'activisme du juge lorsque ce dernier a le choix entre une solution juridiquement correcte et une autre qui ne l'est pas. Il ne s'agit plus alors d'activisme mais d'incompétence. L'activisme commence lorsque parmi plusieurs solutions possibles le choix du juge est animé du désir d'accélérer le changement social ou au contraire de le freiner.

Le juge peut interférer dans la vie politique de deux manières : soit directement par une décision, soit indirectement par l'intermédiaire du corps auquel il appartient. Le juge n'existe pas, en effet, en dehors d'une institution. Les formes d'intervention ne sont pas homogènes et varient d'une culture à l'autre. Le « protagonisme judiciaire » des petits juges qui fleurit dans l'Europe latine (France, Espagne, Italie, Belgique) ne se rencontre pas dans des cultures imprégnées depuis longtemps par la justice. Dans les pays de *Common Law*, l'influence politique des juges y est peut-être moins visible parce que plus ancienne. L'activisme prend donc deux formes : soit celle d'une nouvelle cléricature de juristes si le corps des juges est puissant, soit, à l'inverse, celle de quelques individualités portées par les médias si la magistrature n'a pas de grande tradition d'indépendance.

Excès de distance d'avec le souverain, abolition de toute médiation institutionnelle : ces deux dérives ont quelque chose de symétrique. On aperçoit plus facilement les dangers d'une justice manquant d'indépendance que ceux d'une justice trop éloignée du souverain. Dénoncer une justice asservie au pouvoir, c'est en effet toujours critiquer l'État. Mais comment limiter les menaces venant des contre-pouvoirs eux-mêmes ? On continue d'organiser les garanties de l'État démocratique sur l'hypothèse implicite d'un risque venant du centre (pression sur les juges, empiétements de l'exécutif sur le judiciaire, etc.) alors que le péril vient également de manière absolument inattendue des *excès de la décentralité*.

---

1. A. Barak, *Judicial Discretion*, New Haven, Yale University Press, 1989.

LA DÉRIVE ARISTOCRATIQUE

Les relations entre justice et politique peuvent s'organiser selon deux modèles. Le premier, bureaucratique, est surtout répandu dans les systèmes de droit continental tandis que le second, professionnel, se retrouve dans les pays de *Common Law*. Ces deux types, que l'on ne rencontre jamais à l'état pur, sont aujourd'hui en pleine évolution.

Dans le modèle bureaucratique plus fréquent sur le Continent, les juges sont choisis par concours ouvert à des étudiants en général immédiatement après les études universitaires. L'organisation est hiérarchisée. L'avancement, qui entraîne une certaine compétition tout au long de la carrière, se fait sur la base de l'ancienneté et du mérite. Dans le second, que l'on peut qualifier d'aristocratique, les juges sont recrutés à mi-carrière parmi la petite corporation des avocats (*barristers*) pour occuper directement un poste élevé que, dans la majorité des cas, ils ne quitteront pas. Ce modèle ne connaît presque pas de hiérarchie interne et donc pas d'avancement.

Le dualisme français

Le système français semble donc, à première vue, incarner le modèle bureaucratique le plus pur. En réalité, ce monolithisme de façade cache une combinaison assez originale des modèles bureaucratique et aristocratique. A l'analyse, la justice administrative, composée du Conseil d'État, des cours administratives d'appel et des tribunaux administratifs, se révèle beaucoup plus apparentée au modèle aristocratique qu'au modèle bureaucratique.

Les caractéristiques communes à la justice anglaise et au Conseil d'État sont nombreuses. Leur histoire tout d'abord : le chemin parti du centre vers les provinces (la création des cours administratives d'appel est très récente) contraste avec le processus inverse suivi par le judiciaire (la Cour de cassation n'ayant vu le jour que des siècles après les Parlements d'Ancien Régime). Leur rôle dans la construction de l'État de droit a été aussi déterminant [2].

---

2. Pour B. Barret-Kriegel, l'État de droit, en France, a été l'œuvre de l'administration, alors qu'en Angleterre il a été le fruit de l'action centralisatrice des juges itinérants. « L'Angleterre est un État de droit " pur ", la France n'est qu'un État de droit approché. La centralisation chez nous s'est effectuée tardivement par la voie administrative des commissaires royaux et des intendants des finances, contre le personnel de justice devenu un corps intermédiaire rebelle à l'autorité centrale ; la

Leur recrutement est identique puisque la haute juridiction administrative incorpore également, en sus des meilleurs de l'École nationale d'administration, quelques membres de la fine fleur de la fonction publique en milieu de carrière au terme d'un processus – le tour extérieur – exempt jusqu'à une date récente de toute transparence et très explicitement politique [3]. Une telle proximité avec une caste professionnelle – les *barristers* pour les juges anglais, la haute fonction publique pour le Conseil d'État – sécrétera deux sensibilités opposées : l'origine des juges de *Common Law* – la pratique libérale – rend ces derniers plus sensibles aux problèmes des gouvernés qu'à ceux des gouvernants, contrairement aux juges du Palais-Royal qui s'identifient à l'inverse plus à l'administrateur qu'à l'administré. Cela a pour conséquence que, dans un cas, la justice apparaît comme le rempart contre l'empiétement de l'État et dans l'autre, comme la correction du pouvoir bienfaiteur et tutélaire de l'État. Dans les deux cas, le petit nombre, qui permet à chacun de connaître personnellement tous ses collègues, installe une autodiscipline très efficace. La hiérarchie interne y est très faible voire inexistante en raison du petit nombre d'échelons à gravir et de l'absence d'avancement autrement qu'à l'ancienneté (on ne fait pas carrière au Conseil d'État, on en est ou on n'en est pas...). La nature du droit, enfin, est très similaire, à savoir un « *judge made law* ».

Ces deux corps de juges défient les critères rationnels d'une bonne justice : alors que l'on pourrait craindre que cette proximité constitue un handicap à l'indépendance, c'est tout le contraire qui se produit. Il n'y a pas de juges plus indépendants à l'égard des *barristers* que les juges anglais, ni d'arbitres plus impartiaux pour les fonctionnaires que les conseillers d'État. L'autorité du Conseil d'État ne semble pas souffrir de son absence quasi totale de statut, ni de compter en son sein quelques hommes politiques d'envergure nationale, ni de la confusion entre la fonction contentieuse et la fonction consultative dont un observateur éloigné pourrait à juste titre s'émouvoir : bien au contraire, cette proximité de la chose politique semble lui donner une connaissance très intime de la matière, et cette faiblesse organique se convertit en force politique. Personne

---

centralisation en Angleterre s'est opérée précocement par la voie juridique au moyen des juges royaux, agents zélés de l'autorité monarchique. Aussi bien ce n'est pas le juge qui détient, chez nous, l'autorité, c'est le fonctionnaire et parmi tous les fonctionnaires, c'est le percepteur ». B. Barret-Kriegel, *L'État et les esclaves*, Paris, Payot, 1989, p. 128.

3. Par exemple, trois anciens ministres socialistes et non des moindres (Finances, Intérieur et Justice) ont été nommés au Conseil d'État lors du changement de majorité en 1992.

ne parle de l'activisme du Conseil d'État et pourtant ce dernier a été particulièrement actif dans la construction de l'État de droit en France.

Deux traits caractérisent ce mode de fonctionnement : d'une part, le contrôle y est plus sociologique que politique, et d'autre part, si l'indépendance externe est très affirmée, c'est souvent au prix d'un fort contrôle interne au corps.

Contrôle sociologique et lien politique

Les rapports entre la justice et l'État ne génèrent pas que des tensions politiques, ils mettent aussi aux prises différentes catégories sociales. Ces relations doivent donc être envisagées de manière à la fois organique et sociologique. A l'arrière-plan des compétences, le conflit du juge et du pouvoir politique exprime la rivalité de forces sociales différentes. « La bureaucratie de la monarchie française défendait non seulement la prérogative royale, mais, à travers elle, son propre pouvoir et son prestige social contre le corps des hommes de Parlement. Des débats comparables opposaient dans l'Angleterre du XVIIIe siècle, d'une part, la bourgeoisie foncière à la Couronne et aux Lords, d'autre part, la classe moyenne marchande et intellectuelle aux cours de justice [4]. »

Dans le modèle aristocratique, le contrôle sur les juges est plutôt de nature sociologique. Il s'exerce de deux manières : tout d'abord par l'intermédiaire d'un corps judiciaire très restreint et très homogène, et, ensuite, par le recrutement des juges à l'intérieur d'une même classe sociale, la haute bourgeoisie, voire l'aristocratie. La proportion de personnes sorties du même moule est aussi forte dans l'un que dans l'autre cas : les *Inns of Court* en Angleterre, l'ENA en France. Ce double contrôle – peu visible – assure néanmoins le monde politique de l'homogénéité du corps et de la prévisibilité de ses orientations générales [5]. La neutralité politique est garantie, mais au prix d'un recrutement opaque et peu démocratique. La désignation des juges en Grande-Bretagne était jusqu'à une date très récente absolument secrète, contrairement à la France où les juges sont choisis au terme d'un concours ouvert à tous.

La forte reconnaissance dont jouissent les juges anglais ou les

4. G. Lavau, « Juge et pouvoir politique », *La Justice*, Paris, PUF, 1961, p. 65.

5. C. Guarnieri, « Justice et politique : le cadre institutionnel », *Les Cahiers français*, Paris, La Documentation française, 1994, n° 268, p. 58.

membres du Conseil d'État leur vient peut-être de la communication privilégiée qu'ils entretiennent avec les élites, à savoir les avocats en Grande-Bretagne, les hauts fonctionnaires en France. La montée en puissance du juge judiciaire en France, qui n'appartient précisément pas à ces élites, pourrait s'analyser comme la revendication d'une nouvelle bourgeoisie d'affaires qui ne se sent représentée ni dans la classe politique ni parmi les hauts fonctionnaires qui sont d'ailleurs très proches. Certains sont tentés de voir dans les « affaires » qui ont fleuri ces dernières années en France l'action d'un nouveau tiers état mû à la fois par une nouvelle morale et par un désir de promotion sociale, cherchant ses porte-parole – comme en 1789 – dans la noblesse de robe incarnée par le pouvoir judiciaire. Les juges seraient à l'avant-garde d'une révolution sociale qui vise à devenir politique. Ambition portée d'abord par les magistrats puis éventuellement retournée contre eux, comme toutes les révolutions promptes à dévorer leurs propres enfants. « C'est en partie la révolte d'une nouvelle bourgeoisie intermédiaire, d'une nouvelle classe montante, effrayée et volontaire. Une bourgeoisie qui ne fait plus confiance aux partis classiques depuis qu'a disparu la menace extérieure du communisme. La classe moyenne exprime ainsi sa peur d'être déclassée de la même manière que ses enfants vont casser de l'étranger : à travers cela, c'est la même peur qui s'exprime, celle du déclassement. C'est donc une révolte d'une partie de la bourgeoisie contre l'autre [6]. »

Indépendance externe et indépendance interne

On distingue traditionnellement l'indépendance externe, qui est la liberté dont jouit globalement la magistrature vis-à-vis des autres organes politiques, et l'indépendance interne, qui est celle dont jouissent ses membres à l'intérieur du corps. Dans les magistratures de *Common Law* comme l'anglaise, l'indépendance externe est bien assurée, mais l'indépendance interne est très faible. L'indépendance de la magistrature est très grande... au détriment de celle du juge ! La cohésion du droit est assurée de deux manières : par l'homogénéité du corps et par une centralisation judiciaire très forte. L'influence de la Cour d'appel, collège unique situé à Londres, est très prégnante, notamment en matière pénale où les peines sont

6. B Spinelli, « Édouard Balladur et les quarante voleurs, une révolte du tiers état contre les énarques et les notables », *La Stampa* (Turin), reproduit dans *Le Courrier international* du 8 décembre 1994.

indiquées de manière comminatoire par les fameux *Guidelines* [7]. Le juge continental est beaucoup plus libre et si, par certains aspects, il a moins de prestige, il a plus de pouvoirs.

Une même unité sociologique n'est pas concevable en France pour un corps de près de huit mille magistrats recrutés par concours anonyme. Les disparités sociales, idéologiques et géographiques sont beaucoup plus marquées. Toute magistrature, a dit Rousseau, « s'affaiblit, comme le gouvernement, par la multiplication de ses membres [8] ». Un corps respecté a besoin d'une culture commune forte et homogène. Cela explique qu'une magistrature nombreuse et hétérogène devra compenser par une hiérarchie forte et un strict contrôle interne ses disparités culturelles, qui sont la contrepartie inévitable d'un recrutement démocratique, qu'il s'agisse du concours ou de l'élection. Aux États-Unis où beaucoup de juges sont élus, une telle disparité se fait sentir quoique de manière moins prononcée, le rôle du juge y étant plus arbitral.

Un fonctionnement aristocratique

La dérive qui guette les justices relevant de ce modèle est de constituer une sorte de nouvelle cléricature échappant à tout contrôle démocratique. Tocqueville avait déjà pressenti l'apparition dans la démocratie d'une nouvelle caste de juristes venant prendre le relais de l'aristocratie, vouée à disparaître. Les légistes partagent avec cette dernière beaucoup de caractères : le goût de l'ordre, l'attachement aux formes et le conservatisme, la pratique du droit portant naturellement à préférer l'ordre établi à l'aventure. « Sans ce mélange de l'esprit légiste avec l'esprit aristocratique, dit Tocqueville, je doute cependant que la démocratie pût gouverner longtemps la société, et je ne saurais croire que de nos jours une république pût espérer de conserver son existence, si l'influence des légistes n'y croissait pas en proportion du pouvoir du peuple [9]. » Ce caractère est plus prononcé dans les pays de *Common Law* dans lesquels le droit est indéchiffrable pour un non-juriste. Le droit continental, plus clair et plus accessible à tous, prédispose moins à une telle coupure.

Ce risque de détournement de la souveraineté par une élite de

7. Il s'agit de compilations de jurisprudence qui indiquent de manière précise le quantum des peines à prononcer selon les caractéristiques de l'affaire.

8. J.-J. Rousseau, *Du contrat social*, Paris, Gallimard, 1964 (texte établi, présenté et annoté par Robert Derathé), p. 277.

9. A. de Tocqueville, *De la démocratie en Amérique*, *op. cit.*, p. 366.

clercs est aujourd'hui décuplé, quelle que soit la culture juridique du pays, par la mondialisation de l'économie qui place le droit en son cœur. Une telle ouverture, note Lucien Karpik [10], ne prend pas les juristes au dépourvu, ceux-ci s'étant montrés dans l'histoire souvent prompts à jouer l'universel contre le particulier à l'instar du rôle de la noblesse de robe lors de l'unification du pouvoir royal en France. Ce ne sont plus les grands commis de l'État qui font figure de modernisateurs, ni même les intellectuels comme au début du siècle lors de l'affaire Dreyfus, mais les juristes qui se posent comme les nouveaux artisans de l'universel.

A s'en remettre au droit pour tout, on risque de ne concevoir les acteurs de la vie démocratique que comme des techniciens chargés de produire des normes en interaction avec des groupes de pression toujours plus spécialisés dans la défense de leurs intérêts. A tout soumettre au juge, on se lie à de nouveaux prêtres qui rendent la citoyenneté sans objet. Cela dévalorise le rôle du citoyen, confiné à être un consommateur, un téléspectateur ou un plaideur. Le risque est d'évoluer vers une organisation cléricale du pouvoir. Et de confisquer la souveraineté.

Le contrôle politique de la magistrature française

Le modèle bureaucratique fonctionne de manière quasi symétrique mais inversée. Dans nombre de pays de *Common Law*, le recrutement des juges est politique, comme aux États-Unis (on se souvient de la difficulté de certains présidents américains pour obtenir l'aval du congrès après avoir pressenti un juge) ou antidémocratique, comme en Angleterre, mais le pouvoir politique perd tout contrôle ensuite sur la carrière. Dans le modèle bureaucratique comme en France, c'est tout l'inverse qui se produit : le recrutement des juges par concours est absolument démocratique, mais la carrière est politique. Comment s'exerce cette influence ? A la fois par la hiérarchie et par la faiblesse politique de la magistrature. Cette influence s'exerçant par le sommet sera d'autant plus marquée que la cohésion du corps judiciaire est forte et sa hiérarchie respectée.

La magistrature judiciaire a perdu toute influence politique depuis la Révolution. Une manière de vaincre l'importance des Parlements d'Ancien Régime fut de diviser la justice en plusieurs corps et de les cantonner dans des domaines précis. L'État a isolé toutes les matières susceptibles de le concerner en y affectant ses élites,

---

10. L. Karpik, *Les Avocats*, Paris, Gallimard, 1995.

et confié le reste, c'est-à-dire essentiellement la famille, la propriété et le pénal, au judiciaire. Une telle répartition des tâches, qui ne recouvre pas la distinction droit public/droit privé (qu'y a-t-il de plus public que le pénal ?), est essentielle pour comprendre la manière dont la France a aménagé la séparation des pouvoirs. Cela explique que la magistrature judiciaire forme depuis cette époque un corps provincial, coupé des problèmes de l'État et replié sur lui-même, n'offrant pas beaucoup de résistances à l'influence politique. Le pouvoir politique ne rencontre pas dans l'ordre judiciaire une élite aussi puissante que le Conseil d'État.

Le modèle professionnel du juge judiciaire est à rechercher du côté de la Cour de cassation, voire de la doctrine, c'est-à-dire de l'élite universitaire pour les « arrêtistes [11] », et surtout du côté de la haute fonction publique. Les juges ont longtemps partagé avec leurs cousins de la fonction publique une même identification à la figure typiquement française du haut fonctionnaire. Le « grand commis » colbertien, au-dessus des appartenances politiques, garantissait les élites françaises contre la partitocratie que l'on constate dans d'autres pays latins, comme l'Italie. Le lien entre la classe politique et la magistrature se réalisait traditionnellement par l'intermédiaire de hauts magistrats ayant côtoyé la classe politique lors de passages dans des cabinets ministériels ou d'autres fonctions administratives importantes. Ce phénomène est accéléré par l'absence de corps public de juristes de droit privé et par l'idée – contestable – que les juges ne peuvent être administrés que par d'autres juges.

La hiérarchie en elle-même ouvre la voie à l'influence politique. « L'ambition des magistrats, explique Tocqueville, est donc continuellement en haleine et elle les fait naturellement dépendre de la majorité ou de l'homme qui nomme aux emplois vacants : on avance dans les tribunaux comme on gagne des grades dans une armée. Cet état de choses est entièrement contraire à la bonne administration de la justice et aux intentions du législateur. On veut que les juges soient inamovibles pour qu'ils restent libres ; *mais qu'importe que nul ne puisse leur ravir leur indépendance, si eux-mêmes en font volontairement le sacrifice* [12]. » Une brillante carrière de juge ne se fait pas – ou rarement – en juridiction mais par des détours au ministère de la Justice, par un détachement dans une autre administration, voire – la voie royale – par le passage dans

---

11. C'est-à-dire les magistrats chevronnés qui rédigent des décisions bien argumentées qui seront commentées dans les revues juridiques.
12. A. de Tocqueville, *op. cit.*, t. I, p. 373. (C'est nous qui soulignons.)

un cabinet ministériel. Aussi la plupart des chefs de juridictions importantes sont-ils passés par de tels « accélérateurs de carrière ». Il est paradoxal de voir un corps de juges reposer sur un certain dédain, plus ou moins déguisé, à l'égard de la juridiction qui est pourtant sa raison d'être. « Tout temps passé en juridiction est perdu pour la carrière », se plaît-on à dire entre juges. Force est de constater qu'aujourd'hui, en France, l'affiliation politique est mieux et plus vite rémunérée que le professionnalisme.

Du fait de la séparation des droits public et privé, c'est à travers le Conseil d'État que se sont réalisés pendant près de deux siècles les contacts entre justice et politique, alors que le judiciaire était maintenu à l'écart des affaires de l'État. Les risques actuels d'affrontement entre les juges judiciaires et la classe politique – voire la classe économique – sont d'autant plus élevés que les médiateurs potentiels sont absents du fait de la séparation radicale entre justice administrative et justice judiciaire. En marginalisant la justice et en frustrant ainsi les juges, aussi bien matériellement que politiquement, l'État risque de renforcer les *crispations corporatistes* et les *dérives populistes*.

Un contrôle par la hiérarchie qui ne fonctionne plus

L'entrée sur la scène politique de la justice a bouleversé ce fonctionnement traditionnel. La hiérarchie judiciaire qui assurait la cohésion du corps et garantissait l'unité de la jurisprudence perd de l'importance. Le contrôle interne de la hiérarchie est de plus en plus ressenti comme une atteinte à l'indépendance. Le pouvoir de la hiérarchie se fait plus incertain. D'autant que, dans des modèles bureaucratiques inquisitoriaux, les fonctions à responsabilité se trouvent en début de carrière (juge d'instruction, juge des enfants, substitut spécialisé, etc.) et tendent à décroître au fur et à mesure que l'on monte en grade. A une époque qui vante tellement l'épanouissement personnel dans le travail, la collégialité est frustrante, la marge d'initiative y étant quasiment nulle, les occasions de valorisation personnelles presque inexistantes, et l'innovation juridique, somme toute, assez rare. D'où l'attrait pour des fonctions à juge unique plus gratifiantes et plus visibles, comme l'instruction.

Le groupe de référence des juges français, c'est-à-dire les personnes auxquelles les juges, consciemment ou non, réfèrent leur comportement et qui étalonne leur excellence professionnelle, se transforme. Il passe aujourd'hui de la figure du haut fonctionnaire et de l'homme politique vers celle de l'avocat d'affaires ou du juge médiatique. Il est plus tourné vers la juridiction, vers les juges étrangers, vers les juges ayant en charge des dossiers importants (terrorisme, corruption). Ce mouvement fait évoluer la justice française du modèle bureaucratique vers un modèle sans hiérarchie comme en *Common Law*. On se trouve ainsi dans une période intermédiaire dans laquelle les juges ne sont plus aussi rigoureusement tenus qu'autrefois par les brides du système continental (des lois précises et contraignantes, une hiérarchie forte), sans avoir pour autant les servitudes de l'autre système (légitimité professionnelle confirmée, exigence de transparence, neutralité politique...). Ces évolutions inspirent deux thèmes de réflexion qui apparaîtront probablement centraux dans les années à venir : comment concevoir une autre hiérarchie pour les magistratures continentales dans ce nouveau contexte ? Comment rendre l'avancement dans la carrière moins sensible à l'influence politique ?

LA TENTATION POPULISTE

La hiérarchie de la justice n'est pas seulement une menace sur l'indépendance du juge, elle est aussi garante d'une certaine unité du droit, essentielle à la démocratie. L'activisme juridictionnel dans les systèmes bureaucratiques a révélé un risque nouveau, celui d'une désagrégation de la justice. La magistrature finit par ressembler moins à un pouvoir institué qu'à une somme d'individualités. Ce relâchement de la pression hiérarchique est d'autant plus sensible en France que la pyramide actuelle fait s'éloigner, pour la grande majorité des juges, toute perspective d'avancement significatif.

Toute la magistrature ne succombe pas à la tentation populiste, loin s'en faut. La récente décision du procureur de Paris de ne pas poursuivre le Premier ministre est à cet égard très intéressante. Non seulement la décision n'est pas subversive mais elle surprend par son grand légalisme, ce qui rend sans objet la simple dénonciation du gouvernement des juges. Il ne s'agit pas d'un petit juge qui donne une interprétation extensive et tendancieuse à un texte mais d'un procureur qui semble embarrassé d'avoir à appliquer la loi. Comment lui reprocher de vouloir faire respecter la loi ? N'est-ce pas le fondement même de sa mission ? Or il exerce son pouvoir de manière négative, par l'abstention motivée de poursuivre. La justice peut, et elle, pourtant, elle ne le fait pas. Peut-on dès lors parler d'activisme judiciaire ? Cette décision s'apparente plutôt à ce que les Anglo-Saxons appellent *judicial self restraint* qui est le contraire de l'activisme judiciaire. C'est d'ailleurs sous cette forme négative que naît bien souvent le contrôle des juges (on pense, bien sûr, au célèbre arrêt *Marbury* contre *Madison* par lequel la Cour suprême des États-Unis a marqué son entrée sur la scène politique au début du XXe siècle) : la justice affirme son pouvoir en se retenant de l'exercer, ce qui est habile mais aussi responsable. Le magistrat prend en considération les conséquences de sa décision sur le plan collectif. Cette sorte de « conséquentialisme » politique, voire économique, n'est-il pas le propre de la prudence ? L'attitude du procureur reflète bien l'état d'esprit d'un corps de juges qui, contrairement à un sentiment très ancré dans notre classe politique, fait preuve dans l'ensemble d'une grande réserve et d'un grand professionnalisme, en dehors de quelques exceptions qui ont plus profité d'ailleurs à la majorité actuelle qu'à la gauche et qui remontent à un certain temps déjà.

Un accès direct à la vérité

La tentation populiste se caractérise tout d'abord par la prétention d'un accès direct à la vérité. Quelques individus profitent des médias pour s'émanciper de toute tutelle hiérarchique. Ceux-ci leur offrent un accès direct à « l'auditoire universel », pour reprendre les termes de Perelman, c'est-à-dire à l'opinion publique. Un juge s'estime-t-il brimé par sa hiérarchie ? Il en appelle immédiatement à l'arbitrage de l'opinion. Toutes les nullités de procédure sont purgées par cette instance sauvage de recours que sont les médias, et les arguments techniques de droit ou de procédure ne tardent pas à apparaître à l'opinion publique comme des arguties, des ficelles, des détours inutiles qui empêchent la vérité d'« éclater ». La recherche directe de l'assentiment populaire par médias interposés par-dessus toute institution est une arme redoutable mise à la disposition des juges qui rend beaucoup plus présente la dérive populiste. Le populisme, en effet, est une politique qui prétend, d'instinct et d'expérience, incarner le sentiment profond et réel du peuple. Ce contact direct du juge et de l'opinion se nourrit de surcroît du discrédit du politique. Le juge entretient le mythe d'une vérité qui se suffit à elle-même, qui n'a plus besoin de la médiation de la procédure.

Ces juges médiatiques, sortis de l'ombre par une affaire ou un inculpé célèbres, réagissent très différemment. Certains sont tentés de voir dans l'exemple de leurs collègues italiens la preuve que, lorsque l'État est corrompu, ils sont le dernier recours. La dérive populiste est présente dans cet affranchissement de la règle par les juges eux-mêmes. Le cas de Thierry Jean-Pierre est intéressant quoique apparemment isolé. Ce n'est pas le premier magistrat à briguer un mandat électif, mais le premier à établir un lien aussi direct entre ses précédentes fonctions, auxquelles il est fréquemment fait mention (sans susciter d'ailleurs la moindre réaction d'ordre déontologique), et son action politique. Son programme se fondait sur la dénonciation de la corruption politique et de la « criminalisation de l'État ».

L'affaiblissement de l'État et la formidable tribune qu'offrent les médias réveillent une *mentalité de croisé* dans une partie de la magistrature : c'est l'éthique que le procureur de Valenciennes invoque pour justifier la médiatisation qu'il a donnée à l'affaire de corruption de l'équipe de football de sa ville par l'équipe de Marseille. Le recours aux médias était la seule manière de prévenir les interférences politiques [13]. « Il se trouve des juges qu'une trop grande affectation de passer pour incorruptibles expose à être injustes », disait déjà La Bruyère. Les juges, en effet, justifient leurs contacts avec les médias dans l'intérêt supérieur de la justice. Certains juges revendiquent ouvertement le recours à la stratégie médiatique pour lutter contre l'enterrement de certaines affaires [14]. Mais est-ce le rôle d'un juge d'avoir une « stratégie » ? Tant qu'une réforme n'aura pas clarifié le rôle du magistrat instructeur dans une procédure pénale rénovée et moderne, en précisant clairement s'il est avant-centre ou arbitre, les juges continueront d'avoir des « stratégies médiatiques ». Ce n'est pas tant le maniement si habile des médias par des personnalités telles que Bernard Tapie ou Jacques Vergès qui est choquant, c'est qu'ils ne rencontrent personne qui, à armes égales, puissent en faire autant. Ce n'est certainement pas le rôle d'un magistrat – qu'il soit juge ou procureur – sous peine d'ajouter, à l'inégalité, la partialité.

La pression médiatique fait régresser le centre de gravité du procès vers l'amont, c'est-à-dire vers sa partie la plus vulnérable : l'instruction. Elle est, en effet, le fait d'un homme pratiquement seul et qui, de surcroît, n'est pas entouré de garanties satisfaisantes. Les relations entre la presse et la justice sont exacerbées par l'archaïsme de notre système inquisitoire qui accorde trop de place au juge d'instruction et pas assez à l'audience. Dans nombre d'affaires

---

13. Le procureur de Valenciennes ne justifiait-il pas ses déclarations à la presse par une « certaine éthique de son métier » ?

14. A. Vogelweith, « La stratégie médiatique du juge », *Libération* du 21 mai 1994.

ordinaires, la véritable peine effectuée n'est pas décidée par le tribunal mais *ab initio* par le juge d'instruction lors de la détention préventive. Celle-ci sera la plupart du temps couverte par la juridiction de jugement. Le *moment* de la justice, le seul où les garanties procédurales sont à la mesure de l'enjeu, c'est l'audience [15].

L'archaïsme prétendu de notre procédure pénale justifie tous les débordements des médias. Pourquoi tous bafouent-ils autant le secret de l'instruction et la présomption d'innocence ? Parce que les magistrats eux-mêmes ne les respectent pas, affirmait récemment un journaliste. « En France, on commence par détruire la réputation des suspects en les incarcérant, et on fait l'enquête ensuite. Tout se joue avec la mise au pilori des suspects par le juge d'instruction et par les médias. Tout est public, dans les pires conditions qui soient, puisque c'est finalement la presse qui dit qui est coupable et qui est innocent. Et ce n'est évidemment pas son métier [16]. » C'est au motif que la justice ne remplit pas – ou mal – son rôle que les médias justifient leur intervention de plus en plus indiscrète. La presse s'immisce dans le travail de la justice et la réciproque est également vraie : juges et policiers intègrent la presse dans leur fonctionnement institutionnel, voire dans leur stratégie. Chacun croit manipuler l'autre. Les médias viennent au secours des petits juges lorsqu'ils affrontent les puissants. La presse justifie l'écho qu'elle donne à tel dossier mettant en cause un homme politique par la crainte des juges du premier degré d'être dessaisis du dossier au profit de la chambre criminelle de la Cour de cassation. Puisque la justice ne peut aborder de front la dimension politique de l'affaire, la presse prend le relais et pousse les investigations que la loi empêche.

Dans les deux cas – des juges ou de la presse –, on justifie les infractions à la règle du secret de l'instruction par les défauts du système juridique. Voilà pourquoi ce jeu actuel entre justice et médias est *pervers* : chacun trouve l'absolution de sa transgression dans celle des autres – les médias se font juges, certains juges s'aventurent sur le terrain politique et les hommes politiques crient

---

15. Cette polarisation sur l'enquête frappe aussi les rédactions : l'affaire du sang contaminé a été suivie dans de nombreux journaux jusqu'à l'audience par la rubrique médecine. Certaines manipulations par les avocats n'auraient pas eu lieu si elle l'avait été par des spécialistes de la justice. Cette importance de l'audience est sans cesse redécouverte par la presse – comme dans l'affaire de la petite Céline (par exemple, M. Peyrot, « Grandeur et richesse de l'audience publique », *Le Monde* du 20-21 décembre 1992). Mais combien reste-t-il de grands chroniqueurs judiciaires ?

16. *Le Monde*, supplément Radio Télévision, semaine du 2 au 8 avril 1990.

au complot... pour se dédouaner. Le politique se défend non pas sur le terrain du droit mais en s'empressant d'occuper la place de la victime, en dénonçant l'acharnement des juges et le complot de la presse. Les plaintes déposées contre des magistrats par des hommes politiques se multiplient [17] et donnent l'impression d'un corps à corps que plus rien ne peut arbitrer, l'une des parties n'étant autre que le médiateur lui-même.

L'oubli du droit commence là, dans cette transgression commune de la règle au nom d'une morale prétendument supérieure. Désormais, la justice est recherchée sur la place publique, hors la médiation de la règle et d'un espace propre pour la discussion, c'est-à-dire sans le secours d'un cadre, sensible et intellectuel, qui la réalise. La force de la règle de droit en sort doublement affaiblie : dans son caractère obligatoire et dans le principe éthique qu'elle contient. La possibilité de se placer immédiatement sur le plan de son opportunité prive la règle de droit de sa première vertu qui est de devoir être appliquée pour elle-même, sans qu'il soit possible de s'en exonérer en réexaminant ses mérites. Une telle attitude, rarement dénoncée d'autant que ceux qui doivent la sanctionner – les magistrats – y participent, s'avère extrêmement dangereuse pour la morale également : elle encourage le cynisme, l'hypocrisie et la tartuferie. Rien ne sert d'invoquer l'État de droit à tort et à travers lorsque l'on prend de telles distances à l'égard du droit tout court.

Un penchant culturel des systèmes inquisitoires

Pourquoi cette dérive populiste menace plus les pays connaissant une procédure inquisitoire ? Les systèmes juridiques ne sont que l'expression d'un noyau culturel qui demande à être déchiffré. Il faut, comme nous y invite Paul Ricœur, creuser jusqu'à cette couche d'images et de symboles qui constituent les représentations de base d'un peuple, qui sont comme « le rêve éveillé d'un groupe historique [18] ». La procédure est l'un de ces bastions de la culture nationale, ce qui explique les résistances que la France montre pour la réformer. Instruction, aveu et secret sont les trois piliers de la procédure inquisitoire, par opposition au triptyque accusatoire de l'audience, du contradictoire et des « *rules of evidence* ». L'audience

---

17. Comme celle de Charles Pasqua contre deux responsables du syndicat de la magistrature.

18. P. Ricœur, *Histoire et vérité*, Paris, Éd. du Seuil, 3e édition, 1964, p. 296.

vante l'avocat, l'enquête valorise le juge. On aime la procédure en terre de *Common Law*, on s'en méfie en France où elle apparaît comme un obstacle à la Vérité. Dans un cas, la procédure conduit au vraisemblable, dans l'autre elle empêche la vérité d'éclater. La vérité pour un latin est révélée plus que démontrée au terme d'un effort d'argumentation. La tradition française de la collégialité est révélatrice de cette conception indivisible de la vérité qui ne peut supporter de montrer au grand jour ses dissidences.

Sacralisation de la vérité, déconsidération de la procédure

Cette opposition entre la *Vérité* comme transcendant et le *vraisemblable* déplace le centre de gravité du procès vers l'enquête ou vers l'audience et explique la conception ludique de la procédure en terre de *Common Law* et la dénonciation permanente de la procédure comme un *jeu* de l'autre côté de la Manche. On peut vérifier cette différence de perception de la vérité dans l'image respective de l'avocat et du juge que renvoie le cinéma français.

Le cinéma français présente l'avocat comme un homme futile, sans parole, sans honneur, un homme à femmes, qui utilise sans vergogne toutes les ficelles de la procédure pour faire triompher des intérêts privés. Les arguments de procédure soulevés par lui sont volontiers considérés comme autant d'artifices qui empêchent la manifestation de la Vérité. Cette situation est très différente dans le cinéma américain où, à l'inverse, le maniement subtil de la procédure est la marque du grand avocat. L'avocat est représenté dans le cinéma français comme un être vénal, intéressé et sans scrupules, asservi à son client. Il n'est sympathique que déchu ou alcoolique comme dans *Les Inconnus dans la maison* [19]. Affabulateur professionnel, il passe sans hésitation d'un côté ou de l'autre de la barre [20], soutenant sans état d'âme le voleur ou la veuve et l'orphelin. Comme on est loin de l'Angleterre où l'accusation est toujours soutenue par des avocats ! L'avocat est perçu comme un parasite et on ne sera pas surpris du fantasme révolutionnaire d'une justice sans procédure, l'utopie d'une relation directe de l'État avec ses sujets hors la médiation du droit. Les Révolutionnaires avaient, en effet,

---

19. Henri Decoin, 1941.

20. Dans *La Poison* (Sacha Guitry, 1951), alors qu'un avocat fête son centième acquittement, le procureur le convoque pour lui demander de prendre une partie civile.

imaginé un moment supprimer les avocats : là encore, on est aux antipodes de la conception anglaise.

L'image du juge se construit en contrepoint de celle de l'avocat : il est représenté le plus souvent comme un homme austère, veuf ou célibataire. Le personnage atteint sa pleine dimension lorsqu'il fait le sacrifice de sa vie au service de la vérité [21]. Le film *Les Bonnes Causes* [22] introduit un élément récurrent dans le cinéma français contemporain : « l'opposition manichéenne entre l'avocat forcément intéressé (Pierre Brasseur) et le juge d'instruction forcément désintéressé, faisant œuvre de justice (Bourvil). Le comble sera apporté par des films présentant d'un côté les juges intègres et de l'autre, l'avocat lié soit au milieu tout court, soit au milieu politique, voire à la mafia (*L'Homme qui trahit la mafia*), avocat receleur dans *Un aller simple* de José Giovanni (1970), avocat peu scrupuleux et cédant aux pressions politiques (*Les Assassins de l'ordre* de Marcel Carné, 1971), avocat empêchant par son habileté la justice d'éclater et défendant les milieux politiques louches ou trafiquants de drogue (*Le Juge Fayard* d'Yves Boisset, 1976 ; *Cap canaille* de Juliet Berto, 1982, et *Le Juge* de Philippe Lefebvre, 1983) [23]. » Le juge d'instruction frappe l'imaginaire français. La presse ranime périodiquement l'image typiquement française du « petit juge », les autres juges ne semblant pas avoir de visage. Peut-être que petit juge et journaliste s'identifient tous les deux au même archétype : le pourfendeur de vérité, le pur, le petit contre le puissant, la force du stylo et de la loi contre celle de l'argent et du pouvoir. Le petit juge est crédité d'une volonté sans faille : il ira jusqu'au bout, à l'opposé des politiciens qui ne cessent de louvoyer. On oppose ainsi facilement le juge à sa hiérarchie : cela devient le combat du petit juge près du peuple et plein de bon sens contre la hiérarchie suspectée d'être plus sensible aux pressions politiques [24]. Ce ne sont

---

21. Ces dernières années en France, deux juges ont été assassinés et deux films ont immédiatement été réalisés sur ces meurtres par des truands. Ces deux juges avaient en commun des pratiques à la limite de la légalité, contestées d'ailleurs par leurs collègues.

22. Christian-Jaque, 1962.

23. R. Cherel et L. Pellerin, « L'avocat pris au piège de l'imaginaire. Le cinéma de fiction comme source de l'histoire de la profession d'avocat 1920-1990 », *Revue de la société internationale d'histoire de la profession d'avocat*, 3, 1991, pp. 133-134.

24. Par exemple, on peut lire les titres suivants dans la presse « Les ailes coupées du juge Rousseau » (nom du juge chargé de l'affaire du stade de Furiani), « Paul Weisbuch évolue sous la haute surveillance du parquet général » « Sera-t-il prochainement l'objet d'une mutation-promotion ? » (chapeau) ; « La hiérarchie judiciaire, quant à elle, se méfie de ce magistrat un peu trop " accessible " (*Le Figaro* du 16 décembre 1992).

pas les compétences juridiques qui en font la gloire mais l'intégrité qui confine à la mentalité de justicier : paradoxalement, le petit juge sera d'autant plus valorisé qu'il transgresse la loi et s'oppose à sa propre hiérarchie.

Idéalisation de la règle, occultation des arrangements

La Loi s'assimile en France à quelque chose de *transcendant* alors que, dans l'univers de la *Common Law*, le droit s'apparente plutôt à une règle du jeu. Que « juste procès » se traduise en anglais par *fair trial*, c'est-à-dire littéralement un procès « loyal », n'est pas anodin. Une règle du jeu est loyale alors que la Loi doit être juste : l'une insiste sur le caractère réciproque de la règle, l'autre sur la dimension métaphysique de la justice. Ainsi également, la justice comme institution judiciaire se traduit par *judges*, *judiciary*, *courts* ou *administration of justice*, jamais par *justice*, terme réservé à la vertu. Comparons la disposition de la salle d'audience : en France, on parle du « palais » de justice, terme au demeurant intraduisible en anglais ou en allemand. Ici, le luxe de symboles surprend ; là, le prétoire s'organise en un espace de discussion. La fonction arbitrale exprimée par la hauteur du siège du juge anglais contraste avec le collège des juges français qui se trouvent à la même table que le procureur. Dans une procédure accusatoire, ce sont les parties – accusation et défense – qui sont sur le même niveau [25]. C'est que la loi en France fait l'objet d'une sorte de religion laïque : on inscrit son nom sur le fronton des palais de justice, parfois même en latin. Elle a quelque chose à voir avec l'*identité*. Il n'est pas trop fort de dire que pour les Français, c'est la Loi qui est pourvoyeuse d'identité. Parce qu'en France c'est l'État et donc la loi qui ont pacifié la société et institué le lien social. Cette identité semble être plus le fait de la *community* pour les Anglo-Saxons ou de la *gemeischaft* outre-Rhin.

Comme le sacré, la Justice, en France, attire et repousse. Là encore, le septième art en dit plus que tous les manuels de droit. Le cinéma français ne cesse de dénoncer le paradoxe tragique d'une institution qui détruit plus qu'elle ne répare, qui pousse à la récidive plus qu'elle ne la décourage. La justice fait irruption dans des vies paisibles (désignation comme juré, délit mineur commis par un proche, accusation injuste, etc.) et finit par tout dévaster. La

---

25. Voir à ce propos A. Garapon, *L'Ane portant des reliques, essai sur le rituel judiciaire*, Paris, Le Centurion, 1985.

compassion en France pour l'innocent broyé par la machine judiciaire est un thème récurrent. Dans le cinéma français, en dehors de quelques rares films[26], le thème de la vengeance est absent : il est vrai que l'État a acquis, depuis longtemps, le monopole de la violence légitime. On n'y verra pas de scènes de lynchage si fréquentes dans le cinéma américain. La violence est tout intériorisée. D'où l'importance du thème de la culpabilité et du remords comme dans les films de Claude Chabrol[27]. Lorsque la justice officielle ne peut s'exprimer, la justice intérieure prend le relais... La loi, en France, a quelque chose à voir avec l'intériorité et pas seulement avec le comportement social.

Cela explique la faveur ici, et la défiance là, à l'égard de l'aveu. Peut-être que la présence de l'Église catholique, du « pontife », dirait Pierre Legendre[28], n'est pas indifférente... Si l'imaginaire inquisitoire est de tout savoir, l'imaginaire accusatoire s'accommode très bien d'une vérité conventionnelle. Il est difficile de comprendre une institution comme celle du juge des enfants et le rôle d'image parentale qu'il joue si l'on ne garde pas à l'esprit cette dimension structurante de la loi dans la culture française. Le juge, par son rôle pédagogique et un contact personnel avec l'enfant, doit permettre d'« intérioriser » la loi, selon l'expression des travailleurs sociaux. On ne pense pas dire à un jeune délinquant qu'il doit respecter le contrat social mais qu'il doit « intégrer la dimension de la loi ».

Une totale irresponsabilité politique

Dérive aristocratique ou tentation populiste ont en commun d'émanciper le juge de l'autorité du souverain. D'autant que le juge jouit nécessairement d'une totale irresponsabilité politique. Les contraintes économiques ou de politique internationale lui restent étrangères. Une politique qui n'est pas sanctionnée par une remise en cause périodique de son pouvoir peut-elle être qualifiée de démocratique ?

Il ne faut pas prêter nécessairement aux juges des intentions machiavéliques. Une tentation beaucoup plus répandue que l'esprit partisan sommeille en chacun d'entre eux : celle d'innover, de chan-

---

26. Comme dans *Panique* de Duvivier (1946).
27. Et notamment *Juste avant la nuit* (1971).
28. P. Legendre, *L'Amour du censeur. Essai sur l'ordre dogmatique*, Paris, Éd. du Seuil, 1974.

ger la jurisprudence, de se faire le champion de telle liberté ou de tel droit. Faut-il y voir une jalousie à l'égard du pouvoir ? Y suspecter une passion partisane ? Ne s'agit-il pas plutôt du désir bien humain de marquer son époque, de laisser une empreinte ? Mais le risque est alors d'entraîner la jurisprudence dans une surenchère qui ignore la réalité sociale et qui méprise les contraintes économiques. Un juge décide d'indemniser tel risque thérapeutique ? Il impute de ce fait, étant donné le nombre de cas répertoriés en France, dont il ne se soucie guère, plusieurs milliards de francs sur le budget de l'État. Même les députés n'ont pas ce pouvoir, se voyant interdire de proposer des lois qui diminuent les recettes de l'État ou augmentent ses dépenses. Une telle indemnisation pourrait s'avérer ruineuse, voire insupportable pour les compagnies d'assurances ou pour l'État. On dit en Italie, comme d'ailleurs aux États-Unis, que toute requête finit par trouver un juge favorable. Cela explique du reste le centralisme et le pouvoir de la Cour suprême sans lesquels le droit américain serait encore plus fou. Ce péril ne date pas d'hier. Déjà d'Aguesseau mettait en garde contre « le magistrat qui ne veut relever que de sa raison, et qui se soumet, sans y penser, à l'incertitude et au caprice de son tempérament. Comme la science n'est plus la règle commune des jugements, chacun se forme une règle, et, si on ose le dire, une justice conforme au caractère de son esprit [29] ».

Que la magistrature prenne la forme d'un corps réactionnaire ou de juges incontrôlables, le caractère « intouchable » du juge est préoccupant. Le juge fait courir à la démocratie un risque d'activisme en créant un droit prétorien ou à l'inverse un risque d'immobilisme, en empêchant des réformes voulues par la majorité. Dans l'un ou l'autre cas, il porte atteinte à une vertu cardinale de tout système de droit, qui est la sécurité juridique. Une juridiction n'a pas les moyens de légiférer, le juge ne dispose pas des instruments pour cela et se trouve dans l'incapacité de « substituer une véritable dynamique politique à celle dont il élague les manifestations [30] ». Les cas qui lui sont soumis sont nécessairement discontinus et sans cohérence entre eux.

Le juge devient le nouvel ange de la démocratie, qui réclame un statut privilégié, le même que celui dont il a expulsé les hommes politiques. Il s'investit d'une mission rédemptrice à l'égard de la

---

29. Cité par F. Gorphe, *Les Décisions de justice, étude de psychologie judiciaire*, Paris, Sirey, 1952, pp. 176-177.

30. S. Rials, « Entre artificialisme et idolâtrie. Sur l'hésitation du constitutionnalisme », *Le Débat*, 1991, pp. 163-182.

démocratie, se place en position de surplomb, inaccessible à la critique populaire. Il se nourrit du discrédit de l'État, de la déception à l'égard du politique. La justice achèverait ainsi le processus de dépolitisation de la démocratie...

Voilà la promesse ambiguë de la justice moderne : les petits juges nous débarrasseront des politiciens véreux et les grands juges, de la politique tout court. La justice participe de ce refoulement du politique aussi bien par la dérive aristocratique que par la tentation populiste. Mais l'activisme judiciaire serait-il concevable sans un élément nouveau que notre démocratie n'arrive pas à incorporer dans son fonctionnement : les médias ?

Chapitre III

L'ILLUSION DE LA DÉMOCRATIE DIRECTE

Ces petits juges qui ont ébranlé l'*establishment* politique ces dernières années n'auraient jamais pu exercer un tel pouvoir s'ils n'avaient été relayés par les médias. Ces juges, qui doivent leur célébrité moins à eux-mêmes qu'à la stature des personnalités qu'ils ont mises en examen, sont tentés de profiter de ce pouvoir. On a vu certains d'entre eux – minoritaires il est vrai – se servir des affaires comme d'un tremplin politique. Cette alchimie douteuse entre justice et médias signale un dérèglement profond de la démocratie. Les médias – et surtout la télévision – laminent le fondement même de l'institution judiciaire en ébranlant l'ordonnancement rituel du procès, sa mise en scène par la procédure. Ils prétendent offrir une représentation plus fidèle de la réalité que les fictions procédurales. C'est alors bien d'une *concurrence pour la mise en scène de la démocratie* qu'il s'agit. Les médias réveillent l'illusion de la démocratie directe, c'est-à-dire le rêve d'un accès à la vérité libéré de toute médiation procédurale. Ce rêve est aussi vieux que la démocratie, tout du moins depuis qu'elle a quitté les frontières de la petite cité d'Athènes. Démocratie directe et justice rédemptrice s'entretiennent mutuellement ; elles ont quelque chose de symétrique. La première contourne la règle pour chercher directement la caution de l'opinion publique, la seconde s'émancipe de la règle au nom d'une vérité transcendante. La première convoque tout le monde, la seconde, à l'inverse, évacue tout contrôle ; la première substitue le bon sens au droit, l'émotion à la raison, la seconde invoque l'État de droit contre le droit tout court.

Que l'opinion publique réagisse à certaines affaires judiciaires n'est pas nouveau. Qui ne se souvient des affaires Steinheil, Caillaux, Stavisky, sans parler de l'Affaire, c'est-à-dire l'affaire Dreyfus ? Voltaire n'écrivait-il pas déjà des pamphlets sur les affaires Calas, Sirven et tant d'autres ? N'est-ce pas grâce à quelques affaires importantes que la presse française a connu un tel essor à la fin du XIXe siècle ? Il y a plus de cent ans, Alexandre Dumas fils se plaignait des « enquêtes dont les magistrats seuls étaient chargés jusqu'à présent, faites si rapidement, si délibérément et si imprudemment par les premiers reporters venus à la grande satisfaction du public... Avant l'ouverture des débats, la cause est discutée, jugée dans nombre de journaux qui ont la prétention de représenter l'opinion et de l'imposer aux juges officiels. La presse divulgue d'avance l'acte d'accusation, et raconte et règle la pièce qu'on va représenter le lendemain. Les agences de théâtres ne vendent pas encore les billets, mais cela ne tardera pas [1] ». Qu'y a-t-il de nouveau dans les relations entre médias et justice ? L'arrivée de l'image semble leur avoir donné un tour inédit. Elle confère à l'actualité un sens plus aigu et donne de l'événement une perception plus immédiate. On assiste passivement au fil des affaires à de nouvelles audaces sans savoir comment réagir.

La menace que les médias font planer sur le soubassement symbolique de la justice se révélera peut-être plus dangereuse que les atteintes portées à certaines libertés publiques. Le symbole, en effet, met à distance. Or les médias abolissent les trois distances essentielles qui fondent la justice : la délimitation d'un *espace* protégé, le *temps* différé du procès et la qualité officielle des acteurs de ce drame social. Ils délocalisent l'espace judiciaire, paralysent le temps et disqualifient l'autorité.

LES PROCÈS INSTRUITS PAR LES MÉDIAS

La justice s'est souvent transportée hors des prétoires pour certaines circonstances exceptionnelles. Lors de procès politiques, par exemple, où elle chercha l'espace nécessaire dans des théâtres comme pendant la Révolution française pour le procès de Louis XVI ou, plus récemment, pour celui de Demanjuk en Israël, du nom de cet Ukrainien de nationalité américaine soupçonné d'être Ivan le Terrible du camp d'extermination de Sobibor et fina-

1. Alexandre Dumas fils, préface de l'ouvrage *Le Palais de justice de Paris, son monde, ses mœurs par la presse judiciaire parisienne*, Paris, 1892, Librairies-imprimeries réunies, p. XI.

lement acquitté par la Cour suprême. Les grands procès staliniens se déroulèrent dans la Maison des syndicats à Moscou. Mais aujourd'hui nous assistons à la délocalisation de certains procès dans les médias : non seulement les procès ne se font plus dans les prétoires mais ils n'ont plus de lieu propre, à l'instar de certains marchés financiers, comme le fameux *off shore*, qui n'ont pas de bourse à proprement parler. Chaque organe de presse, plutôt que d'informer sur le travail de la justice, adopte le point de vue d'une partie, quitte à en changer au besoin en cours de procès, révèle des éléments de preuve à ses lecteurs avant même que la justice n'en ait connaissance, apprécie le travail de chacun et, finalement, juge à la place des juges.

Des médias, à la fois metteurs en scène et acteurs

On passe subrepticement de la *dénonciation* à une *disqualification* et, enfin, à une *substitution* aux institutions. Les médias ne se contentent plus de rapporter ce que fait la justice, de la critiquer au besoin, ce qui est leur rôle. Ils se mettent à copier les méthodes de justice : ce qui rend d'ailleurs la lecture de certains journaux aussi ennuyeuse que celle de procès-verbaux de gendarmerie dont parfois ils reproduisent des passages entiers. Les médias se targuent des mêmes qualités qu'un juge d'instruction : patience, minutie, ténacité. Certains journalistes participent activement à l'enquête et s'estiment quittes en citant leurs sources.

A recenser le nombre d'informations venant de « milieux proches de l'enquête », on présume la facilité avec laquelle ils se les sont procurées. Les journalistes se posent en vérificateurs et en certificateurs desdites informations. Ils interrogent les témoins, si possible avant la justice [2], et confrontent les témoignages. L'Angleterre vient d'être captivée par le procès des époux West soupçonnés d'avoir enlevé, séquestré, torturé et tué une dizaine de personnes pendant plusieurs années dans une petite ville tranquille de province. La télévision britannique a tenté de reconstituer l'affaire et recueilli les témoignages de toutes les personnes impliquées, contre rémunération, avant que le procès ne s'ouvre. L'émission ne sera projetée qu'après le verdict. N'est-ce pas cependant préoccupant que les témoins réservent la primeur de leurs déclarations à la télévision ? N'est-ce pas choquant qu'une rémunération soit acceptée

---

2. Ainsi, TF 1 se vante de présenter à la télévision un témoin capital de l'assassinat de Yann Piat avant que celui-ci ne soit entendu par la justice.

pour cela ? On savait déjà la justice instrument de communication pour un homme politique ou une entreprise, voici qu'elle devient une source d'enrichissement pour ceux qui ont eu la chance d'être témoins d'un fait divers.

La défense n'est pas en reste : on assiste à un véritable dialogue entre avocats par journaux interposés. Les personnalités mises en cause éprouvent la nécessité de « s'expliquer » devant les médias. Elles viennent témoigner, présenter leur défense dans les journaux. Insensiblement, l'enquête journalistique se trouve intégrée au travail judiciaire : juge et journalistes travaillent de concert dans l'intérêt supérieur de la vérité. La procédure accusatoire protège-t-elle de tels débordements ? Si la presse britannique préjuge peut-être moins que la nôtre de la culpabilité du fait d'un plus grand respect pour la justice, elle re-juge volontiers les personnes qu'elle estime insuffisamment condamnées. Ainsi, suite à la condamnation d'un jeune baby-sitter à deux ans de probation sans peine de prison ferme pour des attouchements commis sur une fillette de neuf ans, la presse – y compris des journaux comme le *Times* – protestèrent avec véhémence en donnant l'adresse du jeune homme, qui dut déménager, et en demandant de voter par téléphone la démission du juge. Finalement, ce dernier fut condamné en appel à quatre mois d'emprisonnement ferme, la cour tenant compte du préjudice que la campagne de presse lui avait fait subir.

A une opposition frontale entre la presse et la justice succède une sorte de mimétisme. Mais cet intérêt pour la chose judiciaire est ambigu. La défense de la presse contre la mise en cause de son rôle se fait *par* et *contre* l'institution judiciaire. Le journaliste d'investigation moderne veut être en même temps Zola et le capitaine Picquart. Les parties, quant à elles, jouent tour à tour la presse contre la justice, ou la justice contre la presse, au gré de leurs intérêts [3], comme si la démocratie leur offrait à présent deux instances pour se défendre, un lieu institutionnalisé et un « non-lieu ». D'un journalisme *situé* par rapport à l'institution, on est passé à un journalisme de *surplomb*. Voici les médias guettés par un fonctionnement en boucle, une sorte d'« autisme médiatique » dans lequel ils

3. Mis en cause par de nouvelles révélations, M. Botton, par exemple, annonce dans la presse qu'il va répliquer « sur un plateau de télévision ou dans un organe de presse » (*Libération* du 12 octobre 1993). Mais le 12 octobre il refuse de témoigner au procès en diffamation intenté par M. Charasse à quatre journaux pour ne pas violer le secret de l'instruction (*sic*) et affirme dans un communiqué : « J'attends l'indispensable confrontation que je souhaite avoir avec Michel Charasse afin de mettre en lumière le rôle partisan qu'il a eu dans mes déboires. » Pour lui, cette confrontation doit avoir lieu dans le bureau du juge Courroye.

jouent tous les rôles. Ils ne se contentent plus d'informer mais veulent intervenir directement dans le cours des événements.

La télévision voudrait à la fois être metteur en scène et acteur. Or personne ni aucun lieu ne peut prétendre incarner à soi seul l'espace public. Pas plus les institutions que les médias. Cet espace procède de l'équilibre – voire de la tension – entre un pouvoir institué et procédural, la justice, et un autre pouvoir, non institué et libre, la presse. Encore faut-il que chacun reste à sa place et qu'il soit sanctionné en cas de débordement. Les places dans le procès sont fixes et situent le discours de chacun, de l'avocat de la défense, du procureur, du policier. Les médias ne permettent pas d'identifier *qui* parle. C'est pourtant essentiel dans le procès où tous les discours doivent être situés. On retrouve l'importance des places assignées dans le prétoire. Le procureur peut dire ce qu'il veut : on sait que c'est l'accusation qui parle. Le seul qui puisse prétendre à dire le juste est le juge, et encore le fait-il « au nom du peuple français ». Être situé, c'est être intégré dans un ordre symbolique et donc être limité. Or c'est cette assignation d'une place à l'intérieur de l'espace public que récusent les médias au nom d'une sorte de don d'ubiquité technologique.

Que les médias soient soumis à une logique de marché n'est pas en soi gênant, à condition qu'ils ne la contestent pas en prétendant ne parler qu'au nom de la liberté d'informer. Dans une émission de télévision, tout est dit sauf la raison pour laquelle on le dit : divertir, informer, vendre ?

Une fragilisation supplémentaire de la justice

L'égalité des armes n'existe pas dans les médias, qui offrent une prime à celui qui raconte la meilleure histoire et qui la dit le mieux. Ils renforcent l'effet de vérité au détriment de la vérité, la séduction au détriment de l'argumentation. Jacques Vergès ne fait pas mystère de l'utilisation des médias dans une stratégie de défense. « Défendre pour l'avocat, écrit-il, c'est présenter, avec les mêmes faits qui servent de support à l'accusation, une autre histoire tout aussi fausse et tout aussi vraie que la première. Et de convaincre juges et jurés que c'est la bonne. Mais il ne s'agit pas de raconter n'importe quelle histoire. Il faut trouver celle qui donnera sens au destin du criminel ou à son procès. Qui le tirera de l'anecdotique pour le hisser à la hauteur du significatif. L'avocat doit faire pour son client ce que Stendhal a fait pour un obscur héros de fait divers de province en le transformant en Julien

Sorel. Et sur le plan esthétique au moins, les chances sont du côté de la défense. Chargé de défendre, puisqu'il parle au nom de la société, les idées et les valeurs de la majorité, le procureur est condamné à faire du roman de gare. Tandis que l'avocat de la défense, contraint à chaque coup de rechercher d'autres règles, atteint parfois au chef-d'œuvre [4]. » Les médias doivent être intégrés dans cette construction.

Les médias risquent de rendre encore plus sensible la fragilité du discours judiciaire, qui, faute de prouver, vise néanmoins à convaincre. Le langage judiciaire se meut le plus souvent dans la *logique du probable*, par quoi Aristote définissait la « dialectique », et à quoi il rattachait la « rhétorique », ou l'art d'user d'arguments probables dans l'usage public de la parole. L'assaut d'arguments est en un sens infini, dans la mesure où, dans l'ordre du probable, il y a toujours place pour un « mais » [5].

En se soustrayant au rapport de droit, les médias risquent de devenir l'instrument du rapport de force. Le journaliste transforme volontiers l'enquête judiciaire en un duel symbolique entre le juge d'instruction et l'inculpé dans lequel l'arbitre n'est plus le juge, mais le journaliste. Lui seul peut évaluer l'intensité de cet affrontement, lui restituer sa véritable nature et son issue prévisible. Mais il ne fait le plus souvent que véhiculer les clichés les plus classiques, ce que son lectorat attend de lui. On assiste à la construction de récits, à la réactivation de mythes, à la composition de « personnages » [6]. L'usage de la télévision pourrait constituer « un instrument magnifique de l'esprit public », disait de Gaulle, mais il y a fort à craindre qu'elle n'amplifie les mécanismes les plus archaïques du cirque, de la victime émissaire et du lynchage. Dans les médias en effet, « la controverse est réduite à un spectacle plus proche de la tauromachie que de la discussion raisonnable. La finalité de la communication est devenue la communication elle-même, le divertissement qu'elle apporte, le bruit qu'elle fait, l'argent et le pouvoir qu'elle procure, et non point la mise en rapport de deux subjectivités à travers un code [7] ».

---

4. *Journal de Genève* du 15 mars 1991.

5. P. Ricœur, « Le juste entre le légal et le bon », *Lectures 1*, Paris, Éd. du Seuil, 1993, p. 194.

6. Comme la figure du manager sans scrupules des années quatre-vingt-dix, de Michel Garretta à Bernard Tapie ; ce dernier incarne l'autodidacte qui fascine et irrite : il est aussi vite cloué au pilori qu'il est plaint dès qu'il est sanctionné par le Conseil de l'UEFA, c'est-à-dire quand il devient victime. On passe vite d'un extrême à l'autre, du diable au bon Dieu.

7. J.-M. Domenach, *Morale sans moralisme*, Paris, Flammarion, 1992, p. 83.

Une éthique de la mise en récit

Le procès n'est *a priori* pas plus à l'abri que la presse de construire de tels récits imaginaires. La garantie supplémentaire qu'offre le judiciaire, c'est la capacité de *réfléchir* cette mise en récit, de la contester et d'en substituer une autre. La procédure et le contradictoire appliquent une certaine éthique de la mise en récit. Le procès contrôle la manière dont les faits sont présentés, prouvés et interprétés : à la télévision, la construction de la réalité est implicite – et donc subie – et échappe à toute discussion. C'est ce qui fait dénoncer à Paul Ricœur le moraliste inconnu de la télévision ou à Claude Lefort l'idéologie invisible des médias. Tout le monde est visible sauf celui qui se trouve derrière la caméra ! La contestation des partis pris télévisuels n'est pas recevable. Siège d'une communication immatérielle, le centre de production d'images échappe à tout contrôle. Les caméras peuvent rentrer partout... sauf au siège des grandes entreprises multimédia. Là, « le culte du silence se double de la paranoïa, maladie classique des puissants [8] ». Il y a un point aveugle dans tout fonctionnement social. Paradoxalement, il doit être dans une démocratie le plus visible possible, ce qui ne veut pas dire nécessairement transparent. Pour la justice, ce moment est le délibéré, qui est entouré de certaines garanties procédurales comme la collégialité, l'interdiction faite à tout autre que les juges d'y assister, etc. Cet épisode de la procédure est reconnu comme central mais secret. Y a-t-il un équivalent pour les médias audiovisuels ? Qui contrôle la chambre obscure du montage ? Les médias rendent tout transparent sauf le lieu d'où procède cette transparence, c'est-à-dire eux-mêmes. C'est peut-être pour cela que les hommes de médias renâclent tant à participer à des débats publics sur les médias sauf s'ils se déroulent dans les mêmes médias, auquel cas ils en raffolent. On peut tout dire sur les médias à condition que cela soit dans les médias ! Les médias ne seront vraiment démocratiques que le jour où le montage de l'émission, la disposition du studio pourront être débattus, voire contestés.

LA LOGIQUE DU SPECTACLE

L'image est perception, elle s'adresse aux sens plutôt qu'à l'intelligence. Elle sidère la pensée et tient en échec toute élaboration

8. A. Chemin, « La télévision cultive le secret sur elle-même », *Le Monde* du 30 mai 1995.

symbolique. Elle favorise donc le passage à l'acte, le recours à l'action. Ce mécanisme psychologique a été bien analysé dans la genèse de la délinquance ou de la toxicomanie. On le constate à présent dans le domaine de l'action politique : la médiatisation met les pouvoirs publics en demeure d'agir, de faire quelque chose. Les médias poussent à une action éphémère, à un ersatz de politique. Puisque l'acte d'énonciation devient aussi important que l'action politique elle-même, beaucoup d'hommes politiques sont tentés de se contenter d'une déclaration d'intention. Ces promesses non tenues, qui ne cherchent que l'effet d'annonce, ne peuvent que renforcer le discrédit de la politique. L'hyperréalisme de l'image menace le monde commun de déréalisation. Les médias savent tout faire sauf attendre et se taire. En imposant à tous de réagir en temps réel, ils finissent par devenir le *coupe-circuit symbolique du temps*.

Nul ne conteste que les médias soient le meilleur antidote contre l'étouffement des affaires. Mais ce recours tend à devenir préventif : des informations relatives à des dossiers sensibles arrivent dans les téléscripteurs avant même que le parquet en ait eu connaissance, c'est-à-dire avant que toute intervention soit matériellement possible. Divulguer une information trop tôt non seulement gêne le travail de la justice mais surtout le fausse. L'information prématurée agit sur le comportement des personnes mises en cause, voire des juges. Les conséquences peuvent être dramatiques. Ainsi, dans l'affaire de la petite Céline, l'accusation sauvage des médias a fonctionné comme une prédiction auto-accomplissante (*self fullfilling prophecy*). « Les réactions de défense déclenchées chez Richard Roman par les premières accusations vont accréditer le soupçon et renforcer l'ostracisme dont il est victime, le poussant alors à des attitudes aisément interprétables comme des manifestations de déviance. Il se conforme ainsi à la conduite qui lui était imputée et confirme du même coup la validité de cette imputation [9]. » Le respect de la présomption d'innocence est d'autant plus essentiel que le regard finit par modifier le comportement de celui qui est regardé. Les médias, en interférant activement dans l'enquête, influencent la décision. Il n'est pas dit d'ailleurs que les juges professionnels soient moins sensibles à la pression médiatique que les jurys.

---

9. P. Lecomte, *Communication, télévision et démocratie*, Lyon, Presses universitaires de Lyon, 1993, p. 18.

Le procès perpétuel

Les médias sont plus soucieux d'une mise en intrigue que de recherche de la vérité. La relance, toujours possible par des médias friands de rebondissements, empêche que chaque affaire trouve un jour son point final [10]. Le jugement définitif – qui dispose d'ailleurs de ce qu'on appelle en droit *l'autorité* de la chose jugée – devient difficile. Les médias s'accommodent mal de l'arrêt de certaines affaires retentissantes comme l'a montré l'affaire du sang contaminé. Alors que cette affaire a fait l'objet d'une décision définitive, voici qu'elle est relancée sous une autre qualification devant une autre juridiction au terme d'une pression à laquelle les médias ne sont pas étrangers.

La finalité de la justice est de réparer un trouble profond causé « aux états forts de la conscience collective », aurait dit Durkheim, et d'interrompre le cycle de la vengeance par le spectacle cathartique d'une violence délibérée et légitime. Cette fonction requiert de la reconnaissance, celle précisément que lui volent les médias qui risquent de nous plonger dans l'enfer kafkaïen du procès perpétuel. D'un temps structuré par le droit et rythmé par la justice, on en arrive à un temps *étrangement immobile*. La procédure n'arrive plus à prospérer, c'est-à-dire à mener à une décision tenue pour vraie par convention. Cette difficulté typiquement contemporaine de rendre le temps irrévocable, loin de nous rendre plus libres, empêche au contraire de surmonter nos traumatismes en ne signalant plus l'épilogue social et donc en ne marquant plus le point de départ d'un travail de deuil, toujours reculé. Celui-ci ne peut commencer que lorsque la justice est passée. Non pas celle de la cité idéale qui rend justice à tout et à tous, mais la justice humaine qui donne acte de l'irréparable, qui établit des faits et fixe des dommages et intérêts. Le refus de ce travail de symbolisation se paie par une perte de souveraineté sur son propre destin. Et peut-être aussi par un surcroît de détresse tant la sublimation, la révolte ou le deuil ne sont plus possibles dans ce monde où tout semble toujours possible.

---

10. La justice a beau avoir acquitté Richard Roman – et donné tort du même coup aux journalistes qui l'avaient déjà jugé –, elle ne peut le « blanchir » véritablement aux yeux de l'opinion publique. Quelques mois après, le Journal de 20 heures de TF 1 s'ouvre sur son hospitalisation en psychiatrie et y consacre sa « une », avant la politique internationale. Mais cela ne s'arrête pas là : « Roman, l'ombre d'un doute », titre *France-Soir* le 25 août 1994 en annonçant les révélations d'un journaliste qui pourraient relancer l'affaire et qui s'avèrent, à la lecture de l'article, d'une totale inanité.

LE MYTHE DE LA TRANSPARENCE

Les médias disqualifient les médiations institutionnelles de deux manières en apparence opposées : par une méfiance systématique ou, au contraire, en entretenant avec elles une proximité dangereuse. Ces deux mécanismes procèdent en réalité d'un même dérèglement. Qu'il s'agisse de la suspicion ou de la fusion, c'est chaque fois un trouble de la distance qui est en cause.

Le journaliste doit à tout prix trouver la faille, dénoncer le scandale. Tout cela développe « une *culture de la méfiance* à l'égard des personnes publiques et des institutions démocratiques [11] ». Comment le politique – qui est un ensemble de croyances communes – pourrait-il ne pas être affaibli quand le ressort principal des médias est la suspicion ? Comment fonder du lien social sur la méfiance de l'autre ? La justice est tantôt l'objet, tantôt le moyen de cette défiance. Ce dernier cas de figure est plus nouveau dans notre pays. Alors qu'elle s'était cantonnée le plus souvent à dénoncer les mauvais fonctionnements de la justice, on a vu ces dernières années la presse faire alliance avec la justice contre le politique. Les troisième et quatrième pouvoirs, la justice et la presse, conjurent envers les deux premiers, l'exécutif et le législatif, au prix d'une inquiétante complicité.

Un intérêt pour l'homme plus que pour la fonction

A la télévision, le débat public prend le plus souvent la forme d'un « entre nous ». Le studio s'apparente plus à un salon qu'à une tribune : il appelle plus la confidence que l'engagement public. Les coulisses deviennent plus publiques que la scène politique officielle que l'on voit d'ailleurs de moins en moins. Le Président apparaît plus souvent au coin du feu que dans son bureau présidentiel. D'ailleurs la photographie officielle ne le représente-t-elle pas à l'extérieur du palais de l'Élysée ? Les médias rendent les juges familiers en aimant les montrer hors du contexte professionnel, chez

---

11. J.-J. Courtine, « Les dérives de la vie publique, sexe et politique aux États-Unis », *Esprit*, octobre 1994, p. 64. Cf. *Les Cahiers du Canard enchaîné* sur la justice qui relèvent pour chacune des fonctions de la justice une anecdote dont l'exactitude n'est pas en cause mais qui discrédite toute l'institution. Est-ce parce qu'un expert de Périgueux ou de Metz a manqué à ses devoirs qu'il faut se méfier de tous les experts ?

eux avec leurs enfants. Les reportages se multiplient qui montrent le juge en famille. Certains refusent, d'autres acceptent, mais le téléspectateur ne voit que les derniers. Les chroniqueurs judiciaires préfèrent insister sur la valeur personnelle du juge plutôt que sur son professionnalisme [12]. Comme en matière politique, on constate une personnalisation des institutions en général. La qualité d'une institution semble dépendre des qualités humaines de ses serviteurs plus que de celle de ses procédures.

C'est l'homme qui intéresse les médias, au-delà du magistrat. Les juges se prêtent d'ailleurs volontiers au jeu. La seule perspective de ne pouvoir les désigner que par leur fonction est ressentie comme une atteinte à la liberté d'informer [13]. Mais, ce faisant, leur capacité de parler *ex officio* en ressort affaiblie ; comme si un juge exprimait une opinion alors qu'il lui est demandé de tenir une parole d'autorité. On place l'éthique du côté de la parole spontanée, sans retenue, *authentique* alors que, tout au contraire, la prudence est du côté de la réserve. La démocratie, comme l'avait pressenti Tocqueville, risque de tuer l'autorité de la personne publique : « Quant à l'action que peut avoir l'intelligence d'un homme sur celle d'un autre, elle est nécessairement fort restreinte dans un pays où les citoyens, devenus à peu près pareils, *se voient tous de fort près*, et, n'apercevant dans aucun d'entre eux les signes de la grandeur et d'une supériorité incontestables, sont sans cesse ramenés vers leur propre raison comme vers la source la plus visible et la plus proche de la vérité [14]. » La télévision, que n'avait pu, bien entendu, imaginer Tocqueville, permet aux citoyens de voir leur juges « de fort près ». Cette confusion regrettable et dangereuse sur la transparence démocratique finit par aboutir à une sorte de privatisation de la parole publique.

---

12. « Ce président très spécial qui a jugé Bidart », titre le journal *Libération* du 11 juin 1993 où l'on peut lire : « Après avoir prononcé la peine de Lucienne Fourcade, le président se penche en direction de la jeune femme. " En fait, ça veut dire que vous allez sortir ce soir. " Une phrase brève et souriante. C'est l'homme qui a parlé. Président heureusement spécial d'une juridiction malheureusement spéciale. »

13. « Si le Parlement retenait, par exemple, la proposition de loi du député RPR Pierre Mazeaud, qui souhaite interdire " aux organes de presse, de radio et de télévision d'indiquer le nom des magistrats à l'occasion des dossiers dont ils sont chargés " au motif de soustraire les juges " à la pression des médias ", cela reviendrait vite, comme l'a souligné le président du syndicat de la presse parisienne, Jean Miot, directeur délégué du *Figaro*, à interdire aux journaux de parler de l'actualité » (*Le Monde* du 5 mai 1993).

14. A. de Tocqueville, *De la démocratie en Amérique*, *op. cit.*, t. II, p. 10 (c'est nous qui soulignons).

Transparence des procédures et vérité démocratique

La transparence est devenue une des grandes revendications de nos démocraties. Elle se confond, dit Jean-Denis Bredin, « avec la limpidité, la pureté même. Elle ressemble au soleil et à la lumière. Elle ne peut souffrir des domaines interdits, le mensonge, le mystère, le secret, la discrétion, tous les artifices qui dissimulent la vérité [...]. L'image doit lever tous les voiles, mettre à bas tous les masques, car elle est l'expression même de la vérité [15] ». Tous les coups sont permis pourvu qu'ils le soient au nom de la transparence.

Cette volonté de « tout dire » et de « tout montrer » procède, en réalité, d'une conception mal comprise de la transparence. La transparence, dans une démocratie, ce n'est pas celle des hommes mais celle des procédures. Elle ne consiste pas à *tout* savoir mais à ne savoir que ce qui a pu être légitimement établi. Pour la télévision, tout fait sens ; il n'y a pas de sélection des faits, ce qui revient à cacher la sélection sauvage des faits à laquelle elle procède. Tous les faits sont pertinents. Avec l'image, l'énoncé se confond avec l'acte d'énonciation, et ce qui est dit est automatiquement vrai, si c'est en direct.

La procédure n'est rien d'autre que l'accord préalable sur la manière juste de savoir et également *de ne pas savoir*, d'oublier (amnistie) ou d'ignorer (nullité). C'est l'une des grandes différences entre l'accusatoire anglo-saxon et l'inquisitoire latin : celui-ci procède de l'appétit de *tout* savoir, alors que celui-là, au contraire, n'entend que les preuves admises. C'est pourquoi, dans les procès de *Common Law*, le jury se retire, pour ne pas entendre certains débats relatifs à l'admissibilité d'une preuve. Les médias se présentent comme des moyens de représentation plus accessibles, plus expressifs, plus fidèles à la réalité, plus sensibles à la diversité des opinions, bref plus démocratiques que le cadre procédural de la salle d'audience.

Suffit-il d'instiller alors un peu plus de contradictoire dans les médias pour se protéger de certains dérapages ? C'est oublier qu'un procès est un dispositif très complexe et très sophistiqué, *tributaire d'un espace – physique et procédural – homogène* qui permet de combiner en une unité de temps, de lieu et d'action une mise en langage, une mise en sens et une mise en scène. C'est cette unité de temps, de lieu et d'action que précisément la presse fait voler en éclats. Or elle est capitale : tous, juges ou jurés, doivent entendre

15. J.-D. Bredin, « Intimité et transparence », *Le Monde* du 24 novembre 1994.

la même chose et rien d'autre sur l'affaire [16]. On reproche à la presse de tronquer un document ? Elle publie l'intégralité du rapport. Mais une pièce – fût-elle intégrale – n'a de signification que rapportée à l'ensemble du dossier. A la condition, de surcroît, que les personnes mises en cause aient pu faire valoir leur point de vue. C'est la différence entre le contradictoire et le droit de réponse : que vaut un droit de réponse après que le mal a été consommé, le plus souvent suivi de quelques lignes qui le contredisent ? Le principe du contradictoire n'a de force que s'il peut être sanctionné. Telle pièce a été obtenue illégalement ? Il n'en sera pas tenu compte. Cette annulation n'est concevable que dans un espace homogène et conventionnel.

La dimension conventionnelle de la vérité judiciaire est rendue ainsi insupportable. La presse propose au bon sens du téléspectateur une vérité immédiate au sens propre du terme, c'est-à-dire qui n'est plus médiatisée, pas même par le langage. Elle la présente comme supérieure à la vérité judiciaire, trop tributaire des fictions juridiques et des ficelles procédurales. On dénonce l'artifice de la loi, la fiction de la présomption d'innocence [17]. Aucune précaution n'est prise dans la narration de faits. Les journalistes s'expriment le plus souvent à l'indicatif présent, sans référence à une source d'information, pour donner l'impression au lecteur qu'il a été témoin des faits directement [18]. Toute mise à distance de l'événement et de son horreur est refusée d'emblée. Le crime est revécu en direct, ce qui contraste avec le procès où, au contraire, il est reconstitué de manière indirecte par les témoignages. L'image renforce cette sensation d'immédiateté, une logique de la présence prenant le pas sur la logique tout court. Les médias sanctifient tout : à la télévision, il n'y a pas de faux témoin [19]. L'image donne un sentiment invasif du direct. Tout différé est *a priori* ressenti comme dilatoire.

Est-il si sûr qu'il faille voir pour juger et que le téléspectateur soit mieux placé que le juge pour exercer son jugement ? Personne n'a mieux parlé de la nécessité de s'abstraire de la réalité, ni souligné l'importance de l'imagination dans le jugement, qu'Hannah

---

16. Ainsi, aux États-Unis, certaines affaires, comme celle d'O. J. Simpson, sont tellement médiatisées que l'on se demande si dans une ville comme Los Angeles on trouvera douze citoyens ignorant tout de l'affaire (*Le Monde* du 30 juin 1994).

17. « Richard Roman, qui reste aux yeux de l'opinion publique, à défaut de l'être pour la loi, l'un des assassins présumés... », *Nice-Matin*, du 24 octobre 1990.

18. D. Vernier, *La Couverture du meurtre de Céline Jourdan dans quinze titres de la presse nationale et régionale*, non publié, p. 9.

19. R. Debray, *L'État séducteur*, Paris, Gallimard, 1993, p. 128.

Arendt. « Il y a dans le jugement deux opérations mentales. D'abord l'opération de l'imagination, dans laquelle on juge des objets qui ne sont plus présents, qui sont soustraits à l'immédiateté de la perception sensible, et, par conséquent, n'affectent plus directement. Et pourtant, bien que l'objet soit retranché des sens extérieurs, il devient alors un objet pour les sens intérieurs... Cette opération de l'imagination prépare l'objet pour " l'opération de la réflexion ". Et cette dernière – l'opération de la réflexion – est très exactement l'activité de juger quelque chose. Cette double opération instaure la condition essentielle de tous les jugements, la condition d'impartialité, de " satisfaction désintéressée ". En fermant les yeux, on devient spectateur impartial – non directement affecté – du visible. Le poète aveugle. Et aussi : en transformant ce que percevaient les sens extérieurs en un objet pour les sens intérieurs, on comprime et on condense la multiplicité des données sensibles, on est en situation de " voir " avec les yeux de l'esprit, c'est-à-dire de voir tout ce qui donne sens aux choses particulières. L'avantage du spectateur est qu'il saisit la pièce dans son ensemble, tandis que chacun des acteurs ne connaît que son propre rôle ou alors – s'il doit juger dans la perspective de l'action – que la part qui le concerne. L'acteur est par définition partial [20]. »

Le spectateur de la télévision ne peut jamais prétendre juger, et l'impartialité, contrairement à ce que croit le sens commun, demande de ne pas voir. Serait-ce pour cela que la justice est souvent représentée sous la forme d'une femme aux yeux bandés ?

FAUT-IL FILMER LES AUDIENCES ?

Faut-il faire entrer les caméras dans les salles d'audience ? Il existe aujourd'hui un mouvement d'opinion en ce sens. C'est déjà le cas dans nombre d'États américains, et une chaîne de télévision – Court TV – s'y consacre entièrement. Les arguments en faveur d'une telle autorisation invoquent, outre la fameuse transparence, le fait que la télévision permettrait à un large public de se familiariser avec ses institutions. Si la justice est ouverte au public, pourquoi ne le serait-elle pas aux caméras de télévision ? Le fait est que le public des salles d'audience est le plus souvent dégarni – encore qu'il peut arriver que des bandes de jeunes se déplacent au palais

20. H. Arendt, *Juger, sur la philosophie politique de Kant*, douzième conférence, Paris, Éd. du Seuil, 1991, p. 105.

de justice pour soutenir un de leurs amis qui doit comparaître. La publicité, en effet, est l'une des conditions du juste procès et on ne voit pas ce qui s'opposerait à ce qu'elle utilise désormais le relais cathodique.

Plusieurs considérations invitent cependant à la prudence. Tout d'abord, ne court-on pas le risque de mélanger les genres, c'est-à-dire les préoccupations de la procédure d'une part et celles des chaînes de télévision d'autre part ? Méfions-nous d'une justice trop télégénique. Le risque de filmer les audiences est de faire prévaloir une logique du spectacle étrangère à la justice, ce fut l'expérience belge avec le film *Les Amants d'assises* tourné à partir d'un véritable procès. La raison de l'audimat est aussi redoutable pour la justice que la raison d'État. Le seul procès qui a fait l'objet d'un enregistrement intégral fut le procès Barbie à Lyon. Les seuls passages qui furent retransmis dans une émission pourtant généralement de bonne tenue furent les moments les plus chargés d'émotions... Le sensationnel dénature le contradictoire. L'image doit être au service de la démocratie et non la démocratie au service de l'image. La publicité n'est pour la justice qu'une garantie procédurale, presque un mal nécessaire. « Plus la foule est nombreuse plus elle est aveugle », dit Pindare : c'est le paradoxe du regard public sur la justice, à la fois garantie et menace, condition de la justice et porteur d'injustice, antidote et poison. Publicité et distance à l'égard du public sont deux forces antagonistes qui se tiennent en respect et qui, si elle ne rencontrait pas l'autre, conduirait la justice à sa disparition.

L'image n'est pas aussi toute-puissante que certains le croient, elle aussi a ses fragilités : « L'audiovisuel réactive à sa manière la demande immémoriale de croyance, sans cesser de la décevoir. Cette façon d'aguicher sans satisfaire, ou de crédibiliser sans accréditer vraiment apparaîtra peut-être un jour comme un moment parmi d'autres [21]. » Assister à une audience ou en voir des extraits à la télévision ne procurent pas la même expérience. C'est toute la différence entre le « regard déshabillé » du spectateur d'une salle d'audience et le « regard appareillé [22] » du téléspectateur qui n'aperçoit le procès qu'au travers d'un cadrage et d'un montage qui guident sa compréhension. Les médias excitent la pulsion de voir mais ils éloignent les objets qu'ils font entrer chez nous. C'est le paradoxe de la médiatisation moderne qui

---

21. R. Debray, *Manifestes médiologiques*, Paris, Gallimard, 1994, pp. 202-203.
22. *Ibid.*, p. 195.

« promet une proximité qu'elle dément aussitôt [23] ». La survie de nos démocraties ne dépend-elle pas, entre autres, de notre capacité à inventer un nouveau rapport aux institutions moins frustrant que celui que procurent les images actuelles ? L'avenir n'appartiendra-t-il pas à ceux qui parviendront à mettre en scène la démocratie en s'adressant aux sens de l'homme démocratique et pas seulement à sa raison ? Le futur n'est-il pas du côté de la justice de proximité plutôt que de celui d'une démocratie virtuelle ?

Le piège des procès pédagogiques

Enfin, tous les débats ne sont pas équivalents. Un débat de société comme l'avortement demande que le plus grand nombre de personnes y prenne part, quelle que soit la forme de cette participation. En est-il de même pour un procès, c'est-à-dire un débat dont l'enjeu est la liberté d'un citoyen ? Il ne semble pas. Le conflit risque de trouver sa résolution aux dépens d'un homme. Il n'y a pas d'affaire extraordinaire, pas plus que de peine exemplaire. Il faut se méfier de la surdétermination du procès non plus par le spectacle mais par la politique, les deux allant souvent de pair.

Le théâtre judiciaire est une arme ambiguë qui doit être maniée avec prudence. Elle ne doit servir que la manifestation de la vérité et rien d'autre. N'est-il pas dangereux de vouloir lui conférer des vertus pédagogiques comme pour les affaires Touvier et Barbie ? Il était certes essentiel de les juger mais pas pour la postérité ou on ne sait quelle mémoire des jeunes générations. La seule édification que permet la justice est celle de la procédure, de la règle de droit et de la justice. « Quand se mêlent à des affaires judiciaires des considérations de pédagogie, d'histoire ou de politique, on aboutit à des catastrophes, dit l'avocat de Demanjuk. Tout le monde y perd : la justice aussi bien que l'histoire. Il faut donc prendre garde à ce genre de procès-spectacle et à l'introduction des médias dans le fonctionnement de la justice [24]. » L'émotion est mauvaise conseillère, elle retarde l'intelligence des faits plus qu'elle n'y sensibilise : « Le procès focalise nécessairement l'attention sur une seule personne, l'accusé. On démonise des individus. Or le nazisme n'a pas été le fait de monstres. C'était tout un système, toute une

---

23. J.-J. Courtine, « Les dérives de la vie publique, sexe et politique aux États-Unis », *Esprit*, octobre 1994, p. 61.

24. Y. Sheftel, « Le malaise Demanjuk », *Le Monde* du 4 novembre 1994.

bureaucratie, une structure étatique composée de gens " ordinaires " qui œuvraient patiemment à la réalisation de la Solution finale en s'appuyant sur l'appareil administratif d'un grand État moderne [25]. » La limite entre le pédagogique et le mécanisme sacrificiel consistant à faire supporter à un seul ou à un tout petit nombre la faute collective s'avère bien incertaine. Aquilino Morelle a montré de manière convaincante que l'affaire du sang contaminé, en se concentrant sur quatre individus, a retardé l'analyse des dysfonctionnements majeurs du corps médical dans son entier [26].

Il n'est pas certain que les procès soient les meilleurs moyens de soulever des problèmes de société : le débat sur l'immigration ne peut se poser dans un prétoire, ni celui de la culpabilité de telle personne sur la place publique. La conviction sur des faits n'est pas comparable aux opinions sur les choses. La première est tributaire de la qualité d'une procédure, l'autre est immédiate et propre à chacun. L'intime conviction requise d'un juge est le contraire de la conviction du citoyen.

Le souci pédagogique doit permettre de filmer certains procès sous certaines conditions. Il est en effet nécessaire, comme le rappelle Pierre Zémor, de manifester l'État de droit pour résister au flot d'images qui se déversent quotidiennement sur nos écrans. On ne luttera pas contre l'intrusion de l'image par une absence d'images, mais par la production de nouvelles images, conformes à notre idéal de justice. Robert Jacob montre comment la justice est née et s'est développée par l'intermédiaire d'images [27]. Cette histoire doit continuer. Il faut *représenter la justice*. Les images de la télévision nous demandent de nous montrer plus imaginatifs pour adapter le procès à ce nouveau langage technologique sans altérer son essence.

Un procès est une construction très ancienne et très fragile. Les règles de procédure qui l'ont enrichi au cours des siècles ne l'ont pas encore rendu absolument fiable. Et d'ailleurs, le sera-t-il un jour ? Qu'y a-t-il de plus frêle qu'un témoignage ? De plus suggestible qu'un aveu ? De plus évanescent qu'une impression d'audience ? Le procès est un jeu de pressions légitimes qui doivent paralyser les pressions illégitimes, celles qui viennent du dehors. Parce qu'un débat sans pression aucune n'existe que dans la scolastique. Seul celui qui n'est jamais entré dans une salle d'audience

---

25. C. Lanzmann, *Le Figaro* du 8 septembre 1993.
26. A. Morelle, « L'institution médicale en question », *Esprit*, 10 octobre 1993, pp. 5-51.
27. R. Jacob, *Images de la justice*, Paris, Le Léopard d'Or, 1994.

peut le contester. La pression psychologique n'est pas niée dans un procès mais, au contraire, assumée. C'est pour cela que l'intime conviction réclame un espace propre sans lequel elle est encore plus suspecte. Ouvrir le prétoire aux médias peut rendre la justice encore plus sensible aux influences extérieures. On a vu récemment une chaîne de télévision du service public offrir à un homme d'affaires mis en examen plus de soixante minutes d'antenne à une heure de grande écoute pour lui permettre de se justifier devant les téléspectateurs. De telles manipulations n'augurent rien de bon. Le cadre du procès doit contenir à la fois la vindicte populaire et tenir à distance ceux qui aiment tellement la justice qu'ils lui consacrent des émissions entières comme *Témoin nº 1*. Ce n'est pas le principe d'une émission lançant des appels à témoins qui est choquant, mais le fait qu'une chaîne privée s'empare de quelques affaires pour faire monter l'audimat sous prétexte de prêter son concours à la justice dans la recherche de la vérité. Car les effets de telles émissions ne sont pas anodins. Après avoir aboli la distance interne à chaque société, elles attaquent la distance interne au sujet, celle qui met le citoyen à distance de l'individu.

Les médias, une autorité de fait

Les médias constituent davantage qu'un contre-pouvoir et même qu'un pouvoir. Leur registre est celui de l'autorité entendue comme le pouvoir de mettre en scène la réalité. Ils disputent à la justice la capacité d'incarner le lieu de *visibilité* de la démocratie. Les médias et la justice sont d'autant plus en concurrence qu'ils évoluent dans un même registre. Ils ne sont d'ailleurs pas sans points communs [28] : leur mise en œuvre (à partir d'un fait), leurs méthodes (dramatisation et moralisation), leur structure qui accueille d'autres discours, leur irresponsabilité enfin. Tous deux n'ont que la faculté d'empêcher sans avoir celle d'agir. La presse – comme la justice d'ailleurs – contribue en cela à l'affaiblissement des deux autres pouvoirs et pourrait, en accélérant la désintégration du politique, faire le lit du populisme. Mais quelque chose les sépare radicalement : alors que la presse entretient le fantasme d'une démocratie directe, la justice met en scène le débat démocratique. L'une accélère l'effondrement symbolique, l'autre le prévient.

Pour les médias, l'image se suffit à elle-même. La réalité n'a

---

28. R. V. Ericson, « Why Law is like News », *Law as Communication*, Aldershot (G.-B.), Dartmouth, 1996 (à paraître).

pas besoin de mise en scène : voilà le grand – voire le seul – dogme de l'idéologie invisible des médias. Comme toute idéologie, elle a aussi une fonction de dissimulation. Les médias masquent en même temps le lieu de pouvoir dont ils procèdent. Imaginer une société absolument transparente à elle-même, un monde qui se gouvernerait sans le secours d'institutions est tout simplement une utopie. Il y a toujours des médiations, et lorsqu'elles ne sont pas dites, ces médiations sont assurées par des gens invisibles donc irresponsables. C'est ce qui rend la télévision si toxique lorsqu'elle destitue toute autorité en préférant montrer les coulisses plutôt que la scène, la violence plutôt que sa résolution sociale, l'homme plutôt que la personnalité publique, l'injustice plutôt que la justice. Tout est désacralisé sauf elle, qui se pose, au contraire, comme le nouveau démiurge. Le sacré n'est jamais plus oppressant que lorsqu'il est invisible. D'où l'exigence de nommer ce magistère implicite que les médias exercent sur la démocratie.

Cette prétention des médias à incarner un nouvel espace public plus moderne a en effet quelque chose d'impossible. Alors que la justice est à la fois un lieu de représentation de la réalité par la production d'images et d'*action* sur les choses, les médias se refusent à toute action. Ils prétendent seulement informer. Ils empêchent les institutions d'agir et ne peuvent agir eux-mêmes. Cette faculté d'empêcher, qui n'est assortie d'aucune faculté de statuer, plonge les démocraties modernes dans un certain immobilisme. Comme on parle de « pouvoir de fait », la véritable nature des médias est bien celle d'une *autorité de fait*.

L'affaiblissement des autorités instituées correspond à une perte de souveraineté de la démocratie sur elle-même. Jamais les sociétés n'ont autant invoqué la transparence et jamais elles n'ont été autant opaques à elles-mêmes ! Notre société d'hypervision perd toute visibilité sur elle-même. Un parallèle peut être établi avec notre société hyperjuridicisée, qui a perdu le sens du droit, c'est-à-dire de la mesure et de l'obligation. Privée d'une représentation adéquate de la réalité et de médiations institutionnelles, elle se voit condamnée à ne plus agir *délibérément* au sens propre du terme. Elle est démunie devant le rapport de force, ne pouvant plus le sublimer dans le symbole. Les médias forment donc une autorité bien réelle mais déroutante parce que inconsistante, inconstante et inconséquente, à l'opposé d'une institution repérable et située, stable et opérante.

Ce recours sauvage à l'opinion publique est également pernicieux parce qu'il accrédite l'idée que, dans une démocratie, l'opinion publique est le meilleur juge. C'est aussi faux qu'en matière scientifique. Chacun se souvient de l'affaire Lyssenko. L'opinion publique ne peut se substituer aux juges qu'elle a mandatés à cette fin. La foule choisit toujours Barabbas.

Les médias forment une autorité qui ne s'autorise que d'elle-même. Bénéficiant d'un accès direct au souverain qu'ils ont eux-mêmes consacré – l'opinion publique –, ils n'hésitent pas à y recourir en cas de difficulté. Tel journal satirique pourra toujours discréditer la justice après une décision défavorable et y parviendra parfois. La presse *s'autolégitime* parce qu'elle ne reconnaît pas d'autre sanction que celle de son lectorat, c'est-à-dire pratiquement aucune. Ou plus exactement, la seule sanction qu'elle redoute est celle du marché. Mais la sanction du marché et la sanction de la loi n'ont en commun que le nom : l'une est délibérée, l'autre est spontanée, donc de l'ordre de la nature. Les discours commercial, politique et médiatique ont de surcroît en commun de reposer sur la séduction. Il faut plaire, vendre ou se faire élire à tout prix. On est aux antipodes du discours de la loi qui est de l'ordre de la frustration. Le défi des médias est décidément lié à une dynamique de la démocratie elle-même, à savoir celle de l'autoréférence et de la séduction.

En ne rencontrant aucune sanction – hors celle de la loi du marché – dans leur traitement des affaires de justice, les médias ne risquent-ils pas de nous ramener à un stade prédémocratique, c'est-à-dire à l'état de nature ? L'illusion de la démocratie directe, le fantasme d'une démocratie sans scène où l'instance suprême de représentation serait constituée par les médias procèdent de l'idée d'une harmonisation spontanée des intérêts de chacun sous le regard du meilleur arbitre qui soit dans une démocratie : l'opinion publique. Une démocratie d'opinion, c'est une démocratie sans symbolique, sans instance de surplomb, bref, sans autorité repérable et opérante. L'achèvement de la démocratie se réaliserait dans l'émancipation des institutions qui l'ont constituée. C'est le fantasme d'une démocratie « naturelle » sans épaisseur symbolique, sans distance interne entre gouvernants et gouvernés ni dans le rapport de soi à soi. Une démocratie de l'instantané, du direct, le rêve d'un monde désormais totalement transparent à lui-même, d'où serait définitivement bannie la distance du sacré : une démocratie enfin libérée du politique.

« Le principe de la démocratie se corrompt, dit Montesquieu, non seulement lorsqu'on perd l'esprit d'égalité, mais encore quand on prend l'esprit d'égalité extrême, et que chacun veut être égal à ceux qu'il choisit pour lui commander. Pour lors, le peuple, ne pouvant plus souffrir le pouvoir même qu'il confie, veut tout faire par lui-même, délibérer pour le sénat, exécuter pour les magistrats, et dépouiller tous les juges [29]. » La cité démocratique est périssable, plus que n'importe quelle autre. C'est pour cela qu'il faut protéger les « médiations imparfaites » que sont ses institutions. Et si le combat pour la démocratie avait insidieusement changé de camp et qu'après l'avoir conçu pendant des années comme une émancipation des institutions il fallait désormais l'envisager comme une protection contre l'esprit « d'égalité extrême » ?

Les dérapages des médias ne doivent pas néanmoins en faire oublier les mérites irremplaçables. C'est d'ailleurs là toute la difficulté : si l'on pouvait s'arrêter à cette dénonciation, comme tout serait simple ! Il suffirait de chasser les médias de nos institutions, d'interdire les caméras de la salle d'audience et de réprimer plus durement les violations du secret de l'instruction. Cela serait faire bon marché du contre-pouvoir irremplaçable que les médias constituent dans une démocratie. Sans eux, il n'y aurait jamais eu d'opération *mani pulite* en Italie, d'affaire du *Watergate* aux USA ni d'affaire du sang contaminé en France. Les médias ne peuvent remplir ce rôle essentiel de contre-pouvoir que parce que leur logique n'est pas politique mais commerciale.

Le marché apporte ainsi à la démocratie la meilleure garantie et la pire des menaces. Le quotidien espagnol *El Pais*, par exemple, proche du pouvoir socialiste pendant les années quatre-vingt, n'a pas voulu aborder dans un premier temps les affaires de corruption qui secouaient le gouvernement de Felipe Gonzalez. La sanction ne se fit pas attendre et il vit chuter ses ventes. Il dut alors se montrer aussi – voire plus – incisif que ses confrères pour retrouver sa part de marché. Ce n'est donc pas par vertu que la presse joue son rôle de contre-pouvoir mais par intérêt.

Aussi est-il vain d'opposer la mauvaise logique du marché à la bonne logique publique. Le véritable défi que posent les relations médias/justice est de conjuguer deux logiques hétérogènes : celle du marché et celle de la chose publique. D'autant que les médias ne forment pas un pouvoir institué. Qu'y a-t-il de commun entre la presse écrite et la télévision ? Entre *Paris-Match* et *Le Monde* ? Leurs intérêts sont divergents. De là toute la difficulté de réguler une activité qui appartient à deux mondes à la fois : le monde marchand et le monde civique. Les médias sont d'une nature hybride

---

29. Montesquieu, *De l'esprit des lois*, Paris, Garnier/Flammarion, 1979 (chronologie, introduction, bibliographie par V. Goldschmidt), t. I, p. 243.

et ne peuvent être traités ni comme n'importe quelle activité commerciale ni comme une institution publique.

Les médias lancent un nouveau défi à l'État de droit en donnant une nouvelle configuration à l'espace public. Plutôt que de se lamenter sur la disparition du symbolique, il faut chercher à l'adapter à ces nouveaux supports. La culture est, dit Régis Debray, « l'interaction sans cesse renégociée entre nos valeurs et nos outils [30] ». Puisque les relations entre la justice et les médias se posent à un double niveau, du pouvoir et de l'autorité, il faut imaginer des solutions sur ces deux registres : comment sortir du face-à-face actuel entre juges, journalistes et politiques ? Mais aussi comment donner à la société démocratique une nouvelle consistance symbolique ?

Mais les médias n'affectent pas que le fonctionnement des institutions : ils font également lien avec l'autre grande cause de la montée en puissance de la justice qui est à chercher dans la société démocratique elle-même. Les médias, qui sont l'instrument de l'indignation et de la colère publiques, risquent d'accélérer l'envahissement de la démocratie par l'émotion, de propager un sentiment de peur et de victimisation et de réintroduire au cœur de l'individualisme moderne le mécanisme du bouc émissaire que l'on croyait réservé à des temps révolus.

---

30. R. Debray, *op. cit.*, p. 148.

Chapitre IV

LA PRÉFÉRENCE PÉNALE

La montée en puissance de la justice ne s'explique pas que par un réajustement des institutions politiques, elle est aussi l'expression d'une évolution plus profonde et moins visible de l'individualisme moderne. La justice est devenue le lieu d'élection des passions démocratiques et le prétoire, le dernier théâtre de l'affrontement politique. Mais ce regain d'intérêt pour la chose judiciaire est ambigu : il manifeste à la fois le désir de renforcer un contre-pouvoir et un intérêt nouveau et moins noble pour la vengeance. Cette nouvelle scène de la démocratie peut se convertir en jeux du cirque en offrant un spectacle de la cruauté d'autant plus excitant qu'il jette dans l'arène des puissants, des ministres, des grands patrons ou des médecins. Cette forme sentimentale et effusionnelle de faire de la politique s'accorde bien avec une opinion publique orpheline de conflit central, qui n'arrive plus à se représenter autrement le lien social que selon le code binaire agresseur/victime.

Le droit pénal s'offre comme un sens toujours possible, comme la dernière ressource lorsque l'idéologie a déserté l'espace social. Dans une démocratie inquiète, plus casuiste que dogmatique, les catégories pénales sont promues à un bel avenir en raison de leur simplicité et de leur forte teneur en adrénaline. Crier vengeance, pleurer ou s'indigner ne requièrent aucun diplôme. Cette logique primaire dispense de se lancer dans les subtilités de la responsabilité administrative ou civile, d'autant plus suspectes aux yeux des citoyens-téléspectateurs qu'ils ne les comprennent pas. Le repli sur le droit pénal signe un double échec : celui des régulations sociales intermédiaires comme la famille, le quartier ou le travail, et celui des solutions, la justice pénale continuant de garder la prison au cœur de son dispositif – il suffit de constater l'augmentation continue et incontrôlable du nombre de détenus dans toutes les démocraties pour s'en convaincre.

Les mécanismes de cette préférence pour la solution pénale – identification à la victime, diabolisation de l'autre – se renforcent mutuellement pour brouiller la place du rapport politique entre citoyens au-delà du rapport affectif entre proches.

L'IDENTIFICATION À LA VICTIME

L'opinion publique est aujourd'hui plus encline à s'identifier à la victime qu'à l'arbitre, au gouverné qu'au gouvernant, au contre-pouvoir qu'au pouvoir, au justicier qu'au législateur. On a vu un peuple retrouver son unité derrière les juges Di Pietro en Italie ou Van Espen en Belgique [1], dans leur résistance contre les puissants. Le petit juge est la dernière incarnation du combat de la vertu contre le vice, de David contre Goliath. C'est peut-être là que commence la démocratie directe, dans la mise en place d'une opposition réductrice entre le bon et le méchant qui oblige à choisir son camp. Les faits divers donnent une vision simple, voire simpliste des enjeux qu'un discours politique technocratique avait fini par obscurcir. Cette approche émotionnelle et manichéenne du politique fait, à n'en pas douter, le lit du populisme.

De l'activisme des juges à l'activisme associatif

Ces dernières décennies ont vu croître le rôle des associations dans le déclenchement de l'action publique, dont on peut douter pour certaines de la réalité de leur assise (on pense à celle qui a saisi le Service central de prévention de la corruption). La loi leur reconnaît à nombre d'entre elles la possibilité de se substituer à la partie publique comme en matière d'urbanisme, d'écologie, de protection des personnes et des minorités, de lutte contre le racisme, d'hygiène publique.

La plupart de ces mouvements sont issus de Mai 68 dont ils ont gardé à la fois l'intérêt pour l'inégalité des conditions (relations hommes/femmes, parents/enfants, par exemple) et la suspicion à l'égard des institutions. Qui ne se souvient du fameux procès Bobi-

---

1. Dans l'affaire mettant en cause Didier Pineau-Valencienne.

gny à propos de l'avortement, et du mouvement qui suivit dénonçant l'impunité du viol ? Le relais a été pris aujourd'hui à propos des abus sexuels sur enfants et notamment de l'inceste. D'autre part, des vigilants de tous bords font régner une sorte de « politiquement correct » à la française en fouillant dans le passé de toutes les personnes publiques pour se demander s'il n'y aurait pas motif à plainte ou à dénonciation. Par un curieux renversement, ces nouveaux accusateurs publics sont souvent issus des milieux d'extrême gauche, c'est-à-dire de ceux qui hier encore traquaient toute forme de censure bourgeoise. On comprend aisément que l'extrême gauche se retrouve dans ce combat contre les institutions qui a cependant changé en ce que ces militants associatifs utilisent désormais l'institution judiciaire pour arriver à leurs fins. Cette inversion des places est particulièrement perturbante, les militants de la gauche traditionnelle partageant spontanément ces causes sans toujours comprendre qu'elles justifient une augmentation de la répression. C'est particulièrement net en matière d'abus sexuels qui motivent aujourd'hui les peines d'emprisonnement les plus longues dans notre pays.

On assiste ainsi à la conjugaison de trois activismes : des juges, de la presse et des associations. Les ressorts chaque fois sont les mêmes : l'inquisition et la dénonciation sauvage, l'émotion, l'horreur, la défiance à l'égard des institutions traditionnelles et une sorte de présomption de culpabilité. La noblesse du combat – l'enfant, l'intégrité corporelle des femmes, la lutte contre le racisme – les met au-dessus des lois civiles et des procédures démocratiques. Vouloir faire respecter ces procédures équivaut immédiatement à mettre en doute la bonne foi militante ou le dévouement, pire, à être suspecté de racisme ou de machisme. Qui sera contre le travail des enfants, l'inceste ou la souffrance des animaux ?

La juridiction des émotions

Aucune autre affaire n'illustre mieux l'emprise actuelle de l'émotion que celle du sang contaminé. La relation par les médias de l'intervention de la justice [2] est présentée comme dérisoire, tant les victimes sont déjà « condamnées » par la loi de la vie et de la mort que l'on n'a eu de cesse de mettre en comparaison avec la loi juridique. Au lieu d'expliquer que ni la loi morale ni la loi biologique ne sont substituables à la loi juridique, les médias préfèrent

2. Voir le dossier de *Droit et société*, Paris, LGDJ, 26, 1994.

s'indigner de la fameuse phrase de Georgina Dufoix « responsable mais pas coupable », alors que la dissociation de la faute et de la garantie du risque est la base même de notre droit de la responsabilité. Qui a eu le courage de l'expliquer ? La douleur disqualifie la procédure et la nécessaire médiation du droit. Si la souffrance n'a pas de prix, comment l'indemniser ? On a contesté la valeur de l'argent comme seule réparation possible. Mais à travers cette mise en cause, c'est une des conditions essentielles du procès – la symbolisation de tout par l'argent – qui est menacée. Le procès naît en Grèce et à Rome avec l'apparition de la monnaie et l'on n'ose imaginer la régression que serait une justice qui aurait perdu cet équivalent universel. Fragilisées également, la qualification juridique et les catégories du droit [3].

« La douleur est injuste, dit Racine, et toutes les raisons qui ne la flattent point aigrissent ses soupçons. » On reproche aux procédures de la justice de n'être jamais à la hauteur du drame et de la souffrance. Le moindre éloignement des thèses de la victime est intolérable. Il n'est pas sûr que cela soit si bénéfique aux victimes tant le travail de deuil est de ce fait rendu impossible. Qu'est-ce que symboliser si ce n'est nommer, mettre à distance par des rites ou des mots ? Qu'est-ce que le procès si ce n'est mettre des mots à la place de la violence, de l'argent à la place de la souffrance ? La souffrance a tous les droits, elle peut s'exonérer de tous les devoirs. Ainsi les juges d'instruction proposent-ils dans une conférence de presse de maintenir le secret de l'instruction tout en réservant aux victimes et aux personnes mises en examen « un droit au cri » (*sic*) qui leur permettrait de s'adresser directement à l'opinion publique [4].

Ce processus de symbolisation risque d'être bloqué par un spectacle toujours plus cru, qui rend les mots insupportables et l'argent déplacé. Il est vrai qu'il n'y a rien de plus communicable que les larmes. Désormais, la souffrance fait loi, et la souffrance de plusieurs centaines de personnes justifie que l'on inculpe deux fois la même personne pour des mêmes faits. Les médias, en nous plaçant ainsi sous la juridiction des émotions, nous éloignent de celle du droit. Ils s'autoproclament représentants de l'opinion publique mais ne sont, le plus souvent, que les porte-parole de l'émotion publique.

---

3. « Il n'empêche que de qualifier le sang de " produit " est, en soi, sacrilège », *Le Figaro* du 3 octobre 1992.

4. F. Ricard, président de l'Association française des magistrats chargés de l'instruction, *Le Monde* du 12 décembre 1994.

Le législateur irrationnel

Catherine Ehrel [5] a relevé l'importance des faits divers dans les débats parlementaires qui ont précédé l'adoption du nouveau Code pénal. Il n'est pas trop fort de dire que ceux-ci – et notamment les crimes d'enfants – ont tenu lieu de référents majeurs dans nombre de séances. Les crimes d'enfants deviennent des événements nationaux pour une opinion publique fascinée par la mort et la transgression. Leur exaspération par les médias finirait par faire croire au citoyen non averti que ce genre de crimes est fréquent, ce qui n'est pas le cas. L'opinion publique se captive également pour les crimes commis par des enfants, comme l'a montré le retentissement du meurtre d'un vagabond par des jeunes enfants de Vitry-sur-Seine ou l'affaire de deux enfants meurtriers de Liverpool qui a bouleversé l'Angleterre. Comment expliquer ce phénomène qui semble dépasser le seul cas français ?

Notre société interroge désormais son destin collectif à partir d'histoires singulières. Le fait divers n'est plus cet événement qui transcende le politique par sa quotidienneté mais, au contraire, *l'expression d'une nouvelle demande politique*. Il permet au discours politique, après avoir cherché à mobiliser les citoyens en valorisant le local et l'associatif, de s'intéresser plus au quotidien et au privé. Le fait divers est investi de signification politique, « il exprime des problèmes nouveaux, circonscrit des enjeux : il se substitue aux définitions d'hier de l'intérêt général [6] ». C'est ainsi que l'on a vu une loi sur la perpétuité réelle pour les meurtriers d'enfants suivre seulement de quelques semaines un fait divers. Ne gagnerait-on pas à se souvenir de cette mise en garde de Duport lors des débats du premier Code pénal en 1791 : « Ce n'est pas toujours par une obéissance ponctuelle et servile aux ordres de l'opinion que les législateurs portent les lois les plus utiles à leur pays ; souvent ces lois n'ont de rapport qu'à des besoins momentanés et ne remédient qu'à des effets : les résultats heureux et vastes qui décident du bonheur des peuples tiennent en général à la méditation et au calcul [7] » ?

Le fait divers est à la marge du politique : il est à la fois singulier et universel. « Consulté au hasard, la chronique politique d'un journal publié en 1885 ne sera guère compréhensible que pour

5. C. Ehrel, A. Garapon, « Lectures du nouveau Code pénal », *Esprit*, octobre 1993, p. 203.

6. P. Chambat, « La place du spectateur, de Rousseau aux reality shows », *Esprit*, 1993,1, pp. 77-78.

7. Cité par P. Lascoumes, P. Poncela, P. Lenoël, *Au nom de l'ordre, une histoire politique du Code pénal*, Paris, Hachette, 1989, p. 296.

un historien des débuts de la IIIe République. Au contraire la lecture des faits divers y sera aussi facile que celle d'un roman, à peine démodé, de l'époque [8]. » C'est moins l'usage du fait divers qui pose question que son absence d'interprétation. Le fait divers est signifiant en lui-même, par évidence ; son sens est livré avec le fait, il lui est immanent : c'est d'ailleurs peut-être cette évidence qui est recherchée par le politique. C'est le piège de *l'illusion de la transparence*, l'un des canons de la démocratie directe.

Un consensus dans l'effusion

L'assassinat d'enfants reste la dernière figure du mal absolu dans une société qui doute de ses valeurs : « Lui, au moins, il était innocent ! » s'écrie René Char. Cette horreur permet de distinguer clairement l'offenseur de l'offensé, de faire cesser l'indifférenciation dans laquelle sont plongés l'agresseur et l'agressé. Dans une société qui doute de ses valeurs et ne s'étonne plus de rien, il faut aller chercher dans cet extrême de la souffrance et de l'intolérable l'étincelle d'un sursaut. C'est dans ce sens donné, évident, incontestable (qui oserait mettre en doute la souffrance des fillettes ou de leurs parents ?) que se trouve le *consensus*. A la base des régimes démocratiques fondés sur le contrat social et la souveraineté nationale, le consensus est paradoxalement voué à décliner inexorablement. Cette clé de voûte de la démocratie d'opinion se montre étrangement rétive à toute approche théorique. Le consensus est d'ordre mythique. Il repose sur la croyance, l'adhésion, l'invocation rituelle. En politique, on dit aujourd'hui : « l'opinion publique est avec nous », comme on disait hier « Dieu est avec nous ». Le couple « scientifique moderne : opinion publique/consensus exerce aujourd'hui les mêmes fonctions que le couple rationaliste : volonté nationale/raison, à l'époque des lumières, le couple théologique : Dieu/mandat divin [9] ».

La fascination de nos sociétés démocratiques pour la violence extrême non symbolisée, pour ces meurtres épouvantables sur lesquels les médias s'appesantissent est surprenante. Ne peut-on y voir un lien avec l'effondrement symbolique ? Cette excitation extrême de l'émotion renforce la solidarité sociale, mais il s'agit d'un

8. G. Auclair, *Le Mana quotidien, structures et fonctions de la chronique des faits divers*, Paris, Éditions Anthropos, 1970, p. 14.

9. F. Ost, M. Van de Kerchove, *Bonnes Mœurs, discours pénal et rationalité juridique*, Bruxelles, Publications des facultés universitaires Saint-Louis, 1981, pp. 108-109.

consensus primaire, sinon primitif, archaïque, émotionnel. Elle fait perdre de vue l'intérêt commun qui ne peut jamais s'assimiler à celui d'une seule personne, fût-elle un enfant. Alors que le cadre juridique, ses symboles et ses procédures ont pour fonction de créer une *solidarité sans consensus*, c'est-à-dire un accord sur la manière de résoudre les conflits mais pas nécessairement sur les solutions, c'est le contraire qui se produit : un *consensus sans solidarité*. Le sentiment qui réunit de manière très éphémère des personnes devant l'horreur est suffisamment fort pour souder un instant des gens très hétérogènes mais pas assez pour fonder une communauté politique. Son objectif n'est que de ranimer une communauté effusionnelle sans autre slogan que la défense du vivant face à la mort. Seule une menace suprême, le cancer, les accidents de la route ou les mauvais traitements à enfants s'avèrent aptes à réunir les vivants. Comme l'a montré l'affaire du sang contaminé, une troublante concurrence semble s'installer entre la loi biologique, celle de la vie et de la mort, et la loi des hommes, civile ou pénale.

Les « arrêts de cœur »

Ce qui fait consensus, c'est moins l'outrage aux lois que l'intolérable souffrance de la victime à laquelle le parlementaire ne peut que s'identifier en se lançant dans une inquiétante surenchère. Ainsi, l'émotion, qui est le principal ressort des médias, finit par affecter le discours politique et par inspirer des lois. Par ce truchement, l'émotion influence directement la vie démocratique tout entière, y compris la justice. On pense aux « arrêts de cœur » rendus par une justice plus effusionnelle que rationnelle que stigmatisait déjà d'Aguesseau. Là encore, l'affaire du sang contaminé illustre tristement la dilution des catégories du droit sous la pression de l'émotion publique. Bien rares sont les juristes qui ont eu le courage de le dénoncer. Pierre Mazeaud est l'un de ceux-là. Il a magistralement montré comment le sens juridique précis des trois mots clés de l'affaire du sang contaminé devant la Cour de justice de la République : « empoisonnement », « complicité » et « mise en examen », avaient cédé devant la pression de l'opinion publique [10]. L'audience de l'affaire de la catastrophe du stade de Furiani marque un pas supplémentaire dans cette dangereuse dérive. Les parties civiles tentèrent d'empêcher les avocats de la défense de présenter une argumentation juridique. Ces derniers furent « mis en quaran-

10. P. Mazeaud, « Le sens des mots », *Le Monde* du 8 octobre 1994.

taine » par les parties civiles, par les autres avocats et par les journalistes. A-t-on souvent entendu le point de vue de la défense devant des caméras de télévision ? Que valent ces quelques secondes d'antenne face aux nombreux reportages s'apitoyant sur le sort des victimes, leurs souffrances, leur désespoir ?

Ces dérives ne manquent pas d'inquiéter parce que ce qu'elles remettent en cause, c'est la possibilité même de faire du droit lorsque l'émotion est trop forte. « Est-il raisonnable de faire grief à un procès d'avoir des aspects juridiques ? Ou consentir au droit un minimum de place si ce n'est dans un prétoire ? » se demande Jean-Marc Théolleyre [11]. On se souvient de ces habitants d'un village des Alpes-de-Haute-Provence lynchant les avocats des personnes mises en examen pour le viol et le meurtre d'une petite fille. Est-ce un hasard s'ils s'en sont pris à l'avocat de la défense plutôt qu'à l'inculpé lui-même ? N'est-ce pas l'idée même de représentation, d'une prise de distance à l'égard de l'horreur, qui est insupportable, c'est-à-dire la possibilité de soulever des moyens de droit – voire demander l'annulation de la procédure – pour un homme qu'ils avaient déjà sommairement condamné ? La seule perspective que l'on puisse défendre un présumé coupable devient intolérable. Plus aucune nuance n'est acceptable entre l'adhésion aux positions des victimes et l'absolution des présumés coupables. Les défendre est déjà en soi criminel. Ce lynchage est très révélateur d'une sorte de corps à corps qui signe l'échec de toute mise à distance symbolique. Ne perd-on pas de vue le principe même de la justice qui est de mettre à distance l'émotion pour permettre, autant que faire se peut, une élaboration rationnelle ? L'identification à la victime comme l'identification à l'accusé sont condamnables comme le sera toute identification à l'une des parties, fût-elle la partie publique. La tâche du juge n'est-elle pas, au contraire, d'adopter un point de vue tiers qui fasse justice – et non vengeance – à l'agressé mais aussi à l'agresseur ?

LA DIABOLISATION DE L'AUTRE

L'identification généralisée à la victime a pour conséquence de diaboliser l'autre. On ne peut être victime qu'à la condition de trouver un coupable. L'actualité récente offre de nombreux exemples de cette logique pénale qui envahit la vie sociale. On a vu des responsables administratifs du plus haut niveau – comme des préfets

---

11. J.-M. Théolleyre, « Le droit de défendre », *Le Monde* du 2 février 1995.

ou des proviseurs d'établissements scolaires – être poursuivis en correctionnelle sous une qualification pénale pour des faits qui ne relevaient que de la responsabilité administrative. Comme si cette dernière n'offrait pas suffisamment le spectacle de l'humiliation de la personne mise en cause. Cette tendance est révélatrice de la confusion contemporaine entre la personne privée et la personne publique dont il a déjà été question. A cette cadence, il n'y aura plus une seule mort dans un département sans que quelqu'un ne cherche à mettre en cause la responsabilité pénale du préfet pour défaut d'entretien de la chaussée s'il s'agit d'un accident de la voie publique ou pour une faute dans la gestion de la santé publique, pour ne parler que des principales causes de mortalité. Le droit administratif ne fait plus écran pour situer les responsabilités au niveau où elles doivent l'être, pas plus que le droit civil : il faut non seulement des responsables mais aussi des coupables. Il faut trouver un responsable à tout, à commencer pour le plus absurde, la mort. On passe d'une logique civile ou administrative à une logique pénale, c'est-à-dire d'une logique de la réparation et de la continuité à une logique, au contraire, de l'expulsion et de la discontinuité. Comme si l'évolution de la société démocratique lui faisait retrouver cette idée qu'aucune mort n'est naturelle et qu'à défaut de l'attribuer à une volonté positive on peut toujours l'imputer à une négligence. Développer notre droit de la responsabilité est nécessaire à condition que cette extension ne cache pas le retour des mécanismes les plus archaïques de la victime émissaire et de la loi du talion.

Le retour de la mécanique sacrificielle

Dans l'affaire du sang contaminé, en poursuivant quatre personnes sous une qualification pénale inadaptée, on a cru pouvoir se dispenser de rechercher les responsabilités multiples du corps médical et de la haute fonction publique et de dénoncer la faillite des mécanismes normaux de régulation. La logique pénale, qui est celle de la culpabilité, s'est avérée insuffisante pour expliquer les mécanismes par lesquels les produits ont été contaminés. « Face à l'insupportable, une justice qui n'éclaire pas est d'un faible secours, et si la punition possède des vertus apaisantes sur l'opinion publique, il est permis de douter de son utilité sociale quand elle ne contribue qu'à l'anesthésier [12]. » Le préjudice était peut-être trop

---

12. M. Setbon, « Quand punir n'explique rien », *Le Monde* du 6 mai 1993.

grave pour que « des têtes ne tombent pas ». Pourquoi s'être précipité dans un procès pénal et n'avoir pas, comme le rappelle avec force Daniel Soulez-Larivière, organisé plutôt un procès civil ? Ou placé cette affaire sur le terrain de la responsabilité administrative ? « En France, toute activité pathologique, économique et sociale doit être sanctionnée pénalement. Comme si la scène de la justice était trop fade et médiocre et qu'il fallait lui procurer de la force et de l'attrait en y faisant tintinnabuler des chaînes et flotter l'odeur du cachot [13]. » Cette priorité de la logique pénale est peut-être une caractéristique française : alors que nombre de pays ont connu un drame similaire, il n'y a qu'en France que l'on a fait un procès pénal. Cela traduirait l'état de sous-développement de notre justice civile et de surdéveloppement de la justice pénale qui, à en croire Blandine Barret-Kriegel [14], ne date pas d'hier.

Dans un tout autre domaine, pourquoi continuer de pénaliser l'usage de stupéfiants au risque de discréditer la loi pénale, vu le petit nombre de poursuites effectives, et de compliquer les soins ? Le droit pénal s'offre comme le sens toujours disponible lorsque les autres modes de régulation sont en échec ou que le courage politique a capitulé. Le sacrificiel est le sens toujours réactivable de la justice. C'est que la justice pénale ne peut se soustraire à la tâche de dire le droit : elle est mise en demeure de se prononcer, c'est là sa raison d'être. Ces nombreuses sollicitations montrent le paradoxe de la société démocratique qui transfère sur la justice ses demandes de sens non satisfaites. Ne se tourne-t-on pas vers la justice en désespoir de cause pour en attendre un rôle moral, ce qu'à l'évidence elle ne peut pas faire ? Là encore, l'engouement actuel pour la justice, qui s'explique peut-être surtout par la disparition des instances qui remplissaient une fonction morale, montrerait plus un manque qu'une demande positive à proprement parler nouvelle.

L'évolution de la perception du jeune délinquant est révélatrice de cette subite inversion de l'individualisme. Pendant les trente Glorieuses, c'est-à-dire des années cinquante à quatre-vingt, la société retournait volontiers vers elle la responsabilité de la délinquance, comme en témoigne le titre de ce film célèbre de Cayatte, *Nous sommes tous des assassins*. Le mineur délinquant était majoritairement considéré comme un inadapté qu'il fallait éduquer, comme

---

13. D. Soulez-Larivière, « Le sang, la République et la justice », *Libération* du 12 novembre 1992.

14. B. Barret-Kriegel, « La République, la maladie, la mort », *Le Monde* du 25 novembre 1992.

un laissé-pour-compte de la croissance. Aujourd'hui, la délinquance est à l'inverse perçue en termes de responsabilité personnelle. Cette lecture en termes plus juridiques que politiques correspond à une moins grande tolérance. « Cette reconnaissance des droits des mineurs va de pair avec l'émergence d'une société moins tolérante, moins autoculpabilisante quant aux problèmes qu'elle génère et, en définitive, moins solidaire [15]. »

Pour le législateur instituant après guerre le juge des enfants, il n'y avait pas de différence entre l'enfant victime de mauvais traitements et l'enfant auteur de troubles sociaux. Ces enfants sont, pensait-il, les mêmes. Aussi entraient-ils dans une seule et même catégorie : l'enfance en danger. On assiste aujourd'hui à la diffraction de cette catégorie entre, d'une part, le bébé victime et, d'autre part, l'adolescent menaçant. D'ailleurs, au fil des lois, le nom d'« enfant maltraité » a remplacé petit à petit celui d'« enfant en danger ». On a vu dans le même temps la presse s'appesantir sur les crimes commis par des adolescents, alors que ceux-ci n'ont pratiquement pas augmenté depuis un siècle. Le lien entre l'enfant en difficulté familiale et l'adolescent désaffilié n'est plus fait ; la figure complexe et évolutive de l'enfant en danger s'est séparée entre le symbole de l'innocence parfaite et celui d'une menace nouvelle.

Une « société de plaignants »

On assiste aux États-Unis à l'inflation de procès dans lesquels les accusés soulèvent leur irresponsabilité au motif qu'ils ont été victimes d'abus sexuels dans leur enfance. « Si vous avez le souvenir de tels faits, cela ne peut être que vrai », disent certains psychiatres outre-Atlantique. Une fois encore, les procédures paraissent insupportables face à la douleur, comme en témoigne cette coupure de presse entre mille : « Après la révélation d'Alexandrine, la machine judiciaire se met en marche avec son cortège de faiblesses : intimidation sur la fillette, qui doit assumer la lourde responsabilité d'envoyer son père en prison, pression dudit père, refus et rejet de la mère – complice ou aveugle –, hésitations de l'instruction qui doit choisir entre la parole d'une gamine apeurée et celle d'un adulte bien installé dans la société et de réputation irréprochable [16]. » L'enfant ne peut se tromper, il ne peut faire que de vraies dénon-

---

15. C. Vourc'h, M. Marcus, *Sécurité et démocratie*, Paris, Forum européen sur la sécurité urbaine, 1994, p. 43.
16. *Le Figaro* du 6 octobre 1993.

ciations et de fausses rétractations. On passe de la présomption d'innocence à l'innocence présumant la vérité. Mais alors, que devient le droit des parents à un juste procès ? Certes, la justice doit faire preuve d'un doigté qu'elle n'a pas toujours – loin s'en faut –, mais elle ne doit pas moins renoncer à faire son travail qui est d'établir des faits au terme d'un juste procès.

« Aujourd'hui, comme le relève Charles Krauthammer, les névroses ne proviennent pas d'erreurs innocentes mais d'actes criminels qui ont lieu au sein même de la famille réputée ordinaire [17]. » On touche là au cœur de l'idéologie victimaire qui caractérise notre époque : rien n'est dû au hasard, tout procède d'une volonté humaine et doit pouvoir être imputé à quelqu'un. On attend que la justice se prête à ce jeu, ce qu'elle fait parfois. C'est également une sorte de réaction de défense devant l'absurdité du mal. Faute de lui trouver une explication immédiate, on la recherche dans le passé. La société démocratique ne peut s'expliquer la délinquance, c'est-à-dire le mal causé délibérément à autrui, que comme la conséquence d'un crime antérieur. J'ai mal agi ainsi parce qu'on a agi de manière encore plus condamnable envers moi dans mon enfance, ou dans les générations passées. Le mal ne peut être pensé en dehors de cette logique victimaire qui fait du délinquant lui-même une victime et qui repousse toujours plus loin l'agression originaire, celle qui ne procédait d'aucun mal antérieur. Alors que l'idéologie a longtemps naturalisé des phénomènes historiques, elle prend aujourd'hui le chemin inverse : fournir une explication humaine à toutes les catastrophes naturelles. Toutes les souffrances se trouvent reportées sur quelques responsables qui en portent tout le poids : n'est-on pas en présence d'un mécanisme de substitution sacrificielle ? Cette dérive n'éloigne-t-elle pas la justice de sa véritable tâche qui est de mesurer la part de chacun ? On oublie que le propre du droit et de la justice est précisément d'arrêter cette responsabilité autrement infinie. Le génie de l'institution est de désubjectiver les échanges humains et « d'attaquer sur les deux fronts le problème : d'une part, loin de désarmer face au malheur elle agit contre lui en imputant des actions, en reconnaissant des acteurs et en les obligeant à prendre des précautions ; d'autre part, elle fait accepter aux victimes qu'une partie de leur malheur n'est pas imputable ni réparable, et peut seulement être entendue et reconnue [18] ».

---

17. C. Krauthammer, « La déviance redéfinie à la hausse, réponse à Daniel Patrick Moynihan », *Le Débat*, 1994, p. 171.

18. O. Abel, « La responsabilité incertaine », *Esprit*, novembre 1994, p. 25.

L'individualisme peureux

La société démocratique n'arrive pas à trouver le ton juste pour aborder la question du crime. On est plus à l'aise pour parler de l'holocauste que des meurtres d'enfants. Adultes devant l'histoire, nous balbutions encore devant le crime. De nombreuses prises de position, lors du débat sur les délinquants sexuels à propos de la perpétuité réelle, pourraient d'ailleurs être interprétées comme autant de *stratégies d'évitement* de la question du mal. La violence intersubjective est trop vite rapportée à ses dimensions sociales ou psychologiques, et l'on s'appesantit plus facilement sur la criminalité induite par la prison que sur celle qui a motivé la peine. Notre société ayant chassé tout sacré de ses représentations officielles, ce dernier ne subsiste que sous sa forme infernale de l'horreur et de la monstruosité.

Après l'individualisme triomphant des années quatre-vingt, on voit poindre un individualisme défensif, plus sécuritaire que libertaire, plus soucieux de protection que de *privacy*. L'analyse des débats parlementaires du nouveau Code pénal a bien montré cette figure de *l'individu menaçant* qui est la part d'ombre des droits de l'homme. « Le Code montre involontairement le lien entre deux logiques contradictoires de l'individualisme contemporain, celle de la revendication infinie de droits et celle de la demande de protection. Un glissement d'une interprétation positive des droits de l'individu (le droit sans obligation) à leur interprétation négative (l'individu menaçant). Un imaginaire de la victimisation a vite fait de se substituer à celui de la civilité et de la citoyenneté [19]. » On ne voit plus dans l'autre qu'un agresseur potentiel, qu'un risque pour sa santé, qu'un danger pour sa liberté.

Le lien social n'est plus pensé comme une solidarité mais comme une menace. Les coupables ne se recherchent pas uniquement dans la figure de l'autre lointain, de l'étranger, place qu'a occupée le Juif dans l'Europe d'hier. La figure menaçante de l'autre se loge de manière inédite dans le visage familier. Ce n'est plus seulement le très loin qui est diabolisé mais aussi, voire surtout, le très proche. C'est la nouvelle forme que prend le sécuritaire aujourd'hui : « Enfants, méfiez-vous de vos parents qui peuvent abuser de leur autorité, épouses, de vos époux qui peuvent être violents, employés, de vos patrons qui peuvent vous harceler, amants, de votre partenaire qui peut vous infecter, clients, d'un restaurant de

19. O. Mongin, « Le Code pénal, une dialectique de l'autonomie et de la norme », *Esprit*, juin 1994, p. 156.

votre voisin qui fume, conducteurs, de l'usager dans lequel sommeille un chauffard... », voilà comment pourrait être résumé le message du nouveau Code pénal. Tous ces êtres proches, potentiellement dangereux, ont en commun de n'avoir pas de visage, ou plus exactement d'avoir la tête de tout le monde. Nous voici en guerre contre un ennemi sans uniforme ni visage. Ce qui n'est pas sans rappeler ces nouvelles formes de violences comme la drogue ou le terrorisme qui sont « d'autant plus perturbantes que la figure de l'ennemi y est invisible, et qu'il mène une guerre d'autant plus menaçante qu'elle n'a plus lieu sur un champ de bataille et peut intervenir à tout moment [20] ».

La naturalisation de l'interdit

Le fait divers est signe de cette régression de l'intérêt public vers la sphère privée. La préoccupation du législateur du nouveau Code pénal pour les violences domestiques est très révélatrice à cet égard (en prévoyant, par exemple, que les violences conjugales constitueraient une circonstance aggravante du délit de coups et blessures). La vision républicaine du citoyen reposait sur une séparation du public et du privé et l'individualisme y était conçu comme un espace infranchissable pour l'État. Tout au long du déploiement de l'État-providence, on a vu se développer ce contrôle de l'intériorité qu'a dénoncé Foucault. Nous voici peut-être arrivés à une nouvelle étape où le politique s'empare de notre intimité sous prétexte d'en soulager les souffrances.

Faute de principes politiques à partir desquels articuler une législation, le législateur est donc condamné à régresser sur le *vital*, c'est-à-dire sur la vie tout court, érigée en valeur suprême ; la vie biologique devient le seul dénominateur commun d'hommes à qui le consensus démocratique a donné la liberté d'être eux-mêmes, c'est-à-dire différents, mais qui ne peuvent le rester qu'à la condition de garder quelque chose en commun. C'est ce que Philippe Raynaud appelle le *nouvel hygiénisme* : « configuration nouvelle dans laquelle la norme se présente, indépendamment de toute injonction moralisante de type " traditionnel " ou " autoritaire ", comme le simple résultat de la prise en compte d'intérêts publics évidents par eux-mêmes et de valeurs universalisables : l'interdit

20. *Ibid.*, p. 157.

découle d'un *danger* objectivement repérable, le point de vue est celui des victimes [21] ».

On pourrait faire un lien entre le nouvel hygiénisme et la progression fulgurante de l'humanitaire dans la politique internationale : on y retrouve la même démission du politique, la même importance de la souffrance et de son spectacle et la même phobie d'un exercice contrôlé de la violence légitime.

Du contrôle social au contrôle latéral

Le nouveau délit de « mise en danger d'autrui » est révélateur d'un nouveau mode de contrôle social. L'État laisse désormais aux individus le soin de se contrôler réciproquement, il compense la disparition du contrôle central par le soin laissé à chacun de prévenir et de contrôler tout acte pouvant provoquer des victimes potentielles. En témoigne cette campagne publicitaire qui montrait une jeune adolescente enceinte avec pour seule légende : « Son beau-père l'aimait beaucoup mais les voisins attendaient une preuve. Merci de vous mêler de ce qui ne vous regarde pas. » D'ailleurs, le ministère de la Santé met à la disposition de tous un numéro de téléphone pour dénoncer les éventuels mauvais traitements dont chacun peut être témoin. Cette délation organisée par l'État est révélatrice de ce nouveau mode de contrôle social. Elle autorise une assistante sociale à faire irruption chez n'importe qui au prétexte que la situation de son enfant a été dénoncée au téléphone vert. Quitte à gêner l'action éducative ultérieure ou en cours, et pour des résultats de surcroît incertains. 80 % des situations dénoncées à ce fameux téléphone vert sont déjà connues des services sociaux.

L'INVERSION DES PLACES

La délation est également au cœur des émissions télévisées se donnant pour mission d'aider la justice dans la recherche des coupables. Dans l'émission *Témoin nº 1*, le présentateur répète à longueur d'émissions que ces affaires peuvent arriver à tout le monde et lance de pressants appels à témoin. Ces émissions sont censées

21. P. Raynaud, « L'hygiénisme contemporain et l'écologie : une permissivité répressive », *La Nature en politique ou l'enjeu philosophique de l'écologie*, Paris, L'Harmattan, 1993, pp. 138-149.

aider les institutions dans leur recherche de la vérité, mais cet intérêt est profondément ambigu. Sur un plateau de télévision, toutes les fonctions institutionnelles se fondent sous l'autorité du seul maître des lieux, le présentateur vedette. Les médias sont tentés de montrer leur supériorité par rapport aux institutions en prouvant qu'une émission de télévision fait plus progresser l'enquête en quelques minutes qu'une brigade de policiers en plusieurs mois. Ils prétendent ainsi incarner un espace public plus vrai parce que plus apte à représenter les attentes sociales et à faire communiquer les citoyens entre eux. *Paris-Match* a invité ses lecteurs à voter par Minitel la culpabilité de l'un des accusés dans l'affaire de l'assassinat de la petite Céline. Les crimes deviennent un spectacle en temps réel comme la prise d'otages de l'école maternelle de Neuilly et les *Crime Watch Programmes* « des grands jeux télévisés populaires [22] ». Les faits divers existaient avant le développement des médias modernes mais ces derniers en ont renforcé l'impact politique par la puissance de l'image, le traitement en temps réel et une mise en intrigue ménageant de manière très subtile le « suspense ».

N'y aurait-il pas une corrélation entre le déclin de la fiction à la télévision et la contestation des fictions du droit ? « Comme si la fiction, si vraisemblable soit-elle, était une trahison (elle est moins riche que l'expérience) et non une traduction, une représentation ou une ouverture... *Une logique de la présence* grignote celle de la représentation [23]. » Avec les reality shows, la télévision signifie qu'elle n'a plus besoin de fiction puisqu'elle se révèle capable d'agir sur le réel, avec la participation de ceux qui sont directement concernés. C'est une télévision des téléspectateurs qui veulent faire les choses et non les regarder faire.

Une perception intimiste de la justice

Karlin et Lainé, les deux réalisateurs de *L'amour en France* puis de *Justice en France*, « dénoncent la carence fréquente de la justice actuelle et des experts à s'adresser véritablement au criminel et à l'entendre comme sujet, dans ses difficultés d'identification sexuée et ses impasses généalogiques – c'est-à-dire dans ses rapports subjectifs avec la loi –, carence que Karlin et Lainé envisagent délibérément de réparer ». Un jeune toxicomane, condamné pour le

22. Déclaration du réalisateur de l'émission *Témoin n° 1*.

23. A. Ehrenberg, « La vie en direct ou les shows de l'authenticité », *Esprit*, janvier 1993, p. 16.

meurtre de sa compagne beaucoup plus âgée que lui, leur avait déclaré : « On a jugé des faits, mais on ne m'a pas jugé, moi. » Après plusieurs longs entretiens avec lui, nos auteurs écrivent : « Le sentiment que nous avions en quittant la prison [...] était que nous venions de faire un travail de justice, au sens le plus *immédiat* et le plus fondamental du terme. » Est-ce la tâche de la justice de juger les personnes et non plus les faits ? La télévision est-elle le lieu d'une telle réparation ? Karlin se lancera dans la même entreprise dans *Justice en France* [24]. Cette vérité du criminel est à mettre en miroir avec celle de la victime dans *Témoin n° 1* : c'est sa souffrance qui la pousse à venir à l'émission [25], ce qui est compréhensible. Ce qui est plus inquiétant, c'est que, une fois encore, le consensus se forme autour de ces souffrances et non plus autour de valeurs communes. Les téléspectateurs et les juges (les avocats sont relativement absents) sont regroupés autour des victimes sur une scène publique qui n'est ni thérapeutique, ni à proprement parler judiciaire, ni divertissante mais qui a la prétention d'incarner une nouvelle forme d'espace public. N'y a-t-il pas confusion entre vérité du sujet et loi juridique ? Avouer une transgression à un juge dans un palais de justice, à un psychanalyste sur le divan ou à la télévision produit-il le même effet ? C'est « oublier aussi que la scène où se produit l'aveu change radicalement la signification et la portée de la formulation du caché, ou du jamais dit et de son possible effet de soulagement [26] ». Toutes les scènes ne sont pas équivalentes. On entretient ainsi l'illusion que le lien peut être maintenu sans le recours à cette scène juridique qui, comme le rappelle Pierre Legendre, est fondatrice du sujet.

« Mon droit est la mesure du droit »

Les médias nous entretiennent des victimes ou des détenus sur le même mode : celui de leur rapport subjectif à la loi. Ce qui compte, ce n'est pas tant la référence à une vie en commun possible mais ce que la loi peut me dire, les soulagements qu'elle me procure ou les frustrations qu'elle m'impose. « Mon droit est la mesure du droit », dit Jean-Denis Bredin. Notre époque n'arrive plus à repré-

---

24. R. W. Higgins, « La sexualité télé-visée », *Esprit*, juillet 1991, p. 50.
25. « J'ai besoin de parler », un « besoin vital », important pour sortir d'un isolement, pour qu'on « sache qui nous a brisé notre vie » (propos tenus par la mère d'une enfant assassinée dans l'émission *Témoin n° 1* du 20 septembre 1993).
26. R. W. Higgins, *op. cit.*, p. 53.

senter le droit et la justice comme ce qui, précisément, fait lien entre ces deux vécus d'un même événement et qui leur donne sens.

Un ancien ministre sort de prison après une longue période de détention préventive. La télévision est là. On l'interroge, on le presse de questions. Comment va-t-il ? Comment a-t-il surmonté l'épreuve ? « Ce que j'ai vécu, je ne le souhaite à personne », répond le ministre, les traits un peu tirés. Il est traité en héros : a-t-il été retenu en otage par l'ennemi ou vient-il de subir une intervention chirurgicale délicate et douloureuse ? Non, il est sous le coup d'une mise en examen sous le chef de prévarication. Un jeune homme meurt dans un accident à bord d'une voiture volée prise en chasse par la police la nuit. Immédiatement le quartier s'embrase, les jeunes veulent « venger » leur ami. Les médias rendent compte du drame en se gardant bien de distinguer entre le méfait initial et les conséquences non désirées par les forces de l'ordre. L'histoire pour eux commence à l'accident. On s'indigne autant de la violence des émeutiers que de celle des policiers. Cette version expurgée évacue la responsabilité initiale des faits. On s'apitoie aussi bien devant la victime que devant son bourreau à condition de ne pas les voir en même temps. L'indignation médiatique ne fait pas la différence entre la violence illégitime et la violence légitime : seule l'indignation compte, peu importe son objet.

Une confusion dangereuse

Cette incapacité de distinguer la souffrance du prisonnier d'avec celle de la victime ne correspond-elle pas à ce que R. Girard appelle la « crise sacrificielle » ? Celle-ci sanctionne toute cérémonie dégradante non réussie : « La crise sacrificielle, c'est-à-dire la perte du sacrifice, est la perte de la différence entre violence impure et violence purificatrice. Quand cette différence est perdue, il n'y a plus de purification possible et la violence impure contagieuse, c'est-à-dire réciproque, se répand dans la communauté. » Les descriptions de Foucault dans *Surveiller et punir* sur les spectacles de la justice pénale à la fin de l'Ancien Régime évoquent bien cette sorte d'épuisement symbolique des institutions : « comme si les fonctions de la cérémonie pénale cessaient, progressivement, d'être comprises, on soupçonne ce rite qui " concluait " le crime d'entretenir avec lui de louches parentés : de l'égaler, sinon de le dépasser en sauvagerie, d'accoutumer les spectateurs à une férocité dont on voulait les détourner, de leur montrer la fréquence des crimes, de faire ressembler un bourreau à un criminel, les juges à des meurtriers, d'inverser au dernier moment les rôles, de faire du supplicié un objet de pitié ou d'admiration ».

La démocratie n'est-elle pas guettée par cette confusion dangereuse ? A voir de la violence partout et à refuser de distinguer la violence légitime faite au détenu par la privation de liberté d'avec celle qui l'a amené en prison, on s'interdit d'agir démocratiquement et on ouvre la voie à la vengeance privée.

« *N'écouter ni la crainte, ni l'affection* »

Le spectacle de la violence n'est pas sans répercussions sur la perception de la justice. Il convertit la *sensibilité* démocratique en une *sensiblerie* ambiguë. La peur autant que la pitié sont étrangères à la justice qui doit se garder de tout sentimentalisme. Le serment des jurés ne leur demande-t-il pas de n'écouter « ni la haine, ni la méchanceté, ni la crainte, ni l'affection [27] » ?

L'image de la violence est ambiguë tant elle est sujette à un effet de sanctification télévisuelle. « Donner la parole à un criminel, sur cette scène de la notoriété télévisuelle, a, en premier lieu, pour le téléspectateur une valeur qui n'est pas d'information mais de remise en cause dangereuse de l'interdit [28]. » Les médias lancent un véritable défi à nos sociétés qui n'arrivent plus à représenter l'interdit. Mais aucune société ne peut échapper à ce travail de discrimination fondamentale entre la violence légitime et la violence destructrice. Le seul rapport concevable à travers les médias est celui de l'apitoiement. Ce sentiment brouille la compréhension de la peine qui n'apparaît plus que comme une pure souffrance et appelle à son tour une réaction extrémiste et peu symbolisée.

L'identification à la victime et la diabolisation de l'autre se renforcent mutuellement. Les deux phénomènes correspondent à ce qu'on pourrait appeler « une dépolitisation du sujet » : la fondation politique de la personne est en effet perdue de vue, elle est réduite à un individu psychologique, c'est-à-dire à des affects et à de la souffrance. Le sens de la transgression est rapporté à un psychisme perturbé plutôt qu'à une pathologie de la liberté. En témoigne la manière dont toutes les démocraties ont médicalisé la toxicomanie. La démocratie naturalise la société, psychologise le sujet moderne, c'est-à-dire le dépolitise, déformalise le droit, privatise la violence, désinstitutionnalise la justice et marginalise la prétention du poli-

---

27. Article 304 du Code de procédure pénale.
28. R. W. Higgins, *op. cit.*, p. 50.

tique à interpréter la violence. La discussion politique ne peut qu'y perdre, tant ce qui est naturel n'est pas discutable.

Une telle dépolitisation du sujet est accélérée par la télévision qui donne à tous un visage et offre ainsi plus de matière à l'identification. Paul Ricœur [29] distingue le *socius* du *prochain*, c'est-à-dire la relation immédiate avec l'ami d'avec la relation médiatisée par l'État. La citoyenneté n'est rien d'autre que le lien avec des autres qui n'ont pas de visages mais qui participent d'une même communauté politique engagée dans un destin collectif commun. Les médias ignorent le citoyen et transforment tous les *socii* en *prochains* dont nous sommes invités à partager les souffrances. En oubliant que c'est moins de notre compassion que de notre solidarité qu'ils ont besoin. On se souvient du commentaire de Jean-Claude Guillebaud à propos des premières actions humanitaires en Afrique en 1970 : « Le Biafra attendait que l'on s'intéresse à sa cause et nous ne nous sommes prudemment occupés que de ses souffrances. Il en est mort [30]. »

Quel contraste, là encore, avec la conception *politique* de l'homme et du crime des débats de 1791 : la question du crime et de sa répression est d'entrée posée comme un problème politique. Le Peletier de Saint-Fargeau achève ainsi son rapport introductif sur le projet de Code pénal : « Partout où règne le despotisme, on a remarqué que les crimes se multiplient davantage : cela doit être que l'homme y est dégradé ; et l'on pourrait dire que la liberté, semblable à ces plantes fortes et vigoureuses purifie bientôt de toute production malfaisante le sol heureux où elle a germé [31]. » On perçoit le souffle révolutionnaire à travers cette idée, ou plutôt ce rêve « de produire des hommes nouveaux [32] ». La volonté d'identifier le mal et, surtout, l'espoir que l'on pourra changer l'homme sont manifestes.

On ne peut déduire des interdits que d'une représentation politique de la « vie bonne ». Les droits de l'homme peuvent inspirer une procédure pénale mais pas un droit pénal. Cependant le législateur moderne est mis dans une impasse : il doit tirer le négatif d'un positif qu'il ne connaît pas. Le droit n'appréhende le monde que de manière négative par ses interdits. L'individualisme pense en négatif, il ne peut fonder une politique qui se cantonnerait à la

---

29. P. Ricœur, *Histoire et vérité*, *op. cit.*, pp. 99-111.
30. J.-C. Guillebaud, « Biafra, ou les nocifs paradoxes de la charité », *Sud-Ouest Dimanche*, février 1970, cité par R. Debray, *L'État séducteur*, *op. cit.*, p. 117.
31. P. Lascoumes, *op. cit.*, p. 15.
32. *Ibid.*, p. 22.

règle de non-nuisance à autrui. Où trouver la communauté d'objectifs indispensable au politique ? « L'absence de vision morale commune, de civisme défini référant à une identité ou à un projet, ne conduit pas à une liberté d'agir accrue mais à l'hypertrophie des subjectivités et des susceptibilités, donc à la multiplication des interdits au nom d'une lecture entièrement défensive des droits de l'homme [33]. » Privé de toute appartenance politique, le droit n'est plus qu'un « syndicat contre la souffrance », une réassurance mutuelle devant la peur. Voici, paradoxalement, à quoi mène de ne considérer les rapports sociaux que sous l'angle du droit : l'expulsion de toute civilité et de l'honneur et leur remplacement par la peur de l'autre, la méfiance et la mauvaise foi.

L'incapacité de représenter le lien social

On est frappé de la disjonction actuelle entre l'extrême objectif (la violence sacrificielle) et l'extrême subjectif (la justice intimiste). Nous ne sommes plus capables que de nous indigner ou de nous apitoyer – sans apercevoir que le discours de l'apitoiement et celui de la répression n'en font qu'un seul. Perception subjective du droit et intolérance font système. L'irresponsabilisation du « pauvre » prisonnier, considéré comme victime, appelle en retour une hyper-responsabilisation qui le charge de tous les maux (de l'insécurité, du chômage, de la crise économique, du déficit de la Sécu, etc.). Le citoyen téléspectateur a davantage de mal à se représenter ce qui fait lien entre les deux identifications qui lui sont proposées : il ne peut qu'osciller, comme le chœur antique, d'un parti à l'autre : « laissé sans ressource d'avis, il ne peut que gémir [34] ». Cet émotionnalisme, qui est une autre caractéristique de l'individualisme contemporain, ne peut saisir les souffrances que de manière *unilatérale* : notre difficulté à représenter autant l'interdit que le lien social en est la preuve, toute tentative d'explication paraissant *a priori* suspecte. Les représentations de *l'autre* – de l'adolescent, de l'étranger ou du délinquant – oscillent entre le *tout proche* auquel on s'identifie de manière fusionnelle et le *très loin* avec lequel aucun commerce n'est possible, entre la victimisation et la diabolisation. Est-ce un hasard si les récents débats ont principalement tourné autour de la reconduite à la frontière des étrangers, de l'éloignement des adolescents délin-

33. P. Thibaud, « Citoyenneté et engagement moral », *Pouvoirs*, 1993, n° 65, p. 24.

34. P. Ricœur, *Soi-même comme un autre*, Paris, Éd. du Seuil, 1990, p. 286.

quants ou de la perpétuité réelle pour certains criminels ? On a du mal à concevoir l'inclusion, c'est-à-dire la « juste distance », au-delà de l'exclusion ou de la forclusion. L'identification à la victime et l'identification au prisonnier pincent la même corde, celle de la compassion devant la souffrance. On perd de vue que la justice n'est ni vengeance ni thérapie mais triangulation des rapports sociaux.

Dostoïevski, il y a plus d'un siècle, a compris de manière saisissante cette évolution dans la perception du crime. « Je sais parfaitement que les crimes étaient autrefois tout aussi nombreux et tout aussi effroyables. J'ai visité des prisons. [...] Il y en a qui, ayant tué une dizaine de personnes, ne ressentent pas l'ombre d'un remords. Mais voici ce que j'ai observé : le scélérat le plus endurci et le plus dénué de remords se sent cependant *criminel*, c'est-à-dire que, dans sa conscience, il se rend compte qu'il a mal agi, bien qu'il n'éprouve aucun repentir. Et c'était le cas de tous ces prisonniers. Mais les criminels dont parle Evguéni Pavlytch ne veulent même plus se considérer comme tels ; dans leur for intérieur. Ils estiment qu'il ont le bon droit pour eux et qu'ils ont bien agi ou peu s'en faut. Il y a là, à mon avis, une terrible différence [35]. » D'un côté les associations réclament de plus en plus de peine et traquent les criminels et les ennemis intérieurs, de l'autre les prisonniers ne se sentent plus criminels. Le paradoxe n'est qu'apparent parce que en réalité ce ne sont que deux manifestations d'une même incertitude de la norme. On ne sait plus qui est criminel. D'ailleurs, si tout le monde est délinquant jusqu'au Premier ministre, comme l'affirmait récemment un avocat, personne n'est délinquant. Cette incertitude sur la norme est la racine profonde de l'insécurité actuelle.

L'incertitude des normes se compense par une montée du pénal ; mais ne demande-t-on pas à la justice ce qu'elle ne peut donner ? La seule chose qu'elle puisse faire est d'offrir en pâture quelques têtes à une opinion chauffée par les médias. Qu'il s'agisse de cette nouvelle figure de l'ennemi intérieur que sont les pères incestueux ou du Premier ministre, cette pénalisation a des relents de meurtre du père. Elle est guettée de nouveau par une logique du bouc émissaire que l'on croyait enterrée depuis longtemps. La violence à combattre n'est plus seulement celle de l'État qui fait pression sur ses juges mais aussi le risque de dérive sacrificielle qu'alimente un activisme associatif issu d'un société civile parée encore hier de toutes les vertus.

Ce qui se présente derrière cette émancipation du politique, des

---

35. F. M. Dostoïevski, *L'Idiot*, Paris, Gallimard, 1953, trad. A. Mousset, t. 2, pp. 32-33.

symboles et des contraintes, ce n'est pas la liberté mais le retour au sens archaïque de la justice, c'est-à-dire la vengeance. Le sacrifice est le sens latent de la justice, celui qui est toujours disponible lorsque les hommes ne font plus l'effort de s'arracher à la pesanteur de la nature. Si la justice est la politique par défaut, le pénal le sens par défaut de la justice, le sacrifice est le sens par défaut du pénal. Le dernier recours que peut offrir la justice à une démocratie aux abois est donc la substitution d'un seul au mal-être de tous. Cette logique fonctionne d'ailleurs dans les deux directions pour soulager la masse des gens qui cherchent l'innocence et pour distinguer celui qui consent à s'offrir. La pénalisation par défaut pourrait bien éclairer certains comportements délinquants qui se développent dans la société démocratique. Et si la transgression était la dernière ressource de l'identité, une manière de tirer profit du sens par défaut qu'offre la scène pénale ?

Le discours émancipateur des droits de l'homme, le multiculturalisme et l'individualisme ont généré cette invisibilité normative qui se retourne aujourd'hui contre eux. Elle montre le résultat de l'incertitude de la norme poussée à l'extrême. La désaffiliation sociale et l'exclusion, qui sont peut-être le prix de cette incertitude profonde, vont générer un nouveau type de délinquance et de violence.

Chapitre V

L'INCERTITUDE DES NORMES

On ne sera pas surpris de voir se développer aujourd'hui une délinquance qui exprime ce manque de repères, cette incertitude sur la norme, ce trouble identitaire. Si la délinquance est généralement comprise comme une négation de l'ordre et un trouble de la socialisation, la violence est un langage dont il faut retrouver la grammaire. Chaque époque privilégie ainsi certains crimes qui la caractérisent plus particulièrement parce qu'elle les génère plus qu'une autre ou parce qu'ils la fascinent. Le XIXe siècle, âge de la propriété, de l'industrie et du prolétariat, eut ses incendiaires [1] et ses vagabonds. Quels sont ces crimes qui parlent le plus à notre société ? La drogue, l'insécurité urbaine ou l'inceste sont des délits « modernes ». En quoi caractérisent-ils plus particulièrement notre époque ? Ils ont en commun d'exprimer directement ou indirectement une revendication *identitaire*, notamment de la part de la jeunesse qui constitue le gros des contingents des tribunaux.

La physionomie de la population pénale française, qui a considérablement changé ces dernières années, témoigne de ce changement de la délinquance. Les personnes incarcérées pour vol, délit caractéristique d'une société d'abondance comme l'État-providence, ne représentent plus que 22 % contre 55 % il y a vingt ans. En revanche, d'autres profils ont fait leur apparition, comme les toxicomanes à la personnalité souvent complexe, ou comme les étrangers en situation irrégulière qui, à l'inverse, souffrent rare-

1. Y. Bertherat, « Psychanalyse de la violence », *La Violence*, Semaine des intellectuels catholiques, Paris, Desclée de Brouwer, 1967, p. 55.

ment de troubles du comportement et sont passés de 15 % à 30 % de la population pénale en vingt ans. Les condamnés pour infractions aux mœurs sont presque cinq fois plus nombreux. La surpopulation pénale est principalement due à l'allongement des peines, des sanctions très lourdes étant notamment prononcées dans les affaires d'inceste ou de sévices sexuels sur enfants. Enfin, la population pénale semble à la fois plus perturbée psychologiquement et moins homogène socialement.

Dans la société démocratique, l'appartenance sociale devient, en effet, un enjeu essentiel. En témoigne l'importance de la question de l'exclusion. « Nous vivons en ce moment le passage d'une société verticale, que nous avions pris l'habitude d'appeler une société de classes avec des gens en haut et des gens en bas, à une société horizontale où l'important est de savoir si l'on est au centre ou à la périphérie. Autrefois les gens d'en bas étaient profondément persuadés qu'ils pouvaient renverser la société au nom d'un autre modèle, comme le disent encore les derniers tenants de ce discours, les alternatifs. L'affaire aujourd'hui n'est plus d'être *up or down* mais *in or out* : ceux qui ne sont pas *in* veulent l'être, autrement ils sont dans le “ vide social ”, en d'autres termes ils n'ont pas de droits [2]. » Le risque ne vient plus exclusivement de la répression, mais aussi de l'exclusion. Une société n'est rien d'autre qu'un système organisé de différences ; ce sont les écarts différentiels qui donnent aux individus leur « identité », et qui leur permettent de se situer les uns par rapport aux autres. Les « exclus » le sont d'abord et avant tout de ce système de différences, ils sont orphelins de toute affiliation sociale et donc de toute représentation. Ils sont privés de toute participation à une action collective, du droit d'avoir des droits et du bénéfice d'une quelconque solidarité sociale. Il n'est donc plus possible de se limiter à voir dans la délinquance une simple forme d'asocialité pour y reconnaître aussi un trouble de la *socialisation* dont témoignent nombre de pathologies contemporaines (délinquance urbaine, toxicomanie, suicide, etc.).

Dans une société traditionnelle, et encore dans la société industrielle, l'acquisition d'une identité sociale ne pose pas de difficultés : chacun se voit assigner une identité – fût-elle négative – par sa classe sociale et sa tranche d'âge. Les marquages sociaux, très forts dans la société traditionnelle, s'estompent dans la société moderne. Cette identité doit désormais s'acquérir et sans cesse se défendre. La mobilité des places et leur incertitude génèrent en même temps que la liberté une nouvelle souffrance anomique prenant racine non

---

2. A. Touraine, « Face à l'exclusion », *Esprit*, janvier 1991, pp. 7-14.

plus par une trop grande pression sociale, comme le pensait encore Foucault, mais au contraire dans l'absence de loi. La figure emblématique en est probablement le « jeune toxicomane de banlieue, l'homologue de la forme de désaffiliation qu'incarnait le vagabond de la société préindustrielle. Il est complètement individualisé et surexposé par le manque d'attaches et de supports par rapport au travail, à la transmission familiale, à la possibilité de construire un avenir... Son corps est son seul bien et son seul lien, qu'il travaille, fait jouir et détruit dans une explosion d'individualisme absolu [3] ».

Dans la société traditionnelle, une fois passé l'épreuve de l'adolescence, chacun était assuré de rentrer définitivement et irrévocablement dans le monde social. Dans la société contemporaine, l'identité sociale est problématique tout au long de la vie : pour l'adolescent, bien entendu, mais aussi pour l'adulte et peut-être encore plus pour la personne âgée. Plus personne n'est désormais à l'abri de se trouver un jour marginalisé, exclu. Même les détenus ne se voient plus automatiquement dotés d'une identité de « taulard ». L'assignation d'une identité cesse d'être un bien social pour devenir une question politique de première importance. La société démocratique doit réinventer et recréer artificiellement cette identité qui semblait donnée d'emblée par la tradition, et consacrer une énergie chaque jour plus considérable pour reconstruire ce qu'elle altère par son indétermination de principe.

Ainsi la délinquance doit-elle cesser d'être perçue comme l'émancipation de toute entrave sociale. A quoi bon braver l'interdit quand aussi peu de monde le respecte ? La délinquance devient parfois de manière inédite recherche d'identité, ce qui est plus nouveau et plus déroutant. Le problème majeur est donc moins celui du contrôle social que celui de l'exclusion, moins de savoir comment imposer des normes que d'apprendre à vivre sans, moins celui de la libération que celui de l'affiliation, moins de résister à la pression sociale que de supporter l'angoisse du vide créée par la dépressurisation moderne.

ÉVOLUTION DE LA DÉLINQUANCE

« La modernité, dit Marcel Gauchet, se paie en difficulté d'être soi [4]. » La délinquance aujourd'hui manifeste plus que tout autre

---

3. R. Castel, *Les Métamorphoses de la question sociale, une chronique du salariat*, Paris, Fayard, 1995, p. 469.

4. M. Gauchet, *Le Désenchantement du monde*, Paris, Gallimard, 1985, p. 301.

comportement social ce trouble identitaire. Sous cet angle, trois comportements sont particulièrement représentatifs : la délinquance juvénile pour la dégradation du rapport social, l'inceste pour le dérèglement des rapports familiaux et la toxicomanie pour le trouble du rapport de soi à soi.

La délinquance initiatique des adolescents

La délinquance juvénile a souvent un caractère *initiatique*. Le rôle de l'initiation dans la société traditionnelle est d'accompagner culturellement – pour la surmonter – la menace que constitue pour le groupe social l'arrivée d'une nouvelle classe d'âge. Il s'agit de la rencontre des anciens, les initiateurs, avec les jeunes, candidats à l'initiation. L'initiation dramatise l'entrée dans la vie : elle lui donne sens et transmet les valeurs du groupe social. Elle procure à l'initié une identité en le situant dans une lignée : celui-ci devient membre à part entière d'un groupe social et d'une classe d'âge. En assignant à chacun une place à l'intérieur d'une génération, ces rituels initiatiques assurent la perpétuation et la stabilité du groupe social. Ils permettent aux jeunes d'accéder à la culture. L'initiation constitue une sorte de seconde naissance qui est d'ailleurs souvent mimée rituellement, et donc une *dette* des jeunes à l'égard des anciens auxquels ils doivent l'accès à la vraie vie.

Dans nombre de délits commis par des jeunes délinquants, c'est moins le profit économique qui est prioritaire (le butin est souvent jeté ou bradé) que le bénéfice identitaire. Comme si ces adolescents venant de milieux défavorisés ne pouvaient sortir de l'enfance qu'en claquant la porte, que par effraction, la culture ne leur offrant plus l'occasion d'expérience forte d'intégration [5]. Pour nombre de jeunes délinquants ayant quitté l'école très tôt, vivant dans des familles sans père, sans aucune perspective d'emploi, la délinquance offre une occasion de se mesurer, de « jouer » leur entrée dans la vie – dans les deux sens du terme « mettre en scène » et « parier » –, de faire leurs preuves, de se viriliser, bref, de se socialiser, fût-ce de manière négative. La délinquance correspond ainsi pour des jeunes de plus en plus nombreux à une *socialité par défaut*. La confrontation avec la justice pénale reste le dernier rempart de l'identité. Le romantisme de la drogue plutôt que le néant, jouer aux gendarmes et aux voleurs la nuit avec les policiers plutôt

5. A. Garapon, « Place de l'initiation dans la délinquance juvénile », *Neuropsychiatrie de l'enfance et de l'adolescence*, 1983, n° 8-9, pp. 390-393.

que l'absence totale de relation avec le monde adulte. Dans la délinquance, le jeune homme recherche un contact avec les adultes d'aujourd'hui qui deviennent des initiateurs de plus en plus paresseux.

Le XXe siècle a vu naître une sub-culture adolescente qui s'éloigne de plus en plus de la culture commune. L'adolescence, qui était le moment privilégié de la transmission des valeurs de chaque catégorie sociale (on pouvait parler d'une adolescence ouvrière, bourgeoise, aristocratique, etc.), tend à s'uniformiser. Elle confond même les sexes. Le chômage, le parcage dans les banlieues et l'absence de contact avec les pères tendent à faire de l'adolescence une classe sociale à part entière qui, de transitoire, devient permanente. Il est désormais possible de ne jamais en sortir. L'identification avec le monde des adultes est d'autant plus difficile que ceux-ci ont tendance à s'identifier aux adolescents. Ils en reprennent le langage (« Rien à cirer », dit un Premier ministre), les modes de vie, la même indétermination permanente. Les adultes n'offrent plus de consistance aux adolescents en mal de rites de passage. Ils les privent du même coup d'une identité transitoire indispensable et les obligent à chercher au-delà de la culture commune un quelconque bénéfice identitaire. C'est pourquoi ces sub-cultures adolescentes semblent avoir peut-être plus de consistance, une plus grande richesse symbolique, voire de plus grandes valeurs, que le monde adulte. Comment ne pas voir la corrélation entre le vide culturel adulte et l'éclosion de cette contre-culture ? Un lien entre l'abandon des signes extérieurs notamment vestimentaires chez les adultes et la montée des uniformes chez les adolescents qui trouvent dans le vêtement une sorte d'identification primaire, voire archaïque, « d'identité-peau » ? Ne peut-on pas mettre en rapport le déclin de l'autorité dans la société globale et l'autorité quasi tyranique dans bon nombre de bandes d'adolescents que l'on a vues renaître ces dernières années, le laxisme ambiant et l'intolérance de certaines contre-cultures extrémistes, comme celle des *skinheads* ?

La mise en scène de l'identité devient de plus en plus importante au fur et à mesure que l'identité commune se fait incertaine. L'identité sociale cherche à combler son inanité par un surplus de signes extérieurs. La liberté de conscience se mue en une revendication de manifester extérieurement son appartenance, comme le montre l'affaire du foulard islamique en France. C'est le sens des excentricités vestimentaires des adolescents, à commencer par le « cuir ». Ce que reflètent ces vêtements très chargés de symboles, « c'est la volonté de se distinguer, de se créer une image personnelle, de s'exprimer. Aujourd'hui, les emplois ne sont plus des fonctions, leur instabilité empêche de lier fonction et identité, comme le faisait l'employé de bureau qui portait complet, faux col et manchettes. L'éclatement de la famille, la disparition des barrières de l'âge, empêchent de trouver là un terrain pour construire son identité. C'est dans l'art du paraître que l'on se réfugie quand l'être se dissout dans l'inconnu [6] ».

La dilution des repères sociaux et les « incasables »

La prévention, les différents stages d'insertion ou les mesures éducatives qui n'ont de cesse de faire reculer la définition du fou, du criminel ou du chômeur trouvent ici leurs limites. Parce que l'entrée dans la vie suppose une appropriation de la règle : les adolescents se nourrissent, vivent, jouent des limites. Les reculer ne fait que retarder le moment de la confrontation. Se refuser à ce face-à-face peut acculer les adolescents en mal d'identité à inventer de nouveaux dépassements initiatiques plus dangereux, voire à retourner contre eux-mêmes la violence, comme le démontre, chez nombre d'entre eux, le passage de l'auto-agression à l'hétéro-agression. Ces nouveaux délinquants déroutent les juges en passant sans transition de la tentative de suicide à une délinquance violente. Le problème devient moins l'enrichissement sans cause que l'asservissement volontaire.

« Nous sommes amenés à rencontrer des sujets en réanimation aux prises avec la mort, ou bien en garde à vue aux prises avec l'ordre public et le droit commun, constate le docteur Henri Grivois. Un jour en médecine, le lendemain en justice... Ces sujets, comme jadis les hystériques de la Salpêtrière, semblent tourner en dérision les institutions et la nosographie. Comme aux temps de la psychiatrie naissante, leur place est difficile à définir. Désormais cependant on ne se les arrache plus, comme on l'a fait dans les prétoires pour l'honneur de notre discipline [la psychiatrie] au temps d'Esquirol et de ses élèves [7]. » Au contraire, les institutions se les rejettent, ce qui ne peut qu'accentuer leur sentiment d'être en trop. L'identité n'est pas problématique dans un environnement social stable. Elle devient très incertaine dans un monde qui vante la mobilité des personnes et la précarité des

---

6. M. Roué, « Vêtements de cuir, rock'n roll et identité », *Ancres*, Paris, n° 2, pp. 55-56.

7. H. Grivois, *Les Monomanies instinctives*, Paris, Masson, 1990, p. 4.

statuts comme la société moderne. La disparition de repères sociaux se traduit nécessairement par une dilution des catégories institutionnelles, notamment psychiatriques [8].

La justice, comme d'ailleurs toutes les institutions, est de plus en plus confrontée à des « états limites », encore appelés « incasables », c'est-à-dire à ceux qui ne correspondent ni à une personnalité délinquante structurée ni à une symptomatologie répertoriée. Notre époque serait caractérisée par l'abandon des symptômes classiques. « L'extraordinaire développement actuel des rubriques telles que les troubles de la personnalité, états limites, troubles de l'adaptation ou simplement du comportement, témoigne de l'extension du champ de la psychiatrie et sans doute aussi d'une moins bonne tolérance à tout ce qui ressemble à la violence [9]. » Tout se passe comme si « aux conflits internes évités se substituent des parodies d'affrontement : tentatives de suicide, alcoolisation, impulsions clastiques, boulimiques et automutilantes, violence et transgression spectaculaires. Ces conduites se répètent de manière quasi compulsive, sans mémorisation véritable, ne laissant derrière elles qu'un vague ressentiment... L'acte devient symptôme en même temps qu'il nie le symptôme [10] ». Le rôle de la justice est peut-être, tant pour le sujet que pour le groupe social, de fixer la mémoire collective et donc de permettre une élaboration ultérieure. Abstraction faite de son action dans le réel, elle permet ainsi à un travail thérapeutique de s'appuyer sur des faits établis, c'est-à-dire mémorisés. Le rôle de l'instance symbolique serait donc autant d'enfermer ou de punir que d'ouvrir un espace de travail pour les intervenants sociaux, impossible autrement.

La manifestation publique de l'identité devient plus importante au fur et à mesure que l'intériorisation des rôles disparaît. Pour beaucoup de jeunes délinquants, le passage à l'acte est la dernière ressource de l'identité. Il y a là une provocation pour que les autres – la victime, le groupe social, la famille – réagissent. Si ces interlocuteurs se dérobent, le passage à l'acte déclenche l'intervention des institutions autoritaires, la police bien sûr, et ensuite la justice. Lorsque toute communication sociale est devenue impossible, l'agir

8. D'ailleurs Henri Grivois fait une constatation là encore tout à fait applicable au juriste : « Si les psychiatres du début du siècle ont si peu parlé, jusqu'avant 1914, du monde qui les entourait, c'est qu'il leur paraissait stable et assez fiable. Il n'y avait pas suffisamment d'écart entre leurs exigences de praticiens et les valeurs, implicites ou affichées, de la famille et de la société – pas assez pour qu'on en parle », *ibid.*, p. 4.

9. *Ibid.*, p. 2.

10. *Ibid.*, p. 2.

est le dernier recours pour établir une communication. Ce qui est recherché, c'est de manière tout à fait paradoxale un dialogue, mal engagé et certes voué à l'échec, mais néanmoins réel.

La suspicion à l'égard de toutes les formes d'enfermement, et plus généralement à l'égard de toute contrainte, rend ces confrontations de plus en plus rares. La justice est la dernière institution avant que les jeunes en difficulté ne recherchent directement la sanction primitive du destin. On peut le constater dans ce que les psychiatres appellent les « conduites d'exposition », c'est-à-dire la prise délibérée de risques, les vols de voiture pour se lancer dans des courses poursuites suicidaires avec la police, franchir les feux rouges en fermant les yeux, et, bien sûr, la drogue. Ces nouveaux dépassements initiatiques, qui prennent le corps de l'adolescent pour théâtre, sont d'ailleurs peut-être plus coûteux pour la collectivité. Lorsque la loi juridique ne se dit plus dans une institution, c'est alors avec la loi de la vie et de la mort que se confrontent le toxicomane, le jeune délinquant ou le cas limite, ce qui n'est pas sans rappeler le repli hygiéniste de l'interdit pénal. *Le relâchement généralisé des formes sociales participe de la même tendance que celle de la dépolitisation du sujet et de la naturalisation des interdits*. L'effondrement symbolique qui prive d'ennemi commun amène non seulement la guerre de tous contre tous mais également la guerre de chacun contre lui-même.

L'impossibilité de se repérer par le drame

Le propre de la justice est de conférer une identité, fût-elle négative, par la dramatisation *a posteriori* qu'elle donne de la transgression. Tel est le bénéfice recherché dans la confrontation avec la justice : l'occasion d'être situé, de se voir affecter un sens à sa propre action. La violence sociale ne prend-elle pas aujourd'hui la forme de l'indifférence plutôt que celle de la répression ? L'adolescent est privé des lieux, des moments, des couleurs et des formes qui lui permettent de se mesurer, de se situer et d'être situé. Même la possibilité de se repérer par le drame tend à disparaître. Sous prétexte de dédramatisation, on préfère désormais le contrôle continu à l'examen, la justice informelle à l'audience classique, les stages aux diplômes. Ne fait-on pas complètement fausse route en voulant dédramatiser à tout prix ? Ne faudrait-il pas, au contraire, resymboliser l'entrée dans la vie sociale, la re-dramatiser ? La douceur démocratique satisfait probablement plus les adultes que les adolescents qui recherchent au contraire des occasions de se confronter à eux-mêmes et de payer le droit d'entrer dans le monde adulte.

L'initiation est une violence sociale cérémonialisée qui, par une souffrance symbolique, permet de fixer le prix d'entrée dans le monde des adultes et de le liquider, dans les deux sens de lui fixer un montant et de l'évacuer. Cette souffrance inauguratrice est peut-être nécessaire. Peut-on entrer dans la vie adulte sans en payer le prix ? D'autant plus que l'on se trouve déjà marginalisé ? Combien d'adolescents ressortent du palais de justice déçus de n'avoir pas été plus sanctionnés par la justice, de n'avoir pas plus « payé » ! Les jeunes ne réinventent-ils pas des rites – dans les stades, voire dans la drogue – au fur et à mesure que le monde des adultes supprime les siens ? Mais ce faisant, ils font complètement fausse route : ces rituels infernaux les éloignent encore plus de la normalité, à l'inverse de la société traditionnelle dans laquelle l'initié a vocation à devenir lui-même initiateur.

Les anthropologues distinguent l'initiation *générale*, souvent le fait de la religion, qui a pour objectif d'intégrer dans l'univers de la normalité, de l'initiation *particulière* qui, au contraire, intègre dans une confrérie ou une société secrète et qui relève de la magie. La délinquance représente aujourd'hui moins *une initiation générale au monde des adultes*, en se substituant à la fonction que remplissait autrefois, par exemple, le service militaire, qu'une *initiation particulière au monde des adolescents*. Peut-être la première est-elle devenue impossible tant le monde commun auquel s'intégrer est évanescent ? Les adolescents vivent plus que personne le drame du sujet moderne cherchant désespérément à s'intégrer à un monde commun dans lequel il n'a plus sa place, dans une culture qui n'existe plus. La loi qui fait référence pour nombre de jeunes n'est plus la loi de la République mais la loi territorialisée de la bande. Les jeunes n'ont d'autre possibilité que de s'intégrer non plus à la Loi commune mais à *leurs* lois, à *leurs* codes, à *leur* territoire.

L'inceste et l'incertitude des places dans la famille

On constate un même trouble profond de l'identité dans les rapports familiaux. En témoigne la progression vertigineuse du nombre de poursuites pour inceste ou pour mauvais traitements à enfants. A vrai dire, il est très difficile – voire impossible – d'affirmer avec certitude si un tel accroissement correspond à une augmentation réelle des cas d'inceste ou s'il n'est pas plutôt imputable à un contrôle social plus efficace et à une meilleure prévention. Il n'en demeure pas moins que ce type d'infractions pose question.

Aux États-Unis, l'opinion publique montre une très grande sensibilité à ces délits. On assiste à un déferlement de plaintes tardives pour mauvais traitements ou abus sexuels dont les victimes auraient été l'objet dans leur enfance. En France, une loi récente a reporté le point de départ de la prescription [11] à la majorité pour permettre aux jeunes majeurs de porter plainte pour des délits dont ils auraient été victimes dans leur enfance mais qu'ils n'auraient pas été en mesure de dénoncer plus tôt. La famille n'apparaît plus comme le havre de paix privé, dispensateur de bonheur et d'affection, mais comme un lieu menaçant. Irène Théry dresse un constat identique à propos du débat sur la Convention internationale des droits de l'enfant qui exaspérait l'antagonisme entre les droits de l'enfant et ceux des parents [12]. Faire un tel battage autour des violences à enfants et de l'inceste contribue à *disqualifier la fonction parentale*, désormais perçue comme possiblement dangereuse à l'image de toute position d'autorité.

L'inceste est le type même de crime contre l'ordre symbolique. Lorsque l'individu s'affranchit de tous les tabous, il se confronte alors à la loi des lois : la prohibition de l'inceste. A force de se libérer de tous les interdits, il ne lui reste plus qu'à se lancer à l'assaut du cœur de tout l'édifice pénal, l'inceste. Le désintérêt pour la chose publique et le repli sur le privé ont fait émigrer la délinquance de la voie publique vers l'espace domestique, et c'est donc là aussi que s'expriment les questions identitaires. La place dans la famille est aussi incertaine que la place dans la société. Autrefois, l'autorité des parents était certes infiniment plus forte mais moins guettée par l'arbitraire. L'autorité des pères était presque totale mais en même temps garantie par un ordre symbolique. Dans la famille moderne ne subsiste qu'un père peut-être moins puissant mais dont le pouvoir n'est plus garanti par rien.

Les médias montrent un intérêt particulier pour tous les crimes qui ont la filiation pour toile de fond. En témoignent la couverture médiatique de l'affaire Grégory – littéralement effarante – et, plus généralement, celle de faits divers à connotation généalogique, comme les meurtres d'enfants par leur parents, ou de parents – voire de grands-parents – par leurs enfants. Les parricides ont

11. La prescription est le mécanisme juridique qui interdit d'intenter des poursuites ou de mettre à exécution une peine après un certain délai.

12. I. Théry, « Nouveaux droits de l'enfant, la potion magique ? », *Esprit*, mars 1992, pp. 5-30.

certes toujours existé, mais ils occupent depuis quelques années une place inédite dans notre imaginaire. Est-ce un hasard si, en même temps, nos députés supprimaient le mot « parricide » du nouveau Code pénal ? La disparition de toute référence symbolique commune a peut-être pour prix le retour d'une violence sauvage, archaïque, très peu symbolisée.

La justice est désarmée par ce type d'affaires. Le délinquant sexuel n'est pas le marginal que le juge est habitué à rencontrer. Il est au contraire souvent bien inséré professionnellement et fait l'objet de bons renseignements. A vrai dire, on perçoit mal le profit qu'il retire d'un acte qui signe l'éclatement de la famille à laquelle il est le plus souvent très attaché. La prison aura la même difficulté à cadrer ceux que les autres détenus appellent les « pointeurs [13] ». « Ils sont dans l'acte brusque, individuel et égoïste, dans la pulsion archaïque sans code ni d'intégration ni de partage social. [...] L'argent n'a rien à voir. Les pointeurs ne s'inscrivent pas non plus dans la jalousie répertoriée qui régit les crimes passionnels, ni dans l'activité sociale du souteneur, fondées toutes deux sur la possession [14]. » Le plus souvent, il n'a rien d'un voyou, c'est-à-dire de quelqu'un de structuré dans la délinquance.

Ces formes de délinquance sont en deçà de la morale : elles affectent la constitution même du sujet qui n'a pas réussi à se structurer autour d'un principe organisateur et séparateur. C'est une difficulté qui n'est pas sans lien avec celle du toxicomane qui n'arrive pas à intégrer la dimension symbolique.

La dimension ordalique de la toxicomanie

On a rattaché la toxicomanie à la médecine, mais il s'agit avant tout d'un trouble de la conduite sociale, c'est-à-dire d'un mal de vivre : l'usage de la drogue reste une tentative de résoudre des difficultés existentielles. La lecture en termes exclusivement psychologiques et médicaux ne suffit guère. Il faut établir un lien entre ce délit très moderne et ce qui a été dit auparavant de l'effondrement du politique et des montages symboliques. La toxicomanie exprime, de l'avis des psychiatres, « une véritable entreprise de désymbolisation, voire d'effacement du sujet en tant que tel et ne peut pas

13. C'est ainsi que sont appelés en prison les délinquants sexuels par les autres détenus.

14. H. Vertet, « Exclusion dans le judiciaire et le pénitentiaire », rapport présenté au colloque européen de Strasbourg (non publié), p. 3.

seulement être interprétée comme le simple symptôme de conflits intra-psychiques [15] ». Le toxicomane vit dans son corps et dans le rapport de soi à soi le même effondrement symbolique constaté sur le plan social et politique. La solution à ses problèmes existentiels est recherchée par le toxicomane dans une sorte de jugement archaïque que les psychiatres appellent « ordalique », du nom de ce jugement divinatoire qui se retrouve à l'aube de toutes les sociétés. L'ordalie consistait à soumettre la personne suspectée d'avoir commis un crime à une épreuve comme la brûlure au fer rouge ou l'ingestion d'un poison pour en déduire sa culpabilité d'après les effets constatés sur son corps.

A. Charles-Nicolas et M. Valleur ont montré comment l'injection de drogue correspondait à un fantasme ordalique, « qui consiste pour un sujet à faire appel, à travers un enjeu de vie ou de mort, à un jugement absolu (de Dieu, du destin ou du sort) pour prouver sa valeur intrinsèque [16] ». L'overdose, omniprésente dans la vie et l'imaginaire du toxicomane, condense le paradoxe apparent des conduites ordaliques : risquer sa vie, s'en remettre au hasard, à « l'Autre », c'est-à-dire à l'équivalent du jugement de Dieu, « pour en sortir victorieux, prêt à une nouvelle vie, comme après une mort suivie de résurrection ». La délinquance – et toute prise de risques en général – est un appel à une possibilité de sens, à une recherche de limites, et donc porteuse d'une attente de justice même s'il s'agit d'une justice archaïque, magique, irrationnelle. L'Autre est supposé tout-puissant et ses verdicts sans appel. Le paradoxe du toxicomane est là, dans l'espoir qu'il garde jusque dans la prise de risque, dans le besoin de justice qui s'exprime dans la délinquance, dans le désir de réparation qui sous-tend sa transgression.

On retrouve des mécanismes identiques à ceux de la délinquance initiatique, mais il s'agit ici du degré minimal de l'identité, à savoir la vie elle-même. Il ne s'agit plus de jouer une place dans la société mais sa propre vie. Là encore, on assiste à une régression sur le vital : le toxicomane cherche dans la loi de la vie et de la mort la réponse à son trouble existentiel.

La dette inversée

« Tout se passe comme si [les toxicomanes] avaient été brutalement privés de sécurité ou d'amour, comme s'ils avaient eu le

---

15. M. Valleur, « Consommation de drogues et conduites ordaliques », journée organisée par l'association Graphiti, Toulouse, 1993, p. 5.
16. *Ibid.*, p. 7.

sentiment que le monde devenait subitement injuste. Parvenus à l'adolescence ou à l'âge adulte, ils se trouvent dans une situation que l'on pourrait appeler de " dette inversée " : plus que d'être redevables de la vie, de la possibilité de bien-être, à leur parents, à leur famille, à la société, ils se comportent comme si la société les avait lésés, avait une dette envers eux [17]. » Voilà la conséquence du défaut d'initiation et plus généralement de toute possibilité de payer son droit d'entrée dans le monde adulte : l'entrée dans la vie, à l'inverse de la société traditionnelle, n'est plus vécue comme une dette à l'égard du groupe mais au contraire comme une *créance contre la collectivité.* L'État-providence n'a pu qu'accentuer ce sentiment. Toute la psychologie des délinquants modernes est là, dans ce sentiment d'être une victime ayant droit à réparation, jusqu'en prison où l'on est frappé de voir si largement répandu parmi les prisonniers le sentiment d'être des victimes du système. On aurait tort d'y voir seulement une stratégie de défense. Les délinquants, une fois encore, ne font qu'exprimer un sentiment diffus de la société démocratique que décrit Pascal Bruckner. « Les noces du droit, de l'État-providence et du consumérisme concourent donc à façonner un être vorace, impatient d'être heureux tout de suite et certain, si la félicité tarde, qu'on l'a floué, qu'il a droit à compensation pour son rêve écorné. Là réside le lien commun entre l'infantilisme et la victimisation : l'un et l'autre se fondent sur la même idée d'un *refus de la dette,* sur une même négation du devoir, sur la même certitude de disposer d'une créance infinie sur ses contemporains [18]. »

Tous les intervenants auprès des toxicomanes et plus généralement auprès des délinquants sont étonnés non seulement de leur absence de culpabilité mais plus encore de leur exigence, voire leur ingratitude. On mesure l'impossibilité pour le médecin comme pour les travailleurs sociaux de manier seuls cette dimension de la dette, et l'on saisit mieux quel sera le rôle de la justice dont la spécificité est précisément de rappeler la loi.

MÉTAMORPHOSES DE LA VIOLENCE

Ces formes de transgression sont le signe de la disparition de places assignées, d'une perte de sens. La violence se caractérise tout d'abord par sa *désocialisation.* « Jadis la violence des jeunes était balisée par des structures collectives qui lui donnaient une direc-

---

17. *Ibid.*, p. 9.
18. P. Bruckner, *La Tentation de l'innocence*, Paris, Grasset, 1995, p. 117.

tion derrière la confusion apparente. Qu'il s'agisse de la famille, des associations, des cultures, cette violence avait un contenant qui en garantissait le caractère expérimental et intégrateur [19]. » Désormais, l'intégration dans le monde commun est beaucoup plus aléatoire : il se peut même qu'il ne se fasse jamais. La violence tourne alors à vide, épuisant son sens en elle-même.

Que l'on ne s'étonne pas alors de voir réapparaître des formes de violence encore plus primitives, comme celles perpétrées par les *skinheads*, les groupes néonazis ou autres *hooligans*. Ces violences sont le plus souvent gratuites. On tue un clochard, un immigré, on attaque un foyer de réfugiés, les supporters du club adverse, on « dépouille » un autre jeune dans le métro... On s'attaque de préférence aux étrangers, aux « bouffons », c'est-à-dire aux jeunes de milieu aisé, à ceux de la cité d'à côté, à l'autre en général, c'est-à-dire celui qui n'est pas « nous ». La seule signification est « l'affirmation impossible de soi dans le refus et la négation de l'autre [20] ».

La société n'offre plus autant de mécanismes sociaux de contrôle et de ritualisation de la violence comme autrefois la guerre ou le combat politique ou syndical. La violence cherche d'autres moyens de s'exprimer. La pauvreté symbolique actuelle perturbe les jeunes qui n'ont plus de repères, plus de conscience de classe, plus de limites. Ils n'ont ni idéologie ni utopie : juste la haine, mais une haine sans objet. Leur violence sera par conséquent imprévisible. Les émeutes des banlieues suivent souvent la mort d'un adolescent et prennent la tournure d'une sorte de *vengeance primitive* non plus dirigée contre les responsables du crime mais contre les responsables de l'ordre, c'est-à-dire la police, le seul interlocuteur adulte présent. La violence n'est plus référée à une action qui lui donne une direction, une finalité, une justification. Elle n'est plus le moyen de s'approprier un profit matériel indu, pas plus qu'elle n'est référée à un combat politique. La violence se résume au spectacle de la violence.

La violence n'est plus représentable – et partant plus symbolisable : elle devient *invisible* – comme la drogue et son économie souterraine – ou, au contraire, *hypervisible* comme les explosions imprévisibles de violence dans les banlieues ou les stades, où c'est le spectacle même qui donne sens à la transgression. Ce qui est recherché dans ces nouvelles formes de délinquance, c'est de se

---

19. D. Salas, « L'intervention judiciaire face à la délinquance juvénile », quatorzième congrès de l'Association internationale des magistrats de la jeunesse, Brême, 1994 (non publié).

20. Y. Michaud, « Les violences de l'histoire », *Esprit*, octobre 1994, p. 14.

donner en public, d'exister par le spectacle de la violence que l'on donne. La mise en scène de soi est une autre stratégie de la quête identitaire. La civilisation de l'image excite autant la pulsion de voir que la rage de paraître. La stratégie est inversée : il ne s'agit plus de se cacher pour ne pas se faire prendre mais au contraire de s'exposer pour provoquer. Les émeutiers ratent rarement le Journal de 20 heures, ce qui ne les empêche pas de conspuer les journalistes lorsque ceux-ci viennent dans les banlieues. Là encore, les médias ne peuvent prétendre rester à l'écart tant ils sont devenus des acteurs indispensables à cette mise en scène de la violence.

Est-ce vraiment nouveau ? Il existait déjà des bandes au début du siècle à Paris, que le film *Casque d'or* a immortalisées. Il s'agissait de bandes de jeunes délinquants en de nombreux points comparables à celles que l'on rencontre aujourd'hui que l'on appelait les « apaches ». « Les jeunes se sont reconnus dans cette image indienne, ils l'ont revendiquée et l'ont adoptée comme symbole de leur mobilité et de leur esprit bagarreur. Le nom qu'on leur attribue par dérision, ils l'assument avec défi, non sans fierté [21]. » Déjà les médias de l'époque n'étaient pas indifférents à la montée de ce phénomène [22]. Ce désir d'assumer par dérision la « mauvaise place » ne se retrouve-t-il pas à travers les noms que se donnent eux-mêmes quelques bandes de nos banlieues comme les « zoulous », « requins visqueux » ou autres « reptiles » ?

Le sacrifice inversé

L'image est peut-être le dernier fil du lien social, la seule manière de communiquer avec les autres que l'on ne voit pas mais qui vous voient derrière leur écran. Les jeunes en difficulté n'ont d'autres ressources que d'offrir leur échec en spectacle au reste de la société. Le jeune des banlieues, le *hooligan*, est le double inversé du jeune homme de bonne famille : « Un phénomène de classe d'âge qui serait illustré, et par le malaise d'une génération qui se sent " sacrifiée " et par l'ambivalence de ses rapports à la société. Ce qui est en jeu concernerait le problème de l'identité de toute une jeunesse qui, au-delà de la banlieue, serait confrontée au décalage

---

21. M. Perrot, « Dans la France de la Belle Époque, les " Apaches ", première bande de jeunes », *Les Marginaux et les exclus de l'histoire*, Paris, Cahiers Jussieu 5/ Université de Paris 7, Collec. 10/18, 1979.

22. Les quatre grands quotidiens du matin de l'époque (*Le Petit Journal*, *Le Petit Parisien*, *Le Journal* et *Le Matin*), qui tirent chacun à plus d'un million d'exemplaires, en font souvent leur « une », *ibid.*

existant entre les valeurs dominantes (la performance, l'argent, les droits de l'homme) et les réalités sociales qu'ils vivent au quotidien. Dans ce sens, la jeunesse des bandes et des casseurs symboliserait la forme extrême des échecs redoutés par l'autre jeunesse [23]. » Comme s'ils avaient confusément l'impression d'accomplir ainsi une sorte de sacrifice nécessaire à la survie du reste du groupe. On se souvient de la dernière phrase de *L'Étranger* de Camus qui manifeste ce lien mystérieux entre la peine, le spectacle et le sacrifice : « Pour que tout soit consommé, pour que je me sente moins seul, il me restait à souhaiter qu'il y ait beaucoup de spectateurs le jour de mon exécution et qu'ils m'accueillent avec des cris de haine [24]. »

Si le délinquant méprise la loi, il n'en ignore pas le code. Les manières de commettre des délits obéissent à des stéréotypes collectifs et montrent *a contrario* là où porte la pression sociale. Ces formes nouvelles de transgression ne sont que l'envers de ce que notre société valorise. Dans cette société de la mobilité et de la vitesse, ils occupent les lieux de passage, les « espaces vitesse » comme le métro, les centres commerciaux ou les gares. Ils offrent à la mobilité frénétique des adultes l'immobilité provoquante des oisifs. Les « tags » ne sont que le succédané du logo, et les étranges accoutrements des adolescents, une manière d'exister dans cette société ou le « look » a tant d'importance.

La disparition du monde commun se traduit par une criminalisation du lien social et par le retour d'une violence sacrificielle, mais également, de manière plus inattendue, par l'émergence d'une *délinquance autosacrificielle*. N'arrivant plus à identifier ses ennemis, ne trouvant plus de champ de bataille, le délinquant est tenté de retourner la violence sur lui-même. Ne pourrait-on pas faire un lien entre la perte du sacrifice avec la société démocratique et la résurgence d'un sacrifice sauvage de la part de la jeunesse ?

Après la désocialisation et le spectacle, ce qui frappe dans les formes modernes de violence, c'est leur aspect fortement *autodestructeur*. Un père détruit ce qu'il a de plus précieux, sa descendance. Les jeunes saccagent les équipements qui sont souvent les seuls lieux où ils peuvent faire du sport et se réunir. Ils brûlent *leur* école maternelle. Le toxicomane se drogue avec un produit qui le consume. Tous ces comportements s'apparentent au suicide, lequel d'ailleurs progresse dans des proportions inquiétantes. Le nombre de tentatives de suicide augmente régulièrement depuis une tren-

---

23. M. Kokoreff, « Tags et zoulous, une nouvelle violence urbaine », *Esprit*, février 1991, p. 35.
24. A. Camus, *L'Étranger*, Paris, Gallimard, 1957, p. 272.

taine d'années dans les pays occidentaux, et notamment en France. Cette cause de mortalité a déjà supplanté les tumeurs pour devenir la seconde cause de mortalité des adolescents, juste après les accidents de la route.

Ces nouvelles formes de violence ne sont pas réductibles à un déséquilibre psychologique des sujets. Elles ont plus partie liée avec l'indifférenciation qui caractérise nos sociétés démocratiques. Dans la société traditionnelle, donc inégalitaire, tout le monde a une place, même les pauvres, mêmes les parias. Il n'y a pas de reste. La société moderne laisse toujours plus de personnes en dehors de toute institution et de tout lien social. Leur seul mode d'exister est alors une sorte de sacrifice très archaïque qui consiste à offrir ses souffrances au regard public.

La démocratie s'avère incapable de répondre au type de violence identitaire qu'elle génère, ce qui ne peut qu'exciter davantage celle-ci. L'apparition de ces « délits modernes » que sont la délinquance initiatique des adolescents, l'inceste ou la drogue est manifestement liée à l'affaiblissement des repères symboliques de la société démocratique. Comment ne pas faire le lien entre la disparition des symboles sociaux et l'échec de la symbolisation du sujet ? Si la violence de la société traditionnelle était une violence d'émancipation, de libération, elle prend plutôt aujourd'hui la forme inverse : l'affirmation violente de soi dans une société indifférenciée. Elle signifie moins une volonté d'égalité dans une société hiérarchisée qu'une volonté de singularité dans une société d'égaux. Ces formes de violences sont indirectement renforcées par l'égalité des conditions. D'où le paradoxe que souligne Yves Michaud : « Cette revendication brutale et “ gratuite ” d'identité s'exprime au sein des sociétés démocratiques – ou récemment “ démocratisées ” – dont les principes, aussi bien politiques que juridiques, excluent fondamentalement la violence. L'écart entre le principe et la réalité est ici maximal. En même temps que se diffusent les principes d'un tel cosmopolitisme, il demeure des groupes entiers qui échappent complètement à ce cosmopolitisme tout en subissant les effets de sa puissance de dédifférenciation. Orphelins d'État, dépossédés de toute appartenance, il ne leur reste que la violence pour exister [25]. »

La violence ne pourra jamais trouver sa place dans le dogme démocratique de « l'égalité de conditions », c'est-à-dire une abstraction. La violence est hors champ, et la démocratie ne sait comment en parler. Non seulement la société démocratique génère malgré elle un nouveau type de violence, mais elle sait moins que

25. Y. Michaud, *op. cit.*, p. 13.

toute autre y répondre. Elle ne peut que refouler ce qui renvoie à la passion démocratique, au reliquat de sauvagerie de cet homme qu'elle n'a voulu voir que de manière idéale.

Le contact avec la justice est à la fois redouté et recherché comme l'ultime rempart contre la désaffiliation totale. Le juge est convoqué comme ministre du sens dans une société désorientée. Il n'est pas le seul destinataire d'une telle demande adressée également à l'école ou à la psychiatrie. D'où le malaise des grandes institutions structurantes comme l'hôpital, la prison, la justice, l'école. Comment réagir à une telle demande ? Deux réponses sont envisageables : la première consiste à criminaliser cette quête identitaire en la faisant régler par le droit pénal, c'est-à-dire en ne la réglant pas. Outre que cette solution autoritaire est de moins en moins satisfaisante, on peut se demander si nous en avons encore les moyens. Répondre par la répression à cette demande inédite ne peut qu'accélérer le processus de dégradation du lien social. La seconde consiste à assumer cette fonction symbolique et à tenter de répondre à cette nouvelle demande d'autorité, au-delà de la compréhension clinique et de la réprobation moralisatrice.

Toutes les sociétés démocratiques semblent avoir fait le premier choix, à en croire l'inflation de la population carcérale. « L'histoire de la peine, a dit Jhering, est celle de sa disparition. » Force est de reconnaître que, depuis quelques années, le sens de l'histoire s'est complètement inversé. Les démocraties s'orientent toutes vers un enfermement de plus en plus important de leur population. Comme souvent, les États-Unis ouvrent la voie. Le nombre de détenus y a doublé en dix ans et a été multiplié par trois en treize ans. Il y avait dans ce pays 329 821 détenus en 1980, il y en a 1 012 851 en juin 1994 [26]. Les jeunes Noirs représentent à eux seuls près de 48 % de cette population pénale. Les pays européens connaissent une progression similaire même si elle est moins forte, à commencer par la France. Ces chiffres sont effarants et communs à toutes les nations démocratiques : ne pourrait-on faire un lien entre l'insécurité de la norme et la montée de la pénalisation ? Comment enrayera-t-on cette logique du tout répressif ?

Si l'on ne prend pas en compte la souffrance et les aspirations de l'homme démocratique, on ne peut défendre la démocratie. On s'interdit de réformer la prison, par exemple, incapable que l'on est de comprendre qu'alors que les peines sont moins longues, moins cruelles et le régime plus doux elles sont de moins en moins supportées. On ne peut comprendre qu'à refuser de distinguer entre la

---

26. J.-P. Jean, « L'inflation carcérale », *Esprit*, octobre 1995, p. 117.

violence légitime et la violence illégitime la peine devient absurde ; qu'à nier l'existence du mal on finit par réactiver les mécanismes les plus archaïques de la méfiance et de la peur de l'autre ; que la douceur démocratique provoque une violence hypervisible – ou au contraire invisible – encore plus menaçante ; que la délinquance devient identitaire plutôt que libertaire, anomique plutôt qu'économique ; que peut-être l'individu de nos sociétés modernes souffre plus de l'indifférence que du contrôle social, plus de l'externement que de l'enfermement, plus de l'exclusion que de l'inclusion forcée ; que la liberté n'est digne qu'à la condition de protéger les personnes incapables de l'assumer ; que le politique ne peut se résumer à la domination, qu'il est aussi un pacte, c'est-à-dire l'affirmation d'une volonté de vivre ensemble qui, de surcroît, doit être mise en scène, sous peine de voir des représentations sauvages déposséder le groupe social de la maîtrise de sa reproduction symbolique. Une telle incertitude de la norme, par un étrange jeu de vases communiquants, appelle un surplus de justice.

Chapitre VI

LA MAGISTRATURE DU SUJET

La justice est convoquée pour apaiser ce malaise de l'individu moderne en souffrance. Pour y répondre intelligemment, elle doit remplir une nouvelle fonction qui s'est développée tout au long de ce siècle et que l'on pourrait appeler la magistrature du sujet. Les sociétés modernes génèrent, en effet, une demande de justice quantitativement et qualitativement inédite. Il s'agit à la fois d'une demande de masse et d'une demande massive. Non seulement la justice doit multiplier ses interventions – ce qui est déjà en soi un défi –, mais elle fait l'objet de sollicitations nouvelles. Qu'on lui soumette des questions morales redoutables, comme celles relatives à la bioéthique ou à l'euthanasie, ou qu'on lui demande de pallier les ravages d'un lien social affaibli chez des individus exclus, la voilà mise en demeure de dire le juste dans une démocratie à la fois inquiète et désenchantée.

Il n'y a pas de livre sur la justice, ou de rapport, qui ne constate, pour la déplorer, la vertigineuse augmentation du contentieux depuis les années soixante-dix. C'est un fait indéniable qu'en une quinzaine d'années, en effet, toutes les formes de contentieux, de première instance, d'appel ou de cassation, judiciaire ou administratif, ont doublé, voire triplé dans certains cas. Toujours relevée, cette tendance est rarement interprétée. Que signifie cette explosion ? Quelle demande traduit-elle ? Comment ces affaires étaient-elles résolues autrefois ?

Ce double défi quantitatif et qualitatif lancé à la justice moderne n'est pas conjoncturel mais intimement lié au développement même du fait générateur de la démocratie, l'égalité des conditions. Chacun se souvient des premières lignes de la *Démocratie en Amérique* : « Parmi les objets nouveaux qui, pendant mon séjour aux États-Unis, ont attiré mon attention, aucun n'a plus vivement frappé mes regards que l'égalité des conditions. [...] Bientôt je reconnus que ce même fait étend son influence fort au-delà des mœurs politiques et des lois, et qu'il n'obtient pas moins d'empire sur la société civile que sur le gouvernement : il crée des opinions, fait naître des sentiments, suggère des usages et modifie tout ce qu'il ne produit pas [1]. »

Ce qu'enseigne Tocqueville, c'est la transformation de l'homme par la démocratie. L'égalité des conditions bouleverse profondément l'équilibre social. Le déploiement jusqu'à son terme de ce dogme démocratique fragilise le lien social, paralyse toute influence naturelle sur autrui et donc aiguise les conflits. Il dépose toute autorité traditionnelle, ébranle l'organisation spontanée de la société et mine l'ordonnancement hiérarchisé qui, en attribuant une place à chacun, limitait les occasions de conflits. La société démocratique défait le lien social et le refait artificiellement. Elle est condamnée à fabriquer ce qui était autrefois donné par la tradition, la religion ou la coutume. Elle est contrainte d'*inventer* l'autorité et, n'y parvenant pas, s'en remet au juge. Mais n'est-ce pas se précipiter à l'eau pour ne pas être mouillé ? Cette demande de justice est paradoxale : sous prétexte de se protéger de l'intervention illégitime d'autrui, elle s'offre au contrôle du juge. L'individu se libère de la tutelle de ses magistrats naturels en se précipitant dans celle des juges étatiques. La liberté risque de se payer en augmentation du contrôle du juge, en intériorisation du droit et en tutélarisation de certains sujets.

L'EXTENSION DU CONTRÔLE DU JUGE

Nous sommes passés, en quelques années, d'une société relativement homogène sur le plan culturel à une société plurielle. « Les individus cherchent à retrouver des sentiments d'appartenance communautaire en réaffirmant leur attachement à des traditions étrangères à celles de la république. Le régionalisme, le populisme politique, le développement des sectes ou de l'intégrisme religieux, les bandes de jeunes en galère des banlieues défavorisées, autant de phénomènes qui, au-delà de leurs particularités, peuvent être rattachés au déclin des grandes solidarités transclasses qui avaient structuré l'identité nationale. Et ce n'est pas un hasard s'ils

1. A. de Tocqueville, *De la démocratie en Amérique*, *op. cit.*, t. I, p. 87.

touchent en premier lieu ceux qui ont le plus à craindre que ce déclin ne les cantonne aux marges de la société : les jeunes chômeurs, les immigrés, les " petits blancs " des quartiers dégradés, les populations habitant les zones les plus défavorisées du territoire [2]. » L'instabilité croissante des liens familiaux, la mobilité professionnelle, la diversité culturelle ont modifié la demande de justice, le droit devenant la dernière morale commune dans une société qui n'en a plus.

La destitution de toute autorité traditionnelle

Le Code civil est un code bourgeois qui ne reconnaît de véritables droits qu'à un nombre limité de sujets. Tous les rapports juridiques y sont pensés sur le modèle de l'échange commercial, c'est-à-dire d'une relation entre égaux, économiquement symbolisable par la monnaie. Le XIXe siècle s'attacha à réaliser l'égalité entre les « bons pères de famille », c'est-à-dire entre les hommes adultes et possédants. Voici que cette égalité est désormais revendiquée pour *toute* relation sociale : entre hommes et femmes tout d'abord, mais aussi entre maîtres et employés, entre parents et enfants.

L'histoire de la justice est celle de la profanation progressive de toute autorité traditionnelle. En témoigne cette anecdote : en 1816, un notable était convoqué par le conseil des prud'hommes d'Amiens pour n'avoir pas remis, comme la loi lui en faisait obligation, son livret, c'est-à-dire son certificat de travail, à un jeune ouvrier. L'audience fut émaillée par deux incidents. Tout d'abord le jeune homme ayant reconnu avoir dérobé de menus objets, le filateur menaça d'inscrire le vol comme motif de renvoi, ce à quoi le conseil lui répondit qu'il n'avait pas d'appréciation morale à porter sur ce document, n'ayant pas porté plainte sur-le-champ. Au prononcé du jugement, le patron s'écria : « Voilà un beau jugement pour des chefs d'atelier ! » et fut immédiatement sanctionné pour cette invective. En réalité, une multitude de conflits étaient réglés jusqu'à la fin de l'Ancien Régime par les notables qui exerçaient une sorte d'arbitrage extrajudiciaire très répandu. Notre filateur était indigné que l'on attentât ainsi à cette conception traditionnelle de l'autorité du notable. « De son point de vue, les prud'hommes

---

2. Secrétariat d'État au Plan, *Entrer dans le XXIe siècle, essai sur l'avenir de l'identité française*, Paris, La Découverte/La Documentation française, 1991, pp. 200-201.

sapaient l'exercice d'une autorité morale. Comment espérer des salariés une soumission déférente, après avoir été contraint par un gamin de se justifier publiquement, de discuter avec lui, après avoir été puni pour un geste colérique sous le coup de l'humiliation, et après avoir été désavoué pour une mesure de bon ordre dans son usine [3] ? »

Le père de famille jouissait d'une autorité identique sur ses enfants. Dans la famille aristocratique, selon Tocqueville, « le père n'y a point qu'un droit naturel. On lui donne un droit politique à commander. Il est l'auteur et le soutien de la famille ; il en est aussi le magistrat [4] ». La famille ne doit pas être considérée comme un îlot de non-droit préservé des évolutions de la société : elle est, au contraire, ce « lieu privilégié où se révèle la vérité générale de la démocratie [5] ». L'histoire du droit de la famille illustre la lente pénétration de la justice pour contrôler les relations familiales et l'*accélération* de cette évolution très sensible ces dernières années. Les relations entre parents et enfants se « judiciarisent » progressivement en se comprenant chaque jour davantage en termes juridiques plutôt que naturels.

Une première vague législative au début de la IIIe République entama cette magistrature naturelle des hommes en reconnaissant des droits aux femmes (loi de 1884 autorisant à nouveau le divorce) et aux enfants (loi de 1889 sur la protection des enfants et sur la déchéance de l'autorité parentale). Un siècle plus tard, entre 1965 et 1975, une seconde vague législative paracheva l'égalité entre les époux (par une réforme des régimes matrimoniaux puis du divorce en 1975), ainsi qu'entre parents et enfants en convertissant l'ancienne *puissance paternelle* en *autorité parentale*. Une nouvelle étape fut franchie une vingtaine d'années plus tard avec l'idée de *droits de l'enfant* qui se verra consacrée par la Convention internationale des droits de l'enfant. Où s'arrêtera cette logique égalitaire ? Ne se heurtera-t-elle pas aux limites de la nature qui n'a pas encore donné à l'enfant la possibilité de s'éduquer tout seul ?

L'assistance éducative, c'est-à-dire l'action du juge des enfants pour protéger l'enfance en danger, devient plus juridique. Alors qu'elle se déroulait de manière plus ou moins formelle dans le cabinet du juge des enfants, on réclame un avocat pour chaque enfant

---

3. A. Cottereau, « Esprit public et capacité de juger. La stabilisation d'un espace public en France aux lendemains de la Révolution », *Pouvoir et légitimité*, Paris, Éditions de l'EHESS, 1992, p. 242.

4. A. de Tocqueville, *De la démocratie en Amérique*, *op. cit.*, t. II, p. 241.

5. P. Manent, *Tocqueville et la nature de la démocratie*, Paris, Fayard, 1993, p. 102.

et le respect d'une stricte procédure pour contenir les possibles débordements paternalistes du juge. L'introduction du contradictoire, qui est la marque du judiciaire, contraint à énoncer, à formuler et à développer le raisonnement jusqu'ici bien souvent implicite des travailleurs sociaux et du juge. Il faut désormais prendre les mêmes précautions que pour n'importe quel autre dossier judiciaire. La démocratie ne tolère plus aucune autre magistrature que celle du juge.

Une norme commune sans mœurs communes ?

Dans la société traditionnelle, la voie de la normalité est toute tracée ; il ne reste que le choix de s'y conformer ou d'accepter d'être mis au ban. La société démocratique doit faire le deuil d'une norme commune au contenu précis. La famille en est, une fois de plus, le meilleur exemple. Les comportements familiaux se diversifient, c'est un fait incontestable attesté, par exemple, par le nombre de concubinages ou celui des enfants naturels, qui sont en constante augmentation. Au dire des démographes, une véritable cassure s'est produite il y a une trentaine d'années. Mais de quelle cassure s'agit-il ? Toutes les époques n'ont-elles pas connu des comportements marginaux ? La nouveauté ne réside pas tant dans ces comportements que dans l'indifférence de tous à l'égard des choix de chacun. Il n'y a plus de norme communément admise et donc de déviance possible ; toutes les manières de vivre deviennent également respectables. Les repères moraux ne peuvent plus être déduits d'un comportement social standardisé.

L'idéal d'un monde normatif encadrant et prévoyant toutes les situations sociales est abandonné. La loi générale est inadaptée pour appréhender la diversité des valeurs. Les difficultés pouvant surgir sont tellement nombreuses et imprévisibles que le législateur ne peut les prévoir sous peine de s'enfermer lui-même dans un carcan qui aboutira rapidement à des résultats inverses à ceux recherchés. Le citoyen, soucieux de se gouverner comme il l'entend, ne peut tolérer que du « sur mesure ».

C'est d'ailleurs l'esprit des réformes du droit de la famille que tous les pays européens ont connues ces dernières décennies. « Les nouvelles lois, moins légalistes que les anciennes, se sont davantage reposées sur l'action judiciaire pour assurer leur propre fonctionnement, peut-être parce qu'elles ne croyaient pas trop à elles-mêmes. Toutefois ce qu'elles ont eu en vue dans le juge, c'est moins l'interprète de textes, l'artisan de jurisprudence, que le prudent conseiller (tel le juge des tutelles) ou le ministre d'équité (tel le juge aux affaires matrimoniales pour le divorce par consentement mutuel) [6]. » En réalité, le législateur n'a d'autre choix que de déléguer au juge le soin de donner un contenu au cas par cas à des notions essentielles comme celle d'intérêt de l'enfant. L'intérêt de l'enfant n'a plus de contenu unique valable pour tous les enfants : il ne prend corps que dans ce débat dans lequel plus personne, pas même l'expert, ne peut prétendre détenir un savoir positif et incontestable. Il s'agit donc là d'une appréciation très contextualisée, qui doit prendre en compte les valeurs de chaque famille (l'article 1200 du Code de procédure civile français ne demande-t-il pas au juge de « tenir compte des convictions religieuses ou philosophiques du mineur et de sa famille » ?).

« *La vertu publique de l'indifférence* »

L'égalité des conditions prive de légitimité toutes les influences individuelles, chaque citoyen ne devant obéir qu'à lui-même. « L'égalité place les hommes à côté les uns des autres, sans lien qui les retienne. [...] Elle les dispose à ne point songer à leurs semblables et leur fait une sorte de vertu publique de l'indifférence [7]. » La démocratie rend plus incertaine l'*autorité* qu'elle requiert plus que tout autre régime : voilà le paradoxe de la justice dans une démocratie. L'exercice de l'autorité publique, pourtant plus nécessaire en raison du relâchement du lien social, devient paradoxalement aussi plus suspect. En témoigne le luxe de précautions désormais nécessaires pour intervenir dans les affaires d'autrui : plus personne – ou presque – ne peut exercer spontanément de magistrature sociale sur quiconque.

La société démocratique contourne cette difficulté en donnant une formidable extension à la notion de *contrat*. Tout ce qui s'ordonnait autrefois par un jeu de magistratures traditionnelles doit prendre désormais la forme du contrat. Cette mode a fait son apparition ces dernières années dans la pratique du travail social et plus généralement dans toute l'action des pouvoirs publics (le crédit personnalisé en matière de formation, le contrat d'insertion pour le RMI par exemple). Pour reprendre une expression de Portalis, on cherche partout des confédérés plutôt que des concitoyens. L'en-

---

6. J. Carbonnier, *Essais sur les lois*, Paris, Répertoire du notariat Defrénois, 1979, p. 176.

7. A. de Tocqueville, *op. cit.*, p. 131.

vahissement de l'imaginaire du contrat jusque dans les rapports les plus essentiels comme les relations familiales n'est qu'un palliatif à la perte d'un monde commun, voire une illusion, tant il n'est pas possible de contracter sans un tiers qui autorise les termes et garantisse l'exécution de la convention.

L'incapacité typiquement démocratique à exercer une influence sur autrui explique peut-être la crise morale de toutes les professions dont la fonction est précisément d'influer le comportement d'autrui : travailleurs sociaux, enseignants ou médecins. Ils ne voient plus « au nom de quoi » exercer cette influence. Ils sont vite suspectés de paternalisme ou de contrôle social. Privés de l'autorité de l'institution et suspectés d'intrusion illégitime dans la vie d'autrui ou de contrôle social, le thérapeute et l'enseignant sont en passe de n'être plus guère que les représentants d'eux-mêmes, c'est-à-dire assez peu de chose. Ainsi, par exemple, les équipes psychiatriques acceptent avec réticence les personnes, même envoyées par la justice, si elles ne manifestent pas une « demande » de soins. Mais qui peut évaluer la sincérité de la demande d'une personne fragile ? Comment demander à sortir de la drogue si ce n'est contraint et forcé par la menace de la peine ? Pourquoi arrêter de boire si ce n'est pour éviter d'être abandonné par sa femme ? Toute demande n'est-elle pas influencée par la perspective d'une réaction sociale plus dure ?

Lorsque l'État-providence se fait plus modeste, c'est désormais plutôt dans la référence au droit que dans celle de l'État que les intervenants sociaux cherchent la justification de leur action. Point n'est besoin de rappeler la lente et inexorable progression des droits des usagers dans le travail social comme ailleurs. D'où peut-être également l'explosion de la réflexion éthique ou déontologique parmi ces professions.

L'incapacité à exercer l'autorité sociale normale se traduit par une augmentation de l'emprise de la justice sur certains comportements qui relevaient auparavant d'autres modes de régulation. Le juge des enfants est souvent saisi de situations dans lesquelles les parents sont « désautorisés », c'est-à-dire incapables d'exercer la moindre autorité sur leurs enfants par une étrange inhibition. Ils sont tentés de rechercher une réassurance auprès du juge. Un père sollicite une mesure d'assistance éducative pour son fils toxicomane qu'il emploie dans son entreprise et qu'il soupçonne de payer sa drogue avec un chéquier professionnel. Le juge explique les possibilités que lui offre la loi : porter plainte pour le chéquier disparu et éventuellement licencier son fils pour faute professionnelle. Le père, au demeurant chef d'une entreprise florissante, repart rasséréné. Pourquoi ne pas l'avoir fait plus tôt ? Pourquoi rechercher l'aval du juge des enfants pour se conduire à la fois en père et en patron ?

Cette incapacité des institutions à exercer une prise en charge autoritaire des sujets les plus affaiblis a pour conséquence inattendue de renforcer la fonction asilaire de la prison. On voit aujourd'hui arriver en détention des personnes qui auraient plutôt leur place en milieu hospitalier mais qui ne s'y trouvent pas faute de « demande » de prise en charge. Le mouvement de l'antipsychiatrie qui voulait sortir les malades de l'asile a eu pour effet d'« externaliser » un grand nombre de personnes dont certaines n'étaient pas capables de vivre dehors. Ce n'est pas tant la liberté qu'ils ont trouvée que l'« externement », c'est-à-dire l'enfermement dehors, la solitude dans leur souffrance et leur symptôme. Ce mouvement de l'antipsychiatrie, autant motivé par des considérations thérapeutiques que par une rationalisation des choix budgétaires, a eu pour effet de laisser sans aucun traitement un grand nombre de malades. Puisque seule l'influence autorisée par la justice est légitime, cette dernière voit naître une nouvelle demande de prise en charge des individus les plus démunis devant laquelle elle est désemparée.

L'INTÉRIORISATION DU DROIT

L'effondrement des repères sociaux collectifs a une autre conséquence plus inattendue mais qui renforce également le pouvoir du juge : l'intériorisation de la norme. Dans un monde sans normes extérieures de comportement, les sujets sont condamnés à intérioriser la norme. L'homme des démocraties doit sans cesse réinventer lui-même ce qui était formulé par la loi positive. L'acteur juridique ne se contente plus d'appliquer des normes connaissables : il doit les prévoir. La loi pénale ou civile qui précisait le détail des obligations tend à être supplantée par une obligation générale de prudence sanctionnée par une extension de l'idée de responsabilité. Mais qui l'appréciera sinon le juge ? La justice réalise *a posteriori* ce que le droit positif concevait *a priori*. Demain devient impensable, le futur immaîtrisable. Le droit du juge ne peut être qu'un droit du lendemain. Mais que devient alors le sacro-saint principe de la sécurité juridique ?

Un droit fait par le juge inverse la charge normative. Prenant acte de l'insécurité et de la complexité de notre monde, elle réclame un raisonnement *anticipatoire*. Il n'est désormais plus possible de se réfugier derrière les certitudes scientifiques. La science n'est pas bonne ou mauvaise *a priori* : elle aussi réclame précaution. Cela se confirme autant pour les opérateurs économiques que pour le sujet. Dans l'entreprise, par exemple, on a assisté au cours de ces dernières années à une montée en puissance des services juridiques et à la progression de leur intervention en amont des activités. Auparavant, les contrats étaient signés par les commerciaux et formalisés ensuite par les juristes. A présent, les juristes sont associés dès le début des négociations parce que le droit est partie intégrante de la stratégie de l'entreprise. On a vu dans ce phénomène, comme toujours, une influence de la culture anglo-saxonne, sans comprendre que dans un univers sans références communes, comme l'est le commerce international, le propre du droit est d'anticiper toutes les éventualités. Il n'y a plus de place pour la confiance ou pour la garantie supérieure de l'État comme ce fut le cas en France avec le secteur nationalisé.

Chaque citoyen est consacré législateur

Le droit pénal doit en principe se limiter à énoncer un catalogue d'interdits clairs et précis ne laissant pas la possibilité au juge d'interpréter de manière extensive la loi pénale. C'est ce que les juristes appellent le principe de la légalité des délits et des peines et de l'interprétation restrictive de la loi pénale. Mais là aussi, la norme est de plus en plus indéterminée : les prescriptions formelles et clairement énoncées du droit pénal classique font place à des principes qui doivent être appréciés en situation.

Le nouveau Code pénal multiplie les délits aux contours imprécis comme « la mise en danger délibérée de la personne d'autrui ». Cela revient à pénaliser la responsabilité civile. Le principe de la légalité et de l'interprétation restrictive de la loi pénale est battu en brèche. C'est en effet au juge qu'il reviendra de décider *a posteriori* si tel comportement constitue une « mise en danger d'autrui » ou non. Pour ce faire, il tiendra compte de l'intention de la personne mise en cause. « Le mobile du criminel, observe Jean de Maillard, tend à devenir primordial dans la détermination d'un nombre grandissant d'infractions, qu'elles concernent les atteintes aux personnes ou les atteintes aux biens [8]. » Cette tendance est corroborée par la reconnaissance de l'erreur de droit comme cause exonéra-

---

8. J. de Maillard, « Les maux et les causes. A propos de la crise du droit pénal », *Commentaires*, 1994, n° 67, p. 616.

toire de la responsabilité pénale. La norme doit sa complète effectivité à sa connaissance par l'individu. L'intention est saisie par le droit pénal, ce qui n'est pas sans rappeler la tendance à la psychologisation de la vie politique ou la promotion actuelle de l'éthique professionnelle.

Chaque fois l'idée est la même : une société complexe se régule par les hommes plus que par une réglementation sophistiquée. Prenant conscience de la logique improductive de l'interdit, le législateur cherche la perspective plus dynamique de l'obligation. La perte des références communes fait passer d'un monde d'interdits à une obligation générale de *prudence*. Cette exigence de sagesse n'est pas sans rappeler la *précaution* qui caractérise, selon François Ewald [9], le nouveau rapport au savoir et à la science. « Moins le droit est sûr, plus la société est astreinte à devenir juridique [10]. » Désormais, chaque citoyen doit être son propre législateur et anticiper les conséquences sociales de ses actes. Le monde commun et le formalisme positiviste permettaient la circonscription d'un intérieur et d'un extérieur, de repérer clairement le domaine de l'interdit et celui du permis. Aujourd'hui, au contraire, chacun doit intérioriser le droit. L'homme moderne devient juriste par nécessité : c'est le prix à payer pour son autonomie. La société démocratique paie son émancipation de la norme par une emprise grandissante de la justice. Ses membres se libèrent de la contrainte sociale en se faisant tous juristes.

De la prohibition de la drogue à l'incitation à la mesure

Cette évolution du contrôle social peut être illustrée par l'exemple de la drogue. Le dernier rapport du Comité national d'éthique est à cet égard très intéressant. Notre législation antérieure reposait sur l'idéal d'un monde pur, libéré de toute drogue, et se donnait pour objectif l'éradication du phénomène. La poursuite de cet objectif demandait de distinguer entre les bons produits et les drogues, les sujets sains et les toxicomanes, la bonne ivresse sociale de l'alcool et les mauvais « trips » solitaires de la drogue. Le rapport constate la disparition de ce monde commun idéal exempt de toute drogue. Il part au contraire de l'hypothèse que la drogue ne disparaîtra pas, la répression s'étant avérée impuissante à l'éliminer. « Force est à présent d'admettre qu'il y a “ des drogues ”,

---

9. Voir le numéro de la revue *Risques* (Paris, nº 11) consacré à cette question.
10. J. de Maillard, *op. cit.*, p. 617.

que “ l’abus ” d’une drogue se distingue de son “ usage ”, que l’abus ne se supprime pas par décret [11]. »

L’analyse scientifique remet en cause ce rapport au monde binaire. Elle montre en effet que les mécanismes de récompense neurologiques sont finalement identiques pour l’alcool, le tabac ou la drogue, et donc la distinction entre les produits licites et illicites n’est plus fondée biologiquement. La drogue peut être parfois facteur de socialisation. Cela ne serait donc pas le produit qui serait intrinsèquement mauvais mais l’usage que l’on en fait. D’où un idéal de la *mesure* qui se substituerait à celui de l’abstinence. La frontière entre le normal et le pathologique, comme celle entre l’interdit et le permis, quitte le monde commun pour migrer à l’intérieur de l’individu lui-même. Le rapport n’a pas pour but de « laisser entendre que toutes les drogues sont bonnes et toutes les consommations acceptables, mais de situer l’usage de la drogue du point de vue de la morale personnelle (devoirs envers soi-même) [12] ». C’est désormais à lui qu’il revient en dernier lieu de fixer la limite entre le bon usage et l’abus.

Puisque l’État ne peut plus maîtriser ni le trafic ni l’usage de stupéfiants, il est tenté de changer de stratégie et de contrôler le phénomène par l’autre bout de la chaîne, c’est-à-dire par la consommation. « Tout porte à penser aujourd’hui que le meilleur moyen d’endiguer le fléau de la toxicomanie est de former des citoyens responsables et bien informés. En matière de substances actives sur le système nerveux central, chaque personne doit apprendre à connaître ses fragilités et à discerner la limite entre ce qu’elle s’autorise et ce qu’elle ne veut pas pour elle-même [13]. »

Mais le Comité national d’éthique ne prend-il pas pour hypothèse ce qui est l’objectif, c’est-à-dire un sujet constitué, capable de maîtriser sa consommation ? Il méconnaît que si certains individus prennent de la drogue, c’est pour combler un trouble existentiel profond. S’ils étaient aussi sages, quel besoin éprouveraient-ils de prendre de la drogue ? En outre, la dépénalisation et le renvoi à la sagesse individuelle n’auront pas les mêmes conséquences pour tous les citoyens. Cela sera une aubaine pour quelques artistes cocaïnomanes et un abandon de plus pour les jeunes des banlieues. Cette responsabilité risque d’être écrasante pour certains. *Quid* des

---

11. Rapports du Comité consultatif national d’éthique pour les sciences de la vie et de la santé sur les toxicomanies, Paris, 23 novembre 1994, réflexions éthiques, p. 1.

12. *Ibid.*, p. 11.

13. *Ibid.*, p. 14.

gens incapables de se gouverner eux-mêmes, inaccessibles à cette sagesse appelée par le législateur ? La dépénalisation les enverra à la mort en toute légalité. Une telle revalorisation de la prudence et de la responsabilité exige d'organiser la protection de ceux qui ne peuvent l'assumer.

LA TUTÉLARISATION DES PERSONNES FRAGILES

Que faire pour les sujets qui ne peuvent faire preuve de cette sagesse requise ? Pour ceux qui sont incapables d'intérioriser la loi ? De se montrer prudents ? L'abstraction démocratique est nécessairement théorique et un peu angélique, elle postule l'autonomie des citoyens et renâcle à envisager le contraire. Or à travers la justice, ce dogme démocratique entre en contradiction avec la fragilité de l'individu en chair et en os. Les fictions démocratiques rencontrent la chair de la société. Ces sujets doivent à la fois être *respectés* dans leur parole et être *protégés* en raison de leur fragilité. Exiger du sujet qu'il se fasse législateur de sa propre vie amène à mettre en place une tutelle pour les sujets les plus démunis, incapables de supporter l'indétermination. « La reconnaissance par la société des droits de l'individu, rappelle Marcel Gauchet, ne signifie pas que la même société lui confère l'autonomie indispensable pour les exercer [14]. » Ainsi, la magistrature du sujet devient une tâche politique essentielle. Il ne suffit plus de dénoncer le paternalisme ou le contrôle social : l'évolution des sociétés démocratiques rend à la protection toute sa dignité démocratique.

La magistrature du sujet

« Une société qui reporte sur tous les individus des responsabilités autrefois prises en charge institutionnellement à l'extérieur d'eux-mêmes, dit Alain Ehrenberg, doit s'attendre à ce que ces mêmes individus aient des stratégies d'auto-assistance inépuisables et adressent les demandes les plus diverses à des professions ou à des institutions [15]. » Au-delà des droits attachés à la personnalité juridique (comme le droit à l'image, au nom, à l'honneur), la justice est plus fréquemment sollicitée pour se prononcer sur la personne

---

14. M. Gauchet, « Les droits de l'homme ne sont pas une politique », *Le Débat*, 1980, p. 19.
15. A. Ehrenberg, *L'Individu incertain*, Paris, Calmann-Lévy, 1995, p. 313.

même que sur ses droits, c'est-à-dire sur sa liberté (la détention), son autonomie (la mise sous tutelle), ses liens fondamentaux avec le conjoint ou les enfants (garde, assistance éducative, divorce). Cette demande inédite ouvre un *nouveau terrain pour la justice* en sollicitant plus sa fonction tutélaire que sa fonction arbitrale, à laquelle, d'ailleurs, elle est peut-être trop souvent réduite. Cette part de l'activité de la justice s'est développée dans des proportions importantes ces dernières années.

En quoi consiste cette fonction ? Le juge doit se substituer à l'autorité défaillante pour autoriser une intervention dans les affaires privées d'un citoyen. Ce qui est nouveau, c'est la défaillance des médiations intermédiaires ; l'action exercée sur l'intéressé est très ordinaire : elle n'a rien, à proprement parler, de juridique. Elle consiste à assister une famille dans la gestion de sa fortune ou plus souvent de son infortune, à apprendre aux parents à se conduire avec leurs enfants, à aider une personne à se gouverner elle-même dans la vie sociale, à rechercher un emploi, bref, elle professionnalise ce qui était réglé autrefois par la vie sociale ordinaire.

C'est pourquoi il est moins demandé à la justice une décision juridique que la désignation d'une personne référente : enquêtrice sociale, agent de probation, éducateur, tuteur, gérant de tutelle, etc. La justice cherche à réintroduire en aval les médiations qui ont manqué en amont. D'où le succès de référents ou d'« adultes-relais » pour les toxicomanes. La fonction tutélaire évoque une idée de *subsidiarité* qui éloigne la justice de la perspective classique de l'autoritaire. C'est une manière de créer artificiellement du lien social, voire familial, mais n'est-ce pas ce à quoi condamne la modernité ? L'individualisme se paie ainsi par une tutélarisation grandissante des sujets.

Ce nouveau champ est d'autant plus difficile à appréhender que le droit technique n'est que de peu de secours. Le juge y manie autant les affects que les concepts et risque de confondre son rôle avec celui du thérapeute ou de l'ami. A défaut de droit positif, quelles « règles de jugement » doivent guider la décision du juge ? Juges et intervenants médico-sociaux ne doivent-ils pas partager une même conception du sujet de droit ? Tous sont désorientés par une telle tâche.

La transposition des problèmes humains et sociaux en termes juridiques n'est pas sans dommage pour le lien social. Ce qui était réglé spontanément et implicitement par les mœurs doit désormais l'être formellement et explicitement par le juge. D'où cette judiciarisation des rapports sociaux. Mise en demeure de justifier à son tour toute intervention, la justice doit se lancer dans un processus infini d'*énonciation* de la norme sociale. Le droit par la voix du juge s'engage dans un travail de nomination et d'explicitation des normes sociales qui transforme en obligations positives ce qui était encore hier de l'ordre de l'implicite, du spontané, de l'obligation sociale. La loi demande au juge des enfants d'intervenir lorsque la santé, la sécurité et la moralité d'un mineur sont en danger. Le critère de saisine est relativement clair en ce qui concerne la santé physique mais *quid* de la santé mentale ? Le juge est saisi parce qu'une mère habille son petit garçon avec des jupes et qu'elle s'adresse à lui au féminin. Dans quel code est écrite la manière d'habiller ses enfants et de s'adresser à eux ? Le droit, censé libérer les liens illégitimes et artificiels qui empêchent le sujet d'être lui-même, se traduit par une emprise grandissante de la justice dans ce qui était considéré autrefois comme relevant des mœurs, de la civilité, des « folkways » [16]. Certains y ont vu une stratégie de l'État pour mieux contrôler les citoyens. A force de tout envahir, le droit risque de tuer la civilité. D'où peut-être cet engouement pour les maisons de justice ou toutes les autres solutions informelles pour ranimer – mais après coup – la socialité défunte.

Le droit devient donc la *morale par défaut*. Mais n'est-ce pas trop lui demander ? Le droit n'envisage les rapports sociaux qu'à partir de l'hypothèse du « bad man », c'est-à-dire du mauvais contractant, du fils indigne ou de l'employé indélicat. Les gens heureux ne connaissent pas le droit. Qu'est-ce qu'une société hyper-juridicisée ? N'est-ce pas cette société où l'hypothèse du « bad man » tend à devenir la seule vision des rapports sociaux ? Voilà l'impasse de la démocratie juridique : cette morale de substitution ne pourra jamais instaurer la confiance. Il s'agit toujours d'une socialité mais d'une socialité négative : il y a bien une réciprocité, mais elle est de l'ordre de la méfiance. Le lien social se fonde désormais sur une suspicion généralisée et sur la culpabilisation des rapports sociaux. C'est une croyance commune mais qui repose sur une défiance commune. Les actions intentées en responsabilité médicale, que l'on voit se développer de manière inquiétante, sont très révélatrices de cette dégradation de la confiance spontanée dans la société démocratique, car si une relation réclame de la confiance, n'est-ce pas précisément celle du médecin et de son malade ?

---

16. La sociologie du droit distingue traditionnellement ce qui relève des *mores*, des *folkways* et de la contrainte du droit.

La justice est à la fois pompier et pyromane, dans un même mouvement elle éloigne les individus les uns des autres en disqualifiant l'autorité traditionnelle et se présente comme l'autorité palliative de cette absence à laquelle elle a contribué. L'émancipation démocratique, loin d'éloigner du droit et des juges, au contraire en rapproche. Et de quelle manière ! Le droit envahit la morale, l'intimité, le gouvernement de soi. La justice en sort profondément bouleversée : alors qu'elle se limitait jusqu'à présent à ne distribuer que des statuts et des honneurs, des biens juridiques ou économiques, voilà qu'elle doit distribuer à présent également des rôles sociaux, mieux, qu'elle doit pourvoir les sujets en identité sociale. Est-ce vraiment un progrès pour la liberté ? Le prix ne risque-t-il pas d'être exorbitant ? Elle met en demeure la démocratie d'inventer de nouvelles manières de résoudre les conflits et de protéger des individus fragiles. Mais la tutelle douce qu'apercevait déjà Tocqueville n'en est pas la seule conséquence. On voit se développer également une sorte de criminalisation insidieuse du lien social. L'enthousiasme révolutionnaire pour l'homme nouveau que la liberté rendra meilleur va être supplanté petit à petit par une vision pessimiste qui voit en l'autre un agresseur potentiel. Si la justice est la nouvelle scène de la démocratie, son sens par défaut, le droit pénal devient la nouvelle lecture des rapports entre des gens de plus en plus étrangers les uns aux autres.

Il y a quelques années, un tel constat de l'agrandissement du contrôle du juge aurait fait frémir une certaine frange de l'opinion publique qui y aurait vu se profiler un contrôle social insupportable. Mais là n'est peut-être pas l'essentiel. Le danger de cette illusion de la démocratie juridique n'est pas tant le gouvernement des juges que le pouvoir de personne, le dogme de la démocratie étant pris au mot. La justice doit rester un pouvoir correctif. Les pouvoirs négatifs que sont la presse et la justice, cette incertitude de la norme, ce jeu de massacre dans lequel la démocratie semble s'être engagée risquent d'installer, pour succéder à l'ancienne souveraineté politique, non pas le pouvoir de quelques-uns mais la vacuité du pouvoir. Et donc d'abandonner un certain nombre de domaines à la juridiction de la force sous le regard impuissant des juristes. Cette nouvelle idéalisation de la justice dans la démocratie pourrait n'apparaître que, comme le dit Gauchet, pour « fournir un nom enviable à l'impuissance [17] ». D'où la nécessité de juger malgré tout.

---

17. M. Gauchet, *op. cit.*, p. 6.

Chapitre VII

JUGER MALGRÉ TOUT

La justice fait l'objet de sentiments mélangés de la part de l'opinion démocratique. En même temps qu'on attend tout d'elle, on lui dénie le droit de juger les cas trop importants. La démocratie lui demande l'impossible mais s'accommode mal de la dimension purement humaine plus visible que dans tout autre régime. La justice démocratique est prise dans un impératif contradictoire : en même temps qu'elle affronte des défis d'une ampleur inconnue d'elle jusqu'à présent, elle voit son intervention contestée. Jamais elle n'a été autant idéalisée, jamais elle n'est apparue aussi fragile tant ses instruments semblent peu perfectibles. Et pourtant, il faut juger malgré tout.

L'EMBARRAS DU LÉGISLATEUR

La modernité a subitement fait changer d'échelle les questions soumises à la justice. La voici confrontée à des problèmes d'une ampleur vertigineuse, inédite jusqu'ici dans l'histoire. La science ouvre des possibilités infinies à l'homme qu'il ne sait comment – ni surtout au nom de quoi – limiter. De la même manière, les crimes de masse, qui n'ont pas manqué au cours de ce siècle, ont défié les capacités humaines et intellectuelles de la justice. Ces « cas tragiques », comme les affaires de bioéthique ou les crimes contre l'humanité, ne sont pas le quotidien du juge, et il serait faux de prétendre qu'ils exercent une influence directe sur le fonctionnement de la justice. Il en sera malgré tout question parce qu'ils donnent à comprendre, mieux que n'importe quels autres, le rôle nouveau de la justice.

Des questions indécidables

« Le Parlement peut tout faire sauf changer un homme en femme », se plaisait-on à dire en Angleterre. C'est à présent chose possible. Le développement de la science et des biotechnologies posent des questions radicalement nouvelles que les scientifiques ne veulent trancher eux-mêmes. La justice est alors saisie des questions touchant l'identité de l'homme : quand commence-t-il ? Un embryon est-il une personne humaine ? Quand finit-il ? Peut-on se livrer à des expérimentations sur une personne en état de coma dépassé ? Qu'il s'agisse d'une question relative à la bioéthique, au transsexualisme, à l'euthanasie ou à la médecine prédictive, les juges sont confrontés à chaque fois à un problème métaphysique pour la solution duquel le droit positif ne leur offre que peu de secours.

Par exemple, il est à présent possible de déterminer, grâce à un simple prélèvement sanguin, les risques de développer des années plus tard tel ou tel syndrome. Doit-il être permis à une entreprise de refuser d'employer quelqu'un à vingt-cinq ans au motif qu'il a plus de chances de développer un cancer du rein ou de devenir fou après cinquante ans ? Ce n'est pas une hypothèse d'école, le cas a été tranché par une juridiction américaine à propos des pilotes d'avion porteurs du gène de la chorée de Huntington, une maladie qui provoque des démences précoces après la quarantaine. Une prise de sang effectuée sur un fœtus pourra déterminer les affections dont non seulement lui-même mais aussi sa descendance seront atteints. La médecine est désormais capable de soigner *in utero* certains jumeaux atteints de maladies jusqu'alors incurables. Lorsqu'un seul des fœtus peut être sauvé, lequel le médecin doit-il choisir ? S'ils sont de même sexe, la question pose moins de difficulté, mais que faire s'ils sont de sexes différents ? Est-ce aux parents de choisir ? Le mieux, en définitive, n'est-il pas de s'en remettre au hasard ? Ce savoir est vertigineux. Il oblige à des choix que les médecins ne se sentent plus capables d'assumer.

L'embarras de la justice est évident, comme en témoigne la récente décision de la Chambre des lords autorisant les médecins à ne plus alimenter artificiellement Tony Bland, cette jeune victime de l'effondrement du stade de Sheffield, qui était plongé dans un coma profond et irrémédiable. Elle a cru bon de préciser que cette affaire, contrairement aux autres, n'aurait pas valeur de précédent. Dans l'incertitude, les juges préfèrent se prononcer au cas par cas.

On a vu dans beaucoup de pays le pouvoir politique manifester une sorte de réticence à faire voter des lois dans ces domaines, ce qui explique que dans de nombreux cas, comme en France, la justice a dû trancher ces problèmes dans l'attente de lois claires. Le législateur ne s'estime pas suffisamment informé et craint que sa législation ne devienne rapidement obsolète en raison des progrès très rapides de la science. Mais les renvois au juge permettent aussi au gouvernement de dépolitiser un conflit pour des questions morales politiquement embarrassantes qui transcendent les clivages politiques traditionnels. Les exemples abondent : l'un des derniers en date est l'Afrique du Sud, où la peine de mort a été abolie le 6 juin 1995 par la Cour suprême et non, comme on aurait pu s'y attendre, par le Parlement. La peine de mort a été déclarée contraire au droit à la vie reconnu par la Constitution de 1994. Cette dernière était restée muette sur la peine de mort, le Congrès national africain de Nelson Mandela et le parti national de Frederik De Klerk n'arrivant pas à se mettre d'accord. Il en est ainsi de la question de l'avortement et des agressions sexuelles au Canada, ou de l'adoption en Inde.

L'exemple de ce dernier pays est intéressant précisément parce qu'il montre des tendances identiques dans un contexte non occidental mais néanmoins démocratique. Le gouvernement souhaitait légiférer en matière d'adoption internationale pour protéger les bébés qui partaient en nombre croissant pour l'étranger. Les musulmans y étaient très opposés, l'institution de l'adoption étant ignorée du droit coranique. Après deux tentatives infructueuses, le gouvernement retira son projet, et c'est alors la Cour suprême de l'Union indienne qui élabora une réglementation détaillée de l'adoption internationale. L'exemple de la mosquée d'Ayodhya est encore plus intéressant. On se souvient que cette mosquée abandonnée, construite sur un site réclamé par les hindous comme un ancien lieu saint de l'hindouisme, fut détruite le 6 décembre 1992 par des intégristes religieux hindous. Embarrassé par cette « épineuse question susceptible de soulever des convulsions populaires », le gouvernement, usant de son pouvoir de consultation, préféra s'en remettre à la Cour suprême, pour lui demander « son opinion sur le point de savoir si un temple hindou avait existé au lieu où la mosquée avait été érigée [1] ». Celle-ci refusa de répondre à la question mais décida néanmoins que l'acquisition du site par les musul-

1. D. Annoussamy, « La justice en Inde », *Cahiers de l'IHEJ* (à paraître).

mans n'était pas entachée de nullité et condamna pour outrage à la justice le Premier ministre de l'Uttar Pradesh qui s'était engagé à ce que la mosquée ne soit pas détruite.

Une complexité inextricable

Un autre argument souvent invoqué à propos de ces affaires pour justifier l'extrême prudence du politique, voire son attentisme, est leur complexité. La communauté scientifique se réfugie volontiers derrière elle pour n'accepter aucun regard étranger sur ses travaux. Nous sortons de surcroît d'une époque d'enthousiasme pour la science où celle-ci était supposée capable de combler par de nouvelles découvertes les risques qu'elle générerait. Or, tout à coup, la science est apparue potentiellement criminelle. Le droit, qui procède par des règles générales et permanentes, ne sait comment aborder une matière aussi évolutive et craint de figer prématurément les choses par des règles qui deviendraient, en outre, vite obsolètes.

La complexité de notre monde n'est pas que scientifique ou technique, elle est également administrative. La technostructure devient un monstre qui ne se laisse pas aisément connaître. Comment gouverner un État moderne ? Ces structures complexes renforcent l'éloignement entre l'auteur d'une action et les conséquences de son acte. La moindre négligence peut avoir désormais des conséquences incommensurables, comme l'ont montré nombre de catastrophes récentes. La moindre erreur de manipulation d'un agent de conduite d'un train ou d'un ouvrier peut entraîner la mort de plusieurs personnes. Cette disproportion est le propre de cette nouvelle forme de délinquance dite « technologique ».

L'affaire du sang contaminé a concentré tous ces nouveaux défis relatifs à la disproportion entre l'acte générateur et les conséquences au nombre écrasant de victimes, à l'ampleur du préjudice, à l'ambiguïté de la science et à la complexité : elle a bien montré la difficulté de juger une affaire aussi complexe techniquement et administrativement. Cette complexité devient un véritable problème pour les jurys en Angleterre ou aux États-Unis, notamment dans les affaires financières. Le risque alors est de baisser les bras devant une telle difficulté et de s'en remettre au jugement de ceux qui peuvent la maîtriser, quitte à ce que le mécanicien devienne pilote. Nous voici plongés dans une situation paradoxale, dans laquelle ceux qui comprennent ne peuvent juger et ceux qui doivent juger ne peuvent dominer une telle complexité.

Des dimensions insurmontables

Le crime contre l'humanité est un crime qui, par ses dimensions et par sa démesure, atteint des proportions jamais vues. Il pose une double question à la justice : peut-on juger le génocide ? comment relever le défi du nombre ?

On se souvient de la polémique au moment du procès Eichmann à Jérusalem qu'Hannah Arendt avait couvert pour un journal new-yorkais. Elle aborda le jugement en refusant de renvoyer les criminels nazis dans le statut de monstres et mit en évidence que le jugement ne peut s'exercer que lorsque ceux qui sont jugés « ne sont ni anges ni bêtes, mais tout simplement des hommes ». L'intellectuel juif Gershom Scholem lui reprocha vivement son jugement sur l'attitude de certains notables de la communauté juive pendant la guerre : « Il y avait parmi eux beaucoup de gens qui n'étaient pas différents de nous, qui ont été contraints de prendre des décisions terribles dans des circonstances que nous ne pouvons même pas reproduire ou retracer. Je ne sais s'ils ont eu raison ou tort. Et je n'ai pas la présomption de juger. Je n'y étais pas [2]. » Ce à quoi répondit Hannah Arendt : « L'argument selon lequel nous ne pouvons pas juger si nous n'étions pas nous-mêmes présents et concernés semble convaincre tout le monde. Et pourtant *si c'était vrai, nul ne pourrait jamais être magistrat ou historien* [3]. »

Mais le crime contre l'humanité pose également des problèmes en raison du nombre des victimes et des auteurs. Peut-on juger un peuple tout entier ou des milliers de ses membres pour un crime collectif ? Que fallait-il faire après la chute du nazisme : se contenter d'en juger quelques-uns ou juger tous ceux qui avaient participé d'une manière ou d'une autre à la machine de mort ? Mais combien étaient-ils ? La même question s'est posée en Argentine et au Chili après la chute de la dictature qui, dans les deux cas, a été très meurtrière, et plus généralement dans tous les pays anciennement communistes. Ne risque-t-on pas dans un cas de mettre une partie du pays en prison et dans l'autre de faire supporter à une poignée de militaires le crime de tout un appareil ? Et la réconciliation ? Et le pardon ?

Comment rendre justice aux millions de morts du génocide cambodgien ? Il est plus facile de juger un crime – voire dix ou quinze – que des milliers. La justice ne serait en mesure que d'in-

---

2. R. Beiner, « Hannah Arendt et la faculté de juger », *Hannah Arendt, Juger, sur la philosophie politique de Kant*, Paris, Éd. du Seuil, 1991, p. 143.

3. *Ibid.*, p. 142 (c'est nous qui soulignons).

quiéter le menu fretin, laissant les gros au jugement de l'histoire, moins pénible que celui des hommes ? Il serait pour le moins paradoxal qu'une personne accusée de crime contre l'humanité ait plus de chances d'échapper à la justice qu'un criminel ordinaire. Le problème est très actuel. Il y a aujourd'hui au Ruanda plus de trente mille personnes incarcérées sous l'inculpation de génocide, dont certaines sont accusées de plusieurs dizaines d'assassinats, et seulement une poignée de magistrats pour les juger. La justice est très onéreuse ; elle apparaît même à certains pays pauvres comme un luxe qu'ils ne peuvent se payer. Un juste procès requiert un personnel très qualifié (juge, avocats, experts, etc.) et une grande consommation de temps, d'argent et d'énergie. Si l'on veut garantir à ces milliers de suspects de génocide un juste procès – d'autant plus nécessaire qu'ils ont méprisé les droits fondamentaux de la personne humaine –, il faut pratiquer des autopsies, recueillir des témoignages, procéder à des auditions et des confrontations, bref, accomplir tout ce que requiert une bonne justice. Cela mobiliserait des milliers de juges pendant des années. Alors que faire ? L'ampleur du crime collectif pose un véritable problème économique à la justice.

La capitulation devant la difficulté de juger est une autre expression de la crise du politique. C'est en effet la possibilité d'un sens partagé qui se glisse derrière la question du jugement. « Le jugement nous aide à donner sens, dit Hannah Arendt, à rendre humainement intelligibles des événements qui, autrement, en resteraient dépourvus. La faculté de jugement est au service de l'intelligibilité humaines et le fait de conférer l'intelligibilité est le sens même de la politique [4]. »

LA JUSTICE ENTRE IDÉALISATION ET DIABOLISATION

La justice étant un des derniers lieux de visibilité de la démocratie, on sollicite de plus en plus sa fonction tribunicienne. Intenter une action en justice présente au moins le mérite de faire parler du problème et donc de lui donner une existence publique. Cela s'est vérifié en matière d'excision par exemple. Certaines affaires ont été renvoyées ces dernières années devant des cours d'assises pour juger des femmes africaines qui avaient pratiqué ce rite sur notre sol. Les jugements d'assises, manifestement inadaptés, ont au moins eu le mérite de poser un problème qui ne l'aurait pas été

---

4. *Ibid.*, p. 143.

autrement, et peut-être aussi d'envoyer un message à la communauté africaine. On a également prétendu que ce type d'affaires ne devait pas être réglé par la justice. Même critique dans l'affaire Touvier ou dans celle du sang contaminé, dans lesquelles on a vivement reproché à la justice de dire l'histoire et de dire l'état de la science en sortant manifestement de son rôle. Des juges peuvent-ils dire l'histoire ? Peuvent-ils définir l'erreur scientifique ? Ce qui est critiqué, c'est autant le jugement en lui-même que le fait d'avoir entrepris un jugement dans ces affaires. Fallait-il faire un procès pénal dans l'affaire du sang contaminé ? Fallait-il juger Touvier cinquante années après les faits ?

La prohibition du déni de justice

La justice est précisément recherchée comme substitut du politique parce qu'elle ne peut se dispenser de dire le droit, quitte à s'exposer aux foudres de la communauté scientifique ou de l'opinion publique. Lorsque la communauté scientifique doit se prononcer sur une question, elle se donne le temps nécessaire et, parfois, conclut à l'impossibilité de se prononcer. *Idem* pour le législateur, comme on l'a vu en matière de bioéthique. La justice, à la différence d'eux, doit rendre une décision. La justice *doit* juger avec les informations dont elle dispose. Cette obligation de juger fait la particularité du jugement judiciaire.

Devant de telles difficultés, la tentation est de renoncer purement et simplement à juger. Ou plus exactement de s'en remettre à une sorte de jugement automatique qui ne passe plus par ce moment procédural et public. On laisse aux scientifiques le soin d'établir la responsabilité de ceux des leurs qui n'ont pas respecté la déontologie, aux médias de définir eux-mêmes leur éthique, au marché de réguler les attentes politiques et à l'histoire de juger l'histoire en espérant que le temps pansera toutes les plaies. La régulation spontanée du social se substitue au jugement.

Lorsque l'on parle du jugement de l'histoire, on parle d'un jugement impersonnel, qui expulse deux caractéristiques fondamentales du jugement, celle du tiers (l'humanité n'est pas tiers par rapport à elle-même) et celle du moment particulier dans lequel le jugement prend corps. En d'autres termes, on ampute la justice des deux conditions essentielles de son fonctionnement : un juge qui statue au terme d'un moment particulier. C'est la différence entre la régulation par le marché et le jugement. Le jugement judiciaire procède d'un moment particulier dans lequel on s'écarte délibérément, et de façon absolument « contre nature », de ses intérêts immédiats, de sa situation dans le monde. Mais la nature n'est jamais complètement vaincue, et le jugement risque fort d'apparaître pour le produit de ces intérêts.

L'ampleur des défis contraste avec l'archaïsme des moyens de la justice, entendus non pas comme moyens matériels (télécopieurs, ordinateurs par exemple) mais comme son instrument même : le procès, c'est-à-dire la concentration dans un espace de temps et de lieu définis d'un débat réglé par la procédure, devant se terminer par une décision entourée de quelques garanties. L'audience avec son lot de chicanes paraît dérisoire face aux drames qu'a connus notre siècle – les journalistes ne se sont pas privés de le faire remarquer lors de l'affaire du sang contaminé. D'autant que ces moyens ne paraissent pas perfectibles. Jamais la justice n'était apparue aussi nécessaire et aussi archaïque. Le procès est le seul moyen à notre disposition, et il est bien prosaïque. La modernité rend le jugement encore plus nécessaire et encore plus fragile. Avons-nous d'autre choix que d'en assumer la part humaine ?

Un débat en situation

Le jugement judiciaire est toujours un jugement *en situation* et, pourrait-on ajouter, d'une situation. Ce qui en fait à la fois la force et la faiblesse. C'est un jugement sous horizon de finitude. « Juger une situation véritablement humaine, c'est prendre part à la tragédie potentielle en ces circonstances où s'exerce la responsabilité de l'homme portée à ses limites [5]. » Revendiquer de juger malgré tout, c'est, en fin de compte, une revendication de la dignité d'homme.

A la différence du médecin ou de l'entrepreneur, le juge ne peut exercer son pouvoir que dans des circonstances bien déterminées, celles de l'audience, et au terme d'un échange d'arguments réglé par la procédure. Son contact avec la réalité est toujours médiatisé par le droit, la procédure ou le cadre rituel de la salle d'audience. Il n'y a pas de jugement « pur », libéré des conditions physiques de sa réalisation. Le juriste envisage les problèmes de droit débarrassé de leur dimension humaine. Il faut se méfier des représentations idéales qui conçoivent le jugement au terme d'un débat complet et bien argumenté. La réalité est tout autre : plus que d'un procès, il

5. *Ibid.*, p. 144.

s'agit d'un processus, plus que d'un sens déposé dans une norme appliquée à une situation, il s'agit d'une construction commune du sens d'une affaire. Il est donc essentiel de penser la décision finale comme le produit d'une multitude de petites décisions prises par des acteurs très divers qui ne sont d'ailleurs pas tous juges ni même juristes. Irène Théry a montré le poids, dans les jugements de divorce, de la situation de fait initiale, qui a de grandes chances d'être confirmée par les expertises et surtout par le temps, grand gagnant du procès [6]. D'où l'importance de s'émanciper d'une vision romantique du jugement et de s'intéresser au référé, à l'instruction, à l'expertise et à toutes ces décisions qui préparent le moment solennel et ritualisé du jugement.

Il faut donc cesser d'assimiler l'acte de juger « aux cas tragiques [7] » ou aux « hard cases », largement publiés et abondamment commentés. Ils ne représentent qu'une infime minorité des affaires. Les décisions que prend le juge ordinaire, même si on peut espérer qu'elles sont fondées en droit, ne disposent pas toujours, loin s'en faut, d'un tel luxe de précautions. Et pourtant, ces décisions que le juge prend « au débotté », au téléphone par exemple, seul, dans l'urgence ou de manière très répétitive ou automatisée sont importantes. Elles concernent le plus souvent des personnes et s'avèrent souvent à forte densité humaine : mise en détention, petites peines, mesures provisoires de garde, etc. Il arrive toujours un moment où le juge doit interrompre la chaîne des arguments susceptibles d'être exprimés et où il doit faire comme si tous les éléments lui étaient donnés. « Mais c'est précisément cette fiction contrefactuelle d'une part et l'invisible horizon éthique guidant sa décision d'autre part qui semblent indiquer la dimension collective de la résolution d'un conflit individuel. Dans cette brisure repose sans doute aussi la signification profonde de la chose jugée [8]. »

DIRE LE JUSTE

La nécessité du jugement est éclairée par son extrême, le crime contre l'humanité, et par son envers, la négation. Les débats parlementaires du nouveau Code pénal ont montré l'importance capitale que le crime contre l'humanité a prise dans la conscience juri-

---

6. I. Théry, *Le Démariage, justice et vie privée*, Paris, Odile Jacob, 1993.
7. M. Atienza, *Tras la justicia*, Barcelone, Ariel, 1993.
8. P. Coppens, « Médiation et philosophie du droit », *Archives de politique criminelle*, 1991, p. 23.

dique contemporaine. Les génocides de ce siècle, et plus précisément l'holocauste juif, ont permis aux nations de s'accorder sur ce qu'elles ne voulaient plus, sur une sorte de droit naturel négatif. Le souvenir encore proche de la Shoah a inspiré la plupart des grands textes de l'immédiat après-guerre, à commencer par la Déclaration universelle des droits de l'homme du 10 décembre 1948. Le crime contre l'humanité est ainsi la référence fondatrice d'une nouvelle tranche de l'histoire de l'humanité. Fondateur, il l'est également en livrant la clé pour comprendre la fonction de la justice des sociétés sans transcendance. Le crime contre l'humanité rappelle à la justice son devoir premier qui est de *dire le juste*. Dire est sa première – et parfois sa seule – tâche : aussi loin que l'on remonte dans la mémoire de notre droit, la justice est associée à un dire public, comme l'indique son étymologie : « juri-diction », dire le droit.

La négation, en effet, fait partie du crime contre l'humanité. Le meurtre a pour composante intrinsèque sa propre dénégation : c'est, entre autres, pour cela qu'il ne s'agit pas d'un crime ordinaire. L'autre n'est pas seulement tué mais il est détruit, nié, évaporé. Même sa mort disparaît. Le processeur du crime contre l'humanité, c'est la dénégation. L'effacement des preuves par anticipation qui caractérise tous ces types de crimes ne procède pas du souci bien humain d'échapper à la sanction mais de la volonté d'accomplir le crime en rendant sa preuve impossible. Le crime en même temps qu'il se consomme rend impossible toute mémoire. Il tue la mémoire, interdit le deuil en rendant l'injustice commise improbable, dans les deux sens d'incertaine et surtout d'improuvable.

La souffrance des survivants en est la preuve. Ils sont condamnés à porter pendant des générations une injustice qui les empêche de vivre. Le crime initial est non seulement nié mais il est immatériel, et les victimes sont transformées en non-êtres. Cela a pour conséquence de rendre la survie difficile – voire impossible – tant les enfants sont victimes d'enfermement psychique, en échec de symbolisation. « Ainsi, dit cette survivante du génocide arménien, il ne peut y avoir de réels échanges intersubjectifs entre l'enfant et son parent survivant, devenu doublement " clandestin " à lui-même : parce qu'il ne peut intégrer une part essentielle de son vécu mais aussi parce que celui-ci a été effacé dans la conscience du monde [9]. » On se souvient de ce moment d'intense émotion du

9. J. Altounian, « Porter le nom d'ancêtres clandestins (trauma d'un génocide " secret " chez les descendants des survivants arméniens) », *Violence et politique*, Paris, Hazan, 1995, p. 155.

procès Barbie, quand une victime a déclaré à la cour qu'enfin ce soir elle pourrait dormir, ayant enfin pu regarder Barbie en face.

Il en va de même dans la *disparition*, forme de répression apparue dans la seconde moitié du XXe siècle, principalement en Amérique latine, que des organisations de défense des droits de l'homme essaient d'ailleurs de faire reconnaître par l'ONU comme crime imprescriptible. Comme pour le crime contre l'humanité, il s'agit d'une répression minutieusement organisée qui consiste à faire régner la terreur en faisant disparaître non pas un groupe social tout entier comme dans le génocide, mais quelques victimes soigneusement sélectionnées. Les auteurs sont, comme en Turquie dans le cas du génocide arménien ou en Allemagne lors de la Shoah, des membres de la police ou des forces armées organisés en escadrons de la mort agissant parallèlement et de concert avec les autorités. Le mécanisme est connu : une personne est enlevée le plus souvent en plein jour dans un lieu public, comme le marché, voire chez elle parmi les siens, et nul ne la revoit jamais. Elle disparaît et la famille vit des années dans l'espoir fou de son retour. Non seulement les survivants ne sauront pas les détails de la mort, ni si elle a été victime d'un crime, ni même si elle est vraiment morte. Tout deuil est mis en échec : comment pleurer, en effet, quelqu'un dont on n'est pas sûr qu'il soit mort ? Dans la disparition, même le crime manque.

Cette souffrance de la négation qui prolonge les effets du crime sur des générations révèle *a contrario* le sens de la justice : établir des faits, fixer des responsabilités et leur donner une appréciation juridique. La justice ne se substitue pas à la mémoire, elle en est la condition. La mort est irréversible et aucun jugement n'a fait revenir les morts. Mais la mort elle-même peut devenir irréparable. Le propre du jugement est de réintégrer le crime dans un ordre symbolique, de lui donner un sens à la lumière de la discrimination entre le bien et le mal, essentielle à tout groupe humain. Renoncer à cette tâche minimale ne revient pas à ne rien faire mais aboutit concrètement à prolonger le crime. Cela explique pourquoi le négationnisme est interdit par la loi pénale en France : il ne s'agit pas d'une opinion comme une autre, mais de la continuation du crime lui-même.

Que justice soit dite

Les génocides se caractérisent par un même vocabulaire euphémisé. En Turquie, selon la terminologie officielle, des « personnes connues » (les Arméniens) devaient faire l'objet d'un « changement de séjour », avec des « moyens connus » dans des « endroits propices » ou encore des « endroits désignés ». Au Ruanda, le mot « travailler » signifiait en réalité « massacrer ». Les mots perdent leur sens et il devient possible pour les bourreaux de se faire passer pour victimes et d'accuser les victimes d'être des bourreaux. Plus aucune communication n'est possible puisque les mots ne veulent plus rien dire. Plus qu'un crime politique, le crime contre l'humanité est un crime contre la politique, un crime archaïque, un crime contre le langage. La première créance qu'il fait naître est une obligation envers le langage, l'institution des institutions. Le langage impose, en effet, une première division fondamentale, celle qui nous sépare du réel.

La première obligation qui pèse sur les contemporains du génocide est de le dénoncer et donc de le *dire*. Il faut sortir de l'indicible de l'horreur et témoigner, car ce qui est indescriptible est imprescriptible. Cet impératif de dire n'est pas l'apanage des juges. Si l'on n'honore pas cette obligation qui pèse sur chacun, témoins, enfants des victimes ou de bourreaux, simples spectateurs, jamais le droit ne pourra se dire. Au contraire, la justice intervient en dernier pour certifier et officialiser les témoignages. Dire le juste ne peut être que le redoublement officiel d'une conscience commune du mal. Il est essentiel d'établir des catégories, à commencer par la première d'entre toutes, celle qui distingue le bien du mal, et faire cesser cette indifférenciation entre la victime et l'agresseur. Accuser et faire des catégories ont d'ailleurs la même origine grecque : *kategoresthai*.

Ces réflexions montrent la continuité entre le crime contre l'humanité et le crimes ordinaire, et notamment l'inceste. Les victimes de ce type de crimes qui ne laissent pas de traces apparentes – et qui posent d'ailleurs de redoutables problèmes de preuves – ne sont-elles pas condamnées au même enfermement psychique ? Leur souffrance peut d'autant moins être partagée qu'elle n'est pas reconnue puisque inconnaissable. Seul ce dire peut faire sortir de la forclusion victimaire ou de l'enfermement dans sa propre folie. Le jugement signifie le rapatriement dans la patrie humaine, c'est-à-dire la patrie du langage. On l'a bien vu au procès de Nuremberg : les accusés ne se souvenaient pas, toute l'Allemagne était frappée d'amnésie. Elle ne pouvait accepter consciemment les camps d'extermination. Le procès, en établissant ces crimes, évita le refoulement et rendit la responsabilité à leurs auteurs. Lorsque la peine est rendue vaine, que la sanction semble inutile, la justice garde néanmoins sa fonction première qui est un acte de nomination, un dire public.

Assurer la continuation de la démocratie

La demande des victimes d'inceste, le plus souvent des jeunes filles, est moins la répression que la reconnaissance publique par la voix officielle du juge de l'outrage qu'elles ont subi. Ne serait-ce que pour faire cesser le doute qui pèse sur leur moralité. La victime d'inceste craint d'être suspectée d'avoir séduit son père, et la victime de la torture d'être soupçonnée d'avoir provoqué cette escalade de la violence sinon d'avoir mérité le châtiment : « *En que se andara metido ?* » « Dans quoi s'était-il encore fourré ? », disent souvent les Guatémaltèques lorsqu'ils découvrent un cadavre le matin dans la rue ou qu'ils apprennent la disparition d'un proche. Le rôle de la justice est précisément de faire cesser cette indifférenciation en séparant l'agresseur et la victime. En matière d'inceste, rien n'est possible – aucune évolution, aucune thérapie – avant le jugement, tant que cette parole publique et différenciatrice n'aura pas été tenue. L'auteur, parce qu'il est trop préoccupé par l'issue du procès, la victime, parce qu'elle subit la pression de la famille pour se rétracter et parce qu'on lui reproche la dislocation de la famille, la baisse des revenus du fait de l'incarcération du père. Loin d'être un obstacle, la purgation cathartique du passé, dont l'audience a le monopole, est la condition de l'avenir, le passage obligé pour la reprise des échanges dans la famille.

Il en va de même au niveau de la vie politique d'un pays traversé par la terreur. La justice est la condition de la paix, la purgation du passé est la condition de l'avenir. C'est tout le problème de l'impunité dans des pays ayant connu la dictature, après le retour de la démocratie. Tout pays qui refuse de voir son histoire est condamné à la répéter. Il faut restaurer la paix par la justice pour reprendre le flot continu des échanges qui constitue la vie sociale.

Qu'il s'agisse des survivants de crimes contre l'humanité ou de victimes d'inceste, ce qui est en jeu, c'est, en effet, chaque fois la continuité des échanges, bref, de la vie. Le sens du jugement est « le rétablissement de la " continuité des personnes " dont parle Emmanuel Levinas. Par leur subjectivité unilatérale, les vérités contradictoires suspendent cette continuité et, à la limite, la brisent, creusant un abîme entre les personnes dont elles défigurent le visage dans le masque hostile de l'adversaire. Par sa détermination impartiale de la vérité commune, le juge rétablit la continuité [10] ». L'autorité est recherchée pour sa capacité d'arrêter, de mettre *fin* à la controverse et pour rétablir la vérité, c'est-à-dire pour rendre possible la continuité du sujet et du social. Cette continuité ne doit pas cependant se faire aux dépens d'un homme, au prix du sacrifice de quelques-uns comme nos démocraties en prennent actuellement le chemin.

Avant même sa fonction d'autoriser la violence légitime, la justice est une parole, et le jugement un dire public. Qu'il s'agisse des crimes les plus graves, comme le crime contre l'humanité, ou de l'inceste, le moment du jugement se suffit à lui-même pour faire lien et permettre que la vie continue. Plus le crime touche de près l'ordre symbolique, plus ce dire sera essentiel. Ces affaires de bioéthique, de crime contre l'humanité ou d'inceste ont en commun de demander à la justice de dire ce qu'il y a d'humain dans l'homme, de rappeler qu'il est interdit de l'assimiler à une chose, de protéger la part d'humanité déposée en chacun. Le droit se présente *in fine* comme la promesse d'humanité faite les uns aux autres et garantie par la loi. Ce qui nous fonde en humanité est la capacité reconnue d'être un sujet de langage, c'est-à-dire de parler, de témoigner et de nous engager par des paroles. Le droit s'analyse en dernière lecture comme une promesse faite à la communauté, nationale ou internationale, aux générations à venir. D'où cette règle d'or qui est la condition même de l'édifice juridique : les engagements doivent être tenus, *pacta sunt servanda*.

---

10. S. Cotta, « *Quidquid latet apparebit* : le problème de la vérité du jugement », *Archives de philosophie du droit*, Paris, Sirey, 1995, p. 223.

DEUXIÈME PARTIE

LA JUSTICE DANS UNE DÉMOCRATIE RÉNOVÉE

Chapitre VIII

GARDER LES REPÈRES COLLECTIFS

La justice et la République sont souvent opposées de manière dramaturgique dans un face-à-face stérile, c'est-à-dire en termes d'exclusion réciproque. Pour beaucoup, surtout dans notre pays, la démocratie ne peut se concevoir qu'avec une magistrature asservie. Les jacobins hurlent au gouvernement des juges dès que ceux-là prétendent leur appliquer la loi commune, pendant que certains juges se lancent dans une inquiétante surenchère réclamant toujours plus d'indépendance et ne supportant aucun contrôle. Le passif démocratique ne pourrait-il être comblé que par une abdication de souveraineté en faveur du juge ? La démocratie ne pourrait-elle survivre que par la négation d'elle-même ? Aucun moyen terme n'est concevable entre la sacralisation de l'office du juge et son asservissement au pouvoir exécutif. La culture française aime particulièrement ces oppositions radicales qui ne servent en fin de compte ni la République ni la justice. D'où cette sorte de cercle vicieux dont notre pays n'arrive pas à sortir : le pouvoir politique dénie toute existence au juge – surtout judiciaire – qui le lui rend bien en se manifestant par des coups d'éclat intempestifs dont l'actualité offre régulièrement des illustrations, dans une sorte de rapport adolescent envers l'État.

Faut-il contester le despotisme doux de la justice au nom d'une conception classique de la démocratie, au double risque de continuer de s'aveugler sur le rôle politique du juge et, en frustrant la demande à laquelle il répond, de voir la justice épouser d'autres formes encore plus indésirables ? Comment prendre à la fois acte de cette nouvelle demande et protéger la démocratie de l'arbitraire des juges ? Comment estimer la bonne distance entre justice et pouvoir politique ? Notre époque, devenue méfiante à l'égard de toute idéologie et renvoyant les extrêmes dos à dos, requiert une approche plus subtile. Le véritable enjeu est de concevoir la complémentarité entre justice et démocratie, c'est-à-dire les moyens d'une dynamisation de la démocratie *par* la justice et non plus *contre* la justice.

Contre ces représentations naïves, il faut prendre acte de la part politique qui entre dans tout acte de juger, sans l'exagérer ni la nier. Refuser de la voir empêche d'ouvrir le débat des années à venir et de prendre acte de cette montée en puissance du juge pour dynamiser – et non étouffer – notre démocratie. La particularité des juges n'est pas d'être hors du système « mais d'y être reliés d'une manière différente des autres [1] ». Cessons donc d'opposer justice et démocratie pour comprendre que gouvernement et juridiction sont deux modes d'intervention dans l'espace public, la première comme pouvoir et la seconde comme *autorité*.

FONDER L'AUTORITÉ

Toutes ces impasses de la démocratie juridique révèlent, en effet, une demande très ambivalente : celle d'un sujet qui demande à la fois plus de prise en charge et plus de liberté, des médias qui montrent un intérêt croissant pour les affaires de justice pour mieux les déposséder, d'une société désacralisée qui ne se remet pas d'avoir supprimé ses rites, d'une démocratie dont la demande massive de clercs pourrait s'avérer à la longue autodestructrice. La justice devient destinataire d'une demande nouvelle de référence qui se tourne vers elle en l'absence d'autres références.

L'ambivalence des attentes à l'égard de la justice

En critiquant toute autorité traditionnelle, qu'il s'agisse de celle du père, du mari, du patron ou du gouvernant, et en dénonçant toute contrainte extérieure au nom des droits élémentaires de l'individu, l'engouement actuel pour le droit entretient l'illusion d'une société dépolitisée qui emmènerait les hommes vers un nouvel état de nature. Pour ce rousseauisme inversé, l'histoire nous conduirait

---

1. J. W. Peltason, « Judicial Process : Introduction », *International Encyclopedia of the Social Sciences*, New York, McMillan, 1968, p. 287.

vers un état heureux où l'harmonie des intérêts se réaliserait spontanément par l'action du marché, la concorde des esprits par le truchement des médias et la paix par les droits de l'homme. Quoi de plus « naturel », en effet, que les droits de l'homme ? Qu'est-ce qui semble plus aller de soi que la loi du marché ? Le capitalisme ne s'impose-t-il pas, depuis la chute du mur de Berlin, avec une telle évidence qu'il en est soustrait du débat politique ? Les sociétés démocratiques, éminemment politiques, sont paradoxalement celles dans lesquelles les choix apparaissent les plus restreints tant les questions y sont « naturalisées » : l'économique est résolu par le marché, les interdits justifiés par l'hygiène, le sujet expliqué par la psychologie et le consensus social recherché dans la communication médiatique. Cette « naturalisation » de la démocratie démobilise les sujets démocratiques au moment même où, privés du secours de toute tradition, ils doivent plus que jamais se prendre en charge.

La justice semble être convoquée à la fois comme un moyen d'accomplir la promesse démocratique et comme un moyen de la retarder, comme si nous pressentions que la « démocratie totale » portait en elle le germe de sa propre dissolution, que son coût pourrait s'avérer exorbitant, que la fiction de l'égalité absolue avait quelque chose d'insupportable et la liberté radicale quelque chose d'inhumain. La disparition de l'autorité, plus soutenue ni par l'État, ni par la tradition, ni par les mœurs, donne le vertige.

Cette nouvelle scène de la justice manifeste autant l'émergence d'un nouveau pouvoir que le signe de la vacuité du pouvoir, autant un déplacement de l'institution symbolique que l'angoisse de sa possible disparition. « Lorsqu'il n'existe plus d'autorité en matière de religion, non plus qu'en matière politique, les hommes s'effraient bientôt à l'aspect de cette indépendance sans limites [2]. » Ce n'est probablement pas par hasard qu'une telle demande prend corps dans une société désorientée, désaffiliée de sa tradition, orpheline de grands systèmes de sens. Lorsque les idéologies ont déçu, le combat politique se mue en combat procédural. Il ne s'agit plus alors d'un recours joyeux et confiant au juge mais d'une victoire par forfait, d'une *promotion par défaut* qui s'explique par le retrait de l'État, par l'angoisse de la disparition d'un monde commun ou par le déclin de la famille.

La justice devient l'instrument d'une émancipation et le dernier recours contre l'implosion de la démocratie. La juridiction devient le dernier instituant possible d'une société en voie de désintégra-

2. A. de Tocqueville, *De la démocratie en Amérique*, *op. cit.*, t. II, p. 29.

tion, la politique d'élection des sociétés déçues par leurs institutions traditionnelles, le seul centre possible d'une société polycentrique, l'ultime instance morale lorsque la religion a déserté l'horizon démocratique, la dernière scène d'une société aveugle sur ses projets.

Mais la position de la justice est paradoxale : elle réagit à une menace de désintégration qu'elle contribue cependant à promouvoir. Au nom des droits de l'homme, la justice érode tous les particularismes culturels ou religieux. Elle n'a de cesse que de destituer la tradition et son lot de hiérarchies. Elle est à la fois l'*agent* et la *victime* de ce mouvement général de désymbolisation qui n'est probablement pas sans lien avec la révolution de l'image. La justice risque d'être prise à son propre jeu et emportée par le même mouvement qui l'a propulsée sur le devant de la scène. La justice devient un contre-pouvoir qui étouffe le pouvoir, elle développe une responsabilité qui décourage toute initiative, une répression qui criminalise l'injustice sociale, une autorité qui destitue toute autorité. L'exemple des médias est là pour en attester : en même temps qu'ils décuplent le pouvoir des juges, ils expulsent la justice des prétoires.

L'autorité vécue comme un manque

L'autorité se présente à nous comme un *manque*, à l'instar de la justice toujours précédée par l'indignation face à l'injustice. Comment expliquer que ce manque ne semble avoir été ressenti que récemment ? On sait depuis Tocqueville que la démocratie est non seulement un régime politique mais également une société. Mais la démocratisation des institutions et celle de la société n'ont pas suivi le même rythme. Si l'on situe à la Révolution le début du processus de démocratisation, force est de constater qu'au lendemain de la Seconde Guerre mondiale la France connaissait encore des modes de vie fortement hiérarchisés, que ses racines rurales n'avaient pas encore disparu et que l'influence de l'Église catholique demeurait forte. La demande adressée à la justice consiste peut-être moins à s'émanciper d'une société traditionnelle, qui n'existe pratiquement plus, que de vivre ensemble sans tradition. D'où ce *basculement* de la démocratie où subitement les forces centripètes semblent l'emporter sur les forces centrifuges, où celles qui délient sont plus fortes que celles qui retiennent à la collectivité. On appelle alors la justice à la rescousse pour maintenir la cohésion et assurer le lien avec le pacte fondateur.

L'autorité semble être appelée à croître au fur et à mesure que l'État s'efface, que l'autodétermination s'accroît et que les divisions sociales s'accusent. « L'émancipation des individus de la contrainte primordiale qui les engageait envers une communauté supposée les précéder [...], loin d'entraîner une réduction du rôle de l'autorité, comme le bon sens, d'une simple déduction, le suggérerait, a constamment contribué à l'élargir [3]. » L'autorité dans la société démocratique n'est pas le vestige d'un âge prédémocratique, l'indice de ce que nous avons été ou la dissimulation du véritable pouvoir, mais « un complément devenu pour nous un manque – bref un relais à la fois indispensable et impossible [4] ».

Comment aborder cette fonction d'autorité dont on a tant de mal à parler ? Comment cerner les formes inédites qu'elle prend dans des démocraties comme les nôtres ? Comment continuer d'honorer les valeurs de la démocratie en répondant à cette demande non démocratique de la démocratie ? Comment satisfaire ensemble l'aspiration à la liberté et la nécessité d'une autorité ?

La justice n'a certes pas le monopole de cette demande d'autorité : toutes les institutions la ressentent, à commencer par l'école mais aussi la santé et notamment la psychiatrie qui devient destinataire d'une demande de prise en charge morale. Qu'est-ce que la justice a de particulier parmi ces institutions ? C'est sur elle que repose le maintien des autres catégories. Par exemple, la question de savoir jusqu'à quel point l'école peut accepter la différence culturelle – question politique s'il en est – est finalement tranchée par la justice. On pense, bien sûr, à l'affaire du foulard mais plus récemment à la demande pour les élèves de confession israélite de s'absenter pour le shabbat. « Le juge est sommé d'apporter une réponse à la fois opérationnelle et juridiquement étayée à un problème de société que l'effacement des repères communs ne permet plus de régler facilement sur le terrain [5]. »

La démocratie peut moins que tout autre régime se passer d'autorité. Elle ne consiste pas « à faire en sorte que tout le monde commande, ou que personne ne soit commandé, mais à obéir et à commander ses égaux. [Le véritable esprit d'égalité] ne cherche pas à n'avoir point de maîtres, mais à n'avoir que ses égaux pour maîtres [6] ». Il n'y a pas de démocratie sans l'abolition du transcendant, mais il n'y a pas de démocratie non plus sans recréation per-

---

3. M. Gauchet, « Les droits de l'homme ne sont pas une politique », *op. cit.*, p. 17.
4. P. Ricœur, *Lectures I*, *op. cit.*, p. 36.
5. P. Bernard, *Le Monde* du 2-3 avril 1995.
6. Montesquieu, *L'Esprit des lois*, *op. cit.*, p. 245.

manente d'une instance symbolique pour combler le vide ainsi créé qui remplisse pour le sujet, pour le lien social et pour le politique une fonction équivalente.

Une autorité pour mettre en scène le pouvoir

L'autorité nous introduit au cœur de la difficulté de *l'obéissance* en démocratie. Les philosophes sont généralement plus enclins à parler de la liberté que de l'obéissance, et pourtant la seconde est peut-être plus difficile à penser que la première. L'obéissance ne se réduit pas à la force. Plus qu'un conseil et moins qu'un ordre, dit Hannah Arendt, l'autorité est un avis auquel on ne peut passer outre sans dommage. « L'autorité exclut l'usage de moyens extérieurs de coercition ; là où la force est employée, l'autorité proprement dite a échoué. L'autorité, d'autre part, est incompatible avec la persuasion qui présuppose l'égalité et opère par un processus d'argumentation. Là où on a recours à des arguments, l'autorité est laissée de côté. Face à l'ordre égalitaire de la persuasion se tient l'ordre autoritaire, qui est toujours hiérarchique. S'il faut vraiment définir l'autorité, alors ce doit être en l'opposant à la fois à la contrainte par force et à la persuasion par arguments. La relation autoritaire entre celui qui commande et celui qui obéit ne repose ni sur une raison commune ni sur le pouvoir de celui qui commande ; ce qu'ils ont en commun, c'est la hiérarchie même. [...] L'autorité implique une obéissance dans laquelle les hommes gardent leur liberté [7]. »

L'autorité est ce qui met en scène le pouvoir, le lien social et le sujet, ce qui les dispose ensemble dans un espace commun. L'autorité commune marque la différence entre le lien social et la simple juxtaposition d'individus. Elle est la part commune indispensable à toute différence, le minimum de sens partagé nécessaire à l'expression de points de vue opposés. L'autorité incarne à la fois le principe et les principes du pouvoir, elle confère à chacun une identité et distribue des statuts. Elle est repère soustrait à la contractualisation démocratique, cadre qui permet le débat, interdit qui constitue le sujet. A l'autorité indiscutable de la tradition se substitue dans la société démocratique l'autorité de la discussion, c'est-à-dire une autorité toujours soumise à discussion. D'une légitimité donnée d'emblée, l'autorité se mue en un débat permanent sur la légitimité. L'autorité devient le cadre lui-même, ce qui met

7. H. Arendt, *La Crise de la culture*, Paris, Gallimard, Folio, 1993, pp. 139-140.

en scène la délibération infinie. L'autorité se situe *en deçà* du débat démocratique, comme la mise en forme de ce débat. C'est pourquoi elle relève plutôt du registre du prépolitique, c'est-à-dire de ce qui est antérieur à l'échange politique et au rapport de force. Il ne peut y avoir de débat, par exemple, si aucune autorité n'est aménagée pour mettre un terme à l'argumentation qui, sans cela, serait sans fin. C'est le *lieu* du pouvoir par rapport à son *exercice*. On a ainsi confondu le politique avec l'exercice du pouvoir sans apercevoir qu'il lui fallait également une mise en scène, une référence.

AUTORISER LE POUVOIR

La distinction entre le pouvoir et l'autorité est antérieure à la théorie moderne de la séparation des pouvoirs. « Elle se dessine au cœur du Moyen Âge. Dès le XIIIe siècle, en Angleterre comme sur le Continent, le roi se trouve régulièrement partie pour des causes réglées par les juges qui statuent en son nom. Il peut donc être jugé, débouté, condamné ; ses actes peuvent se voir infirmés. Le corps judiciaire est ainsi habilité jusqu'à un certain point à censurer le corps politique. L'empereur de Rome n'a jamais plaidé devant ses préfets, le calife devant ses cadis. Et si, dans l'Europe médiévale, elle paraît si naturelle, si cette innovation surprenante ne fait l'objet d'aucune controverse, c'est que les juges tiennent leur pouvoir d'une délégation double : du roi comme autorité suprême, mais aussi de Dieu devant qui ils exposent leur conscience [8]. » Dans le modèle politique classique donc, les deux fonctions – pouvoir et autorité – étaient confondues dans l'État ; voilà qu'elles se désolidarisent. Cette dissociation de la fonction de juger et du pouvoir de gouvernement est inscrite dans le destin des sociétés démocratiques. On demande à la justice d'*autoriser* la vie démocratique, de la pourvoir en autorité. La justice doit fournir un surplus de puissance au pouvoir. Le juge est supposé légitimer l'action politique, structurer le sujet, organiser le lien social, aménager des constructions symboliques, certifier la vérité.

Pour la conception classique de la séparation des pouvoirs, les organes doivent être spécialisés et indépendants les uns des autres, de façon à s'équilibrer pour garantir les libertés. Le pouvoir judiciaire est l'objet d'une contradiction qui est le point faible des démocraties : il se voit confier idéalement deux fonctions antino-

---

8. R. Jacob, « L'Europe : une culture judiciaire commune », *Cahiers de l'IHEJ*, Paris, p. 9.

miques – appliquer les décisions prises par les autres pouvoirs et contrôler ces mêmes pouvoirs – mais ne peut en exercer qu'une. Il ne peut en même temps appliquer la loi sans en apprécier le contenu et en contrôler la constitutionnalité. L'indépendance absolue des pouvoirs n'existe pas, ou aboutit à la paralysie. S'il est cantonné à l'application de la loi, le juge ne peut à l'évidence pas jouer un rôle de contre-pouvoir, et, réciproquement, pour arrêter les autres pouvoirs il doit jouir d'une certaine autonomie politique.

Les États-Unis ont choisi la seconde solution et la France la première. La conception française de la séparation des pouvoirs repose sur une définition négative, organique, abstraite et formelle du pouvoir judiciaire. L'expression *pouvoir judiciaire* « est très représentative de la méthode générale du droit français, qui est organique et formelle en ce sens que les actes y sont définis non par leur contenu, leur caractère ou la matière sur laquelle ils portent, mais principalement par la forme dans laquelle ils sont exercés et l'organe dont ils émanent. [...] *Pouvoir juridictionnel* impliquerait que l'on donne un pouvoir à une autorité définie par la fonction qu'elle exerce [9] ». Les transformations de la démocratie invitent à repenser la fonction de juger, à l'inverse, de manière positive, fonctionnelle, matérielle et pragmatique.

En réalité, le pouvoir ne peut se diviser en trois branches qui se verraient attribuer des fonctions spécifiques. Les pouvoirs ne peuvent s'équilibrer que s'ils partagent les mêmes domaines. Dans tous les États qui connaissent la séparation des pouvoirs, chaque pouvoir légifère, administre et juge. Le veto du Président américain est à l'évidence un pouvoir législatif. Les fameuses interprétations de la Cour suprême des États-Unis et sa « découverte du droit » constituent inévitablement une espèce de création de droit. « Les juges, estime Martin Shapiro, ne sont pas meilleurs que les autres gouvernants mais ils sont différents [10]. » Tous les pouvoirs – y compris le judiciaire – exercent une fonction politique mais d'une manière particulière.

Les juristes se disputent depuis des générations pour savoir si la justice est une autorité ou un pouvoir. Il n'y a pas entre ces termes qu'une variation d'intensité mais également une différence de nature, capitale pour comprendre l'évolution actuelle de la jus-

---

9. M. Troper, « La notion de pouvoir judiciaire au début de la Révolution française », *Présence du droit public et des droits de l'homme. Mélanges offerts à Jacques Velu*, Bruxelles, Bruylant, 1992, t. 2, p. 842.

10. M. Shapiro, « Judicialization of Politics in the United States », *International Political Science Review*, 1994, vol. 15, nº 2, p. 111.

tice. Le constituant de 1958 a eu une intuition visionnaire en distinguant l'*autorité* judiciaire d'avec le *pouvoir* politique. Les juges, en y voyant une rétrogradation, de passer du rang de « pouvoir » à celui d'« autorité », en quoi ils ont commis un contresens. On disait, à Rome : « *Potestas in populo, auctoritas in senatu* » : le peuple a le pouvoir mais l'autorité est au Sénat. Les Constituants révolutionnaires ne s'y sont pas trompés en employant le terme de « pouvoir judiciaire » pour minorer le rôle de la justice. En utilisant le terme « pouvoir », Montesquieu voulait manifester que le judiciaire devenait une prérogative de l'État du même registre que l'exécutif et le législatif. Les Constituants ont repris cette inversion terminologique pour bien marquer le rapatriement de la justice au sein de la souveraineté étatique. « En connaisseurs de l'Antiquité et en élèves des bons pères d'une Église qui avait jadis opposé à des fins politiques l'*auctoritas* du pape à la *potestas* des rois pour mieux les soumettre, les Constituants, tout à leur désir d'*abaisser* le judiciaire, ont naturellement préféré le terme de " pouvoir " à celui d'" autorité ", mais ils ont entraîné à leur suite et chez leurs successeurs, en même temps que se perdait l'histoire, un affaiblissement et une confusion des valeurs et des sens [11]. » Encore pétris de culture latine, ils savaient bien que l'*auctoritas* est plus prestigieuse et moins maîtrisable dans une démocratie que la *potestas* qui n'est que l'exercice visible du pouvoir. Hannah Arendt rappelle que l'autorité, étymologiquement, est ce qui « augmente » le pouvoir. La langue française contemporaine a perdu cette nuance. Le verbe « autoriser » ne veut plus dire conférer de l'autorité mais permettre. Et l'adjectif « autoritaire » apporte une nuance péjorative. La langue française ne fait pas, comme la langue anglaise, la distinction entre *authoritarian*, qui signifie autoritaire et *authoritative*, ce qui est conforme à l'autorité, ce qui est légitime.

L'autorité apporte au pouvoir la morale, celui-ci lui prête la force. Alexandre Hamilton rappelle que « la justice, par la nature même de ses fonctions, sera toujours le pouvoir le moins dangereux des trois [...]. [Elle] n'a d'influence ni sur l'épée ni sur la bourse ; elle ne peut diriger la force ou la richesse d'une société et ne peut prendre aucune initiative [12] ». L'autorité ne peut avoir ni la bourse ni l'épée, son seul registre est la parole. L'autorité assure le lien avec les origines, le pouvoir, la projection vers le futur. L'autorité met en scène, le pouvoir joue. L'autorité est fondation, le pouvoir innovation. A une époque où « la pratique politique et la gestion

11. J.-P. Royer, *Histoire de la justice en France*, Paris, PUF, 1995, p. 258.
12. *Federalist*, n° 78, cité par Guarnieri, *op. cit.*

des opinions détiennent le dernier mot, il y a un problème de la tradition de l'autorité, c'est-à-dire la recherche pour le pouvoir, si fragile et volatil, d'un équivalent, pour chaque époque, de l'expérience romaine de la fondation. Parce qu'il n'est pas de consentement sans fondation, la fondation est paradoxalement non à faire mais à répéter [13] ».

C'est devant le président de la Cour suprême que le Président américain prête serment. L'autorité installe le pouvoir dans la durée : « Le Congrès et le Président sont aussi responsables de faire appliquer la constitution des États-Unis, mais la Cour suprême semble plus à même de se centrer sur des valeurs constitutionnelles à long terme que les deux autres pouvoirs pressés de trouver des solutions immédiates à des problèmes immédiats [14]. » La justice, comme le montre bien l'évolution des Cours constitutionnelles en Europe occidentale, se voit attribuer la garde à la fois du principe et des principes du pouvoir. Du principe, en se portant garante de la loyauté des scrutins comme le Conseil constitutionnel de l'élection présidentielle ; des principes, en vérifiant la conformité des lois avec les normes fondamentales.

« Ce n'est pas la Règle qui nous garde, ma fille, c'est nous qui gardons la Règle », dit la mère prieure dans *Dialogues des carmélites* [15]. La règle garde le pouvoir, l'autorité garde la règle. Dans un cas, la règle est le moyen d'agir, dans l'autre la fin. Pour le pouvoir, la référence à l'intérêt collectif est directe, pour l'autorité elle est procédurale. Si le pouvoir réclame une volonté propre, le juge impartial doit faire abstraction de sa propre volonté. C'est peut-être pour cette raison que les triumvirats n'ont jamais tenu bien longtemps dans l'histoire et que le pouvoir a vocation à avoir un titulaire unique, à la différence de l'autorité à laquelle convient mieux la formule collégiale. L'autorité doit « se manifester sur le ton de la déclaration (d'un énoncé vrai) et non sur celui de la décision, de la pure manifestation de volonté [16] ». L'autorité et le pouvoir vont demander des titulaires distincts et réclamer des régimes institutionnels différents. Le pouvoir est directement lié au souverain, l'autorité plus indirectement. L'exercice de l'autorité est toujours *référé* à une norme, à une valeur, à des principes généraux, alors que l'initiative du pouvoir s'autorise de sa propre volonté. La justice n'occupe pas cette fonction d'autorité : elle se borne à en désigner le lieu.

---

13. P. Ricœur, *Lectures I*, *op. cit.*, pp. 41-42.
14. M. Shapiro, *op. cit.*, p. 110.
15. G. Bernanos, *Dialogues des carmélites*, Paris, Éd. du Seuil, 1951, p. 41.
16. S. Rials, « Entre artificialisme et idolâtrie », *op. cit.*, p. 179.

Le pouvoir est ce qui peut et l'autorité ce qui autorise. L'un prend l'initiative et réalise l'action, l'autre la censure ou la valide. Le pouvoir est liberté d'entreprendre, l'autorité contrainte procédurale, l'un est pouvoir, l'autre contre-pouvoir. Le premier est actif et positif, l'autre passif et négatif. C'est ainsi que l'on a pu parler, à propos du Conseil constitutionnel, de « législateur négatif ». Le juge, dit Rousseau, « ne doit avoir aucune portion de la puissance législative ni de l'exécutive ; mais c'est en cela même que la sienne est plus grande ; car, ne pouvant rien faire, il peut tout empêcher. Il est plus sacré et plus révéré comme défenseur des lois que le prince qui les exécute, et que le souverain qui les donne [17] ». L'intervention du pouvoir est programmatique, celle de l'autorité automatique : une juridiction est mise en demeure de se prononcer sur les questions qui lui sont soumises, alors qu'un Parlement choisit son ordre du jour. En matière bioéthique, le législateur français a attendu dix ans pour intervenir, ne s'estimant pas prêt, alors que les juridictions, elles, étaient mises en demeure de se prononcer. L'autorité est par essence une institution passive qui doit être actionnée et qui ne peut se soustraire à sa tâche. « Les juges ne peuvent choisir leur travail : ils doivent parvenir à une décision estime lord Diplock d'une manière ou d'une autre dans toutes les matières qui leur sont soumises. S'ils se reconnaissent compétents, ils font de la politique, s'ils se déclarent incompétents, ils font encore de la politique. La seule chose qu'ils peuvent espérer est d'être impartiaux [18]. »

Le pouvoir assume la division, l'autorité protège le consensus. Le consensus devient, en effet, souvent introuvable dans des démocraties majoritaires où pouvoir politique et incarnation de l'État sont réunis dans de mêmes personnes. Plus le politique sera dévoré par les stratégies à court terme et la communication, plus on cherchera un arbitre désintéressé. La justice incarne ce que Durkheim appelait « les états forts de la conscience collective ». L'article 7 du Code civil néerlandais prévoit explicitement un tel référent : « En déterminant ce que requiert la justice, compte pourra être tenu des principes généraux du droit, des convictions juridiques du peuple néerlandais et des intérêts individuels et sociaux qui pourront être en jeu dans une affaire particulière. » Le juge ne peut créer du droit que de manière « interstitielle » pour combler les lacunes du droit positif ; il n'est qu'un législateur supplétif et exceptionnel. Lord Del-

17. J.-J. Rousseau, *Du contrat social*, *op. cit.*, p. 276.

18. Cité par J. Bell, *Policy Arguments in Judicial Decisions*, Oxford, Clarendon, 1983, p. 5.

vin oppose la création du droit passive du juge à la création dynamique du législateur. La première recherche la sympathie, l'autre l'enthousiasme.

La justice est gardienne du droit, c'est-à-dire des pactes antérieurs qui nous lient. Elle garantit l'identité de la démocratie entendue comme une forme non pas qui demeure la même à travers le temps mais qui « se maintient à la manière d'une promesse tenue [19] ». Qu'il s'agisse du crime contre l'humanité, du sujet de droit ou de la Constitution, le juge exerce son autorité en protégeant la mémoire de cette promesse initiale envers et contre tout, y compris contre la volonté du titulaire en exercice de la souveraineté nationale. La volonté individuelle exprimée dans les droits subjectifs est aussi fragile que la volonté collective incarnée dans le souverain : toutes deux peuvent sombrer dans l'asservissement volontaire. Le juge, qu'il soit constitutionnel ou judiciaire, n'est autre que le garant de cette promesse de liberté faite à soi-même. L'autorité assure la continuité du sujet de droit et donc de la démocratie. Elle relie le présent au passé.

Par exemple, le procureur d'une grande ville, dont le maire devait comparaître à quelques semaines du scrutin pour subornation de témoins, a annoncé qu'il ne requerrait pas l'inéligibilité au motif que « ce n'est pas à la justice de congédier le maire mais aux électeurs ». Mais si une juridiction le déclarait inéligible, ferait-elle autre chose en appliquant la loi que d'exécuter la volonté populaire ? Il ne s'agit pas du pouvoir des juges s'affrontant au pouvoir politique mais de deux manifestations de la volonté du souverain, celle contenue dans la loi et celle résultant d'un soutien local. Ainsi, le pouvoir procède de la volonté directe du souverain, l'autorité de sa volonté indirecte. *L'autorité est ce qui fait lien entre le principe du pouvoir et son éternelle actualisation.*

UN ÉQUIVALENT MODERNE DE LA RELIGION ?

L'autorité se présente comme une réponse commune à deux difficultés distinctes de la démocratie, à savoir l'épuisement de l'exécutif et la disparition de la tradition. Comment expliquer que la réponse à la crise de l'État et celle à la crise du sujet passent toutes les deux par la solution judiciaire ? La justice n'occuperait-elle pas la place laissée vacante par la religion ? D'ailleurs, est-ce un hasard si les métaphores religieuses fleurissent dans ce

19. P. Ricœur, *Soi-même comme un autre*, *op. cit.*, quatrième de couverture.

domaine ? « Le droit est notre religion nationale, dit un juriste américain, les avocats sont notre clergé, les palais de justice nos cathédrales où les passions contemporaines sont représentées [20]. » Plusieurs arguments militent en faveur de cette hypothèse.

La justice intervient en effet plus dans certains domaines que dans d'autres, à tel point que l'on peut se demander si elle ne gagne pas petit à petit un domaine propre. Ainsi, comme le pressent Philippe Raynaud, « la balance des pouvoirs conduit à dégager une sphère spécialisée de compétence du juge (qui n'est pas seulement un exécutif d'un genre un peu particulier), et celle-ci ne peut pas s'exercer sans un certain pouvoir de dire le juste, qui ne se confond ni avec la législation ni avec un jugement " déterminant " appliquant une règle prédéterminée à un cas aisément identifiable [21] ». Dans quels cas voit-on la justice intervenir avec l'assentiment – quand ce n'est pas à la demande expresse – du pouvoir exécutif ? Dans des questions relatives à la personne humaine, à la définition de la vie et de la mort par le biais des questions bioéthiques, à l'euthanasie comme l'affaire Tony Bland en Angleterre, à l'adoption comme en Inde, aux agressions sexuelles comme au Canada, au transsexualisme comme en France, à l'avortement comme aux États-Unis, à la peine de mort comme en Afrique du Sud, aux conflits interreligieux comme pour le temple d'Ayodhya en Inde ou pour le crucifix en Bavière, bref dans des domaines qui confinent au *sacré*.

La justice se pose de manière plus quotidienne comme l'instance *morale par défaut* et le droit comme la dernière morale commune. L'histoire longue de la justice est celle de son immixtion dans des relations de plus en plus intimes dont presque plus aucune n'échappe à sa juridiction, comme les rapports familiaux, voire amoureux, politiques ou commerciaux, ou encore la relation médecin-malade. On ne lui demande pas tant de les contrôler socialement – ce qui serait franchement impossible – que de les moraliser en disant la norme. La dernière morale dans un monde déserté par les différentes morales est celle du droit. Notre sensibilité démocratique supporte mal que des personnes à la conduite moralement choquante ne soient pas immédiatement justiciables du droit, comme l'a montré l'affaire du sang contaminé. Une large partie de l'opinion publique n'a toujours pas compris pourquoi le Dr Garretta n'avait pas été condamné plus lourdement et ne peut admettre que

20. J. S. Auerbach, *Justice without Law ? Resolving Disputes Without Lawyers*, Oxford, Oxford University Press, 1983, p. 9.

21. P. Raynaud, « La démocratie saisie par le droit », *op. cit.*, p. 12.

le droit ait ses raisons que le cœur ne comprend pas. Comment expliquer autrement cette exigence nouvelle d'une vie vertueuse pour nos hommes politiques qui se manifeste dans les « affaires » ? Ceux-là mêmes qui se moquaient hier de l'ordre moral bourgeois et dénonçaient « l'opium du peuple » sont les premiers à réclamer aujourd'hui des sanctions judiciaires. La confusion entre le droit et la morale, sur laquelle était pourtant fondée la conception traditionnelle du droit, n'est plus acceptée.

Lorsque les mœurs communes disparaissent, ce n'est pas tant la liberté qui se profile qu'une nouvelle *normalisation* qui a pour lieutenants les journalistes qui poursuivent les frasques de la classe politique, les vigilants de tout bord faisant respecter l'ordre politiquement correct, les experts de toutes disciplines qui ne peuvent éliminer de leur appréciation toute normalité sociale, les hérauts de l'hygiène sur laquelle se fondent les nouveaux interdits pénaux, et les partisans du marché qui est, comme chacun sait, une formidable machine à uniformiser les comportements par le biais de la consommation. Le droit naturel qui fondait la philosophie chrétienne est ainsi chassé et remplacé... par un autre droit naturel. Au-delà de la science, de la médecine, de l'économie, de la transparence politique, c'est, en effet, au nom de l'indiscutable que s'impose cette nouvelle normalisation, et donc d'un retour de l'idée de nature.

La justice a également pris le relais de la religion dans la *célébration des rites*. Elle met en scène l'idéal démocratique de la délibération. Les procès deviennent de grandes cérémonies nationales qui purgent l'émotion collective soit directement soit par médias interposés. Les faits divers fascinent parce que en même temps qu'ils circonscrivent de nouveaux problèmes et manifestent une demande politique ils donnent l'occasion aux institutions de se régénérer à bon compte. La justice fabrique ainsi de la communion avec du conflit, elle recycle l'horreur en consensus, convertit le *tremendum* en *fascinans*. Comme la liturgie, elle habille de mots le sacrifice et fournit un médium pour la communication avec l'invisible de la démocratie. Comme toute église, elle devient un lieu de réaffirmation de l'idéal et de raffermissement du lien social.

Enfin, la justice se voit attribuer la direction des personnes désorientées, des laissés-pour-compte de l'indétermination moderne, autrement dit elle prend en charge ce qu'on appelait hier le *salut* des personnes. C'est pour cela que les juges s'entendent si bien avec les thérapeutes avec lesquels ils travaillent de plus en plus. La magistrature du sujet constitue, comme on l'a vu, un domaine nouveau et important de l'activité des juridictions. On se retrouve devant un juge là où autrefois on allait consulter son directeur de conscience.

L'analogie entre les nouvelles attributions de la justice et celles dévolues autrefois à la religion est, on le voit, frappante. Toutes deux prennent en charge le lien : entre le passé et le présent, la référence et l'action, la sanction et la consolation, le droit et le devoir. Elles fixent des limites et donc, en d'autres termes, définissent l'*identité* du politique, du social, du familial. Cette nouvelle religion juridique, qui a l'homme plus que le groupe pour objet, est de surcroît universelle. La vieille opposition grecque entre *Thémis* et *Dikè*, c'est-à-dire entre le droit intra-familial sacré et le droit interfamilial utilitariste, ne mériterait-elle pas d'être réanimée ? Le droit prend soit la forme de la contrainte indispensable au commerce entre égaux, soit celle de la médiation avec le transcendant.

D'où l'inversion de l'hypothèse généralement admise : la justice ne viendrait pas dépolitiser la démocratie mais au contraire répondre à une accélération subite de la *politisation de la démocratie*, résultant du reversement dans la sphère politique d'un grand nombre de domaines autrefois considérés du domaine du religieux. Le salut, la morale, le commencement et la fin de la vie, la liturgie, tout cela échappait au politique. La religion dans la démocratie d'hier était de l'ordre du privé ; un même espace public pouvait héberger plusieurs religions différentes à condition de les tenir en respect à ses frontières. Or ces questions sont subitement propulsées dans l'univers politique. D'où ce malaise devant ces questions quasi indécidables, remettant en cause un pacte secret très ancien passé entre le prince et le pape, répartissant les pouvoirs entre le temporel et le spirituel, entre la loi et la foi : à celle-là les questions politiques, l'administration de la cité, la paix extérieure et intérieure, à celle-ci les questions du salut, du sens de la vie, de la définition du sujet et de la mort [22].

Ainsi, ce n'est pas seulement le retrait du politique qui expliquerait la progression du droit mais aussi le retrait du religieux. Ce n'est plus sur deux termes qu'il faut raisonner – justice et politique – mais sur trois : politique, justice et religion. L'émancipation de la religion, ce qui n'est pas son moindre paradoxe, aboutirait à une nouvelle religion politique qui ne dit pas son nom. Pour Marcel Gauchet, aucune progression démocratique ne s'est faite sans s'accompagner d'une montée concomitante, simultanée et proportionnelle d'une emprise du collectif devant la garantir. Ainsi, l'affir-

---

22. B. Barret-Kriegel, *L'État et les esclaves*, *op. cit.*, p. 112.

mation de l'individualisme et des droits de l'homme, loin d'être un dégagement de l'emprise de l'État, est, au contraire, coextensive du développement de l'État [23]. « Cet épanouissement n'a pu s'effectuer qu'au prix du développement corrélatif de ce qui représente la négation de l'individu. L'affirmation de l'autonomie individuelle est allée et va rigoureusement de pair avec un accroissement de l'hétéronomie collective. » L'approfondissement de l'autonomie se traduirait de manière inattendue par une abdication secrète en faveur du droit et de la justice.

Le tragique de la démocratie

La justice concentre tout le tragique de la démocratie en montrant à la fois son impossibilité à se passer d'autorité et son incapacité à lui donner un fondement et un régime institutionnel. Plus que toute autre, la société démocratique requiert une transcendance, mais en même temps elle l'interdit. C'est le paradoxe de la justice qui doit exercer une fonction tierce dans une société d'égaux, occuper une place d'extériorité dans une société sans distance. Le juge ne doit pas se substituer au tiers absolu dont la démocratie ne finit pas de faire le deuil. Par rapport à la communauté politique, le juge est à la fois dedans et dehors ; il partage avec les justiciables au moins un même langage, une commune appartenance à la patrie humaine. Après avoir compris que la justice devait *autoriser la démocratie*, il faut se demander comment *démocratiser l'autorité* ?

Comment résoudre cette contradiction dont la justice est le symptôme ? Comment éviter une fracture des sociétés démocratiques entre ceux qui ont les moyens de l'autonomie et ceux que l'indétermination écrase ? Comment préserver la justice de cette dérive sacrificielle toujours présente ? Comment faire exister un espace public avec des personnes atomisées et plus éloignées les unes des autres ? Comment éviter que la démocratie ne soit vidée de sa substance par des clercs à la légitimité démocratique faible ? Comment exercer une influence légitime sur certains sujets sans les opprimer ? Comment protéger des valeurs communes dans une société dont les membres revendiquent à juste titre le droit de vivre selon leur propre système de valeurs ? Comment constituer une autorité politique sans vider la souveraineté de son sens ? Comment

---

23. M. Gauchet, « Les droits de l'homme ne sont pas une politique », *op. cit.*, p. 17.

l'autorité de la justice peut-elle non seulement ne pas mutiler ces pouvoirs mais les *augmenter* ?

Comment résoudre cette contradiction majeure de la démocratie qui se fonde sur le rejet de la tradition mais ne peut vivre sans racines ? « Les sociétés d'avant les sociétés démocratiques sont naturellement liées par la tradition, par la suite des générations, souligne François Furet, alors qu'il est dans la nature des sociétés démocratiques d'oublier leur passé pour le recréer à chaque génération [24]. » D'où l'importance du travail de mémoire dans les démocraties pour combler ce vide existentiel et permanent de tradition. Le pacte démocratique est ce qui tient lieu de tradition dans une démocratie. Le juge est le gardien de la mémoire mais d'une mémoire renforcée : celle des promesses que les fondateurs ont faites à notre intention.

Pour tenter de répondre à ces interrogations, cette seconde partie va refaire le chemin de l'institution en partant de ce constat : la justice est appelée à devenir une instance symbolique qui rappelle tant à la communauté politique qu'au sujet démocratique le pacte qui les fonde. C'est au nom de ce pacte que la peine pourra être reprise dans sa double fonction de sanctionner et de réintégrer. La cohésion sociale requiert de la justice un nouveau modèle de justice plus décentralisé. Ces nouvelles fonctions assignées au juge demandent enfin que sa place dans la communauté politique soit réévaluée.

---

24. F. Furet, « 1789-1917 : Aller et retour », *Le Débat*, 1989, n° 57, pp. 4-16.

Chapitre IX

RÉVEILLER LE PACTE DÉMOCRATIQUE

La justice doit désamorcer le risque de démocratie extrême dont parle Montesquieu. Cette tâche va, on le voit, contre la pente naturelle des démocraties qui est de nier le mal, d'évacuer le politique dont pourtant elle procède, d'abolir toute distance, de contester toute différence et de contredire toute hiérarchie. Elle est, dans ce sens-là, contre nature. Elle doit manier la violence légitime contre la douceur démocratique, assumer la distance dans une société de proximité, entretenir des fictions dans un monde sceptique, administrer les sanctions dans un monde anomique, différer dans un monde du direct, imposer la frustration dans une société de séduction, trouver le juste dans un monde désenchanté, dire la référence dans un univers désorienté. Cette distance interne de la démocratie est essentielle à toute réflexivité. La justice arrête la logique autodestructrice de l'individualisme pour transformer l'individu en sujet de droit, pondère l'alternative entre libéralisme sauvage et dirigisme par l'idée d'une procéduralisation du droit et tempère les ardeurs des juges. Elle dit le juste dans une démocratie désenchantée, rappelle la norme commune dans une démocratie pluraliste, érige une barrière symbolique dans une démocratie directe, incarne l'autorité dans une démocratie représentative.

L'autorité doit maintenir l'écart fondamental de la démocratie par un travail à la fois de mise en forme et de mise en scène. Cet écart est indispensable à la respiration de la démocratie. Si le pouvoir est sans cesse tenté de s'identifier à lui-même et de s'émanciper de toute référence, si les médias dérivent vers une démocratie directe en se libérant de la médiation de l'institution, si la démocratie individualiste confond l'individu avec ses désirs et ses émotions, la justice se pose comme une instance symbolique qui fait écran entre le réel et sa représentation, entre le pouvoir et sa fondation, entre l'individu et le sujet de droit. Avant d'être répressive ou sociale, civile ou pénale, arbitrale ou tutélaire, la justice est une *instance symbolique* qui doit donner des repères collectifs.

La justice s'apparente à une « institution identificatrice » que Charles Taylor oppose à ce qu'il appelle les « institutions services ». « D'une part, il y a des structures dont le rapport à notre vie n'est qu'instrumental, même si le service qu'elles offrent est très important et, d'autre part, il y a des milieux dont la fréquentation est pour nous le lieu primaire de définition de valeurs importantes, et partant des pôles possibles d'identité [1]. » La modernité fait verser les institutions identificatrices vers des institutions services et celles qui conservent une forte valeur identificatrice, comme la religion ou la culture, sont en voie de privatisation. C'est également le risque pour la justice : l'idée d'un « service public de la justice » avait cours il n'y a pas si longtemps place Vendôme. Comment résister à cette tendance naturelle ? Que signifie concrètement pour la justice de se poser comme une institution identificatrice ? Le palais de justice, quand bien même ses prétoires seraient vides, continuerait de signifier le lieu de la loi. Identificatrice, la justice l'est autant pour la société en instaurant le débat que pour l'individu en restaurant le sujet de droit.

La mémoire des lieux

La justice est une *instance*, un lieu qui existe par lui-même, dont la vertu est d'exister, et l'existence une vertu. La justice est indissociable d'un lieu qui permet à chaque acteur de s'identifier à son rôle, et donc, d'une *scène* sur laquelle le groupe social joue inlassablement son destin. La parenté entre la scène théâtrale et la scène morale est profonde : la scène de la juridiction renvoie à la juridiction de la scène. C'est pourquoi la télévision joue malgré elle le rôle d'instance morale. Toutes les autres institutions sociales se seraient effondrées, rappelle Schiller, que la scène continuerait de remplir un office moral : « La juridiction de la scène commence là où s'arrêtent les lois du monde. [...] De hardis criminels, qui depuis longtemps pourrissent dans la poussière, sont à présent convoqués à l'appel tout-puissant de la poésie et rejouent leur vie infâme, pour

1. C. Taylor, « Les institutions dans la vie nationale », *Esprit*, mars 1994, p. 93.

l'instruction terrible de la postérité. Impuissantes, pareilles aux ombres dans un miroir concave, les terreurs de leurs siècles passent devant nos yeux, et nous maudissons leur mémoire avec une voluptueuse horreur. Lorsque aucune morale ne sera plus enseignée, lorsque aucune religion ne trouvera plus de foi, lorsque aucune loi ne sera plus présente, Médée viendra nous épouvanter, se précipitant dans les escaliers du palais après le meurtre de ses enfants [2]. » D'où l'importance de ne pas fuir cette dimension spectaculaire de l'office du juge qui doit aussi avoir le souci de bien mettre en scène cette vertu. La démocratie attend du législateur qu'il soit un bon metteur en scène du débat judiciaire, et des juges qu'ils soient de bons acteurs.

Un univers de distance

Le jeu n'a pas bonne presse en cette fin de siècle si éprise d'« authenticité ». La revendication du « parler vrai » est entretenue par les médias. La démocratie n'a de cesse de démonter ses scènes dans lesquelles elle voit une dernière inégalité à combattre lorsque les hiérarchies sociales ont disparu. Mais c'est un leurre : les places du juge et de l'accusé ne seront jamais interchangeables. L'espace judiciaire ne doit pas hésiter à marquer sa différence et savoir garder ses distances, quitte à frustrer les voyeurs que nous sommes tous devenus.

Cette prudence est suggérée par les débordements dont le XXe siècle a fait étalage. Le despotisme y a pris deux aspects bien différents : celui d'une politisation du procès mais aussi celui d'une intériorisation excessive, d'un « trop de jeu » et d'un « pas assez de jeu ». Le lieu judiciaire a été dévoyé tout d'abord par les systèmes totalitaires qui ont organisé des procès politiques où tout était joué d'avance, le décor n'étant dressé que pour stimuler une sorte d'unanimité rituelle. Mais cette perversion de la justice n'est pas la seule. La justice informelle, c'est-à-dire celle qui se déroule dans un cabinet à l'abri des regards du public comme chez le juge d'instruction ou son collègue des mineurs, contourne également à sa manière le moment solennel de l'audience. Et cette forme banalisée sécrète à son corps défendant une autre forme de despotisme moins visible et plus doux dans laquelle la domination se cache derrière

---

2. F. von Schiller, *La Scène considérée comme institution morale*, 1784, cité dans *Justice et théâtre*, Paris, Éditions Quintette, 1991, pp. 119-120.

un paternalisme d'État. Elle ouvre la voie à un contrôle de l'intériorité qu'a dénoncé avec tant de vigueur Michel Foucault.

L'espace du procès aménage le rapport entre personnes, c'est-à-dire, étymologiquement, entre « masques ». La cérémonie du lieu désaffective les rapports interpersonnels et les transforme en rapports de droit. La scène sidère tous les sentiments, elle protège le juge de la culpabilité de juger, voire l'accusé de celle de son crime. La justice ne sonde pas les cœurs, pas plus qu'elle ne doit corriger des comportements : sa mission est de restaurer l'ordre symbolique du droit et donc de signifier la distance.

Le monde judiciaire est un monde froid, solennel et séparé de la vie quotidienne. La communication y est à l'opposé de celle des médias. Les parties sont loin du juge et il leur faut parler en public dans un lieu impressionnant. La communication du procès est frustrante : tout y est formel et donc artificiel. Elle semble aux antipodes de l'idéologie actuelle d'une communication directe, instaurant une sorte de communion effusionnelle. L'artificialité de l'audience est pourtant la condition de la vérité conventionnelle de la démocratie. Les formes du procès semblent indépassables, en tant que mise en scène de l'Autre, de la démocratie d'une part et de cadre pour le débat d'autre part.

Cet espace vide de la salle d'audience manifeste l'écart fondateur tant du sujet que de la communauté politique. La fonction politique de l'espace judiciaire est d'instaurer un *écart* entre le dedans et le dehors, entre le privé et le public, entre le sujet de chair et le sujet de droit. Cet écart entre les différents protagonistes du procès ne signifie rien d'autre que l'impasse de la fusion avec l'autre, la prohibition de l'inceste qui est, en quelque sorte, la loi des lois. La distance que signifie le rituel judiciaire figure le lieu vide de la loi, inaccessible à tous, autour duquel s'organisent les échanges sociaux. Le palais de justice doit signifier l'*extériorité* de la démocratie, cet espace inoccupable par personne que le droit ne fait qu'indiquer.

Cette métaphore spatiale a inspiré nombre de penseurs de la démocratie. « C'est en indiquant un lieu de la loi que le pouvoir joue son rôle d'instituant symbolique du champ social. Encore n'indique-t-il efficacement ce lieu qu'en renonçant ostensiblement à l'occuper [3]. » L'État de droit doit sans cesse renoncer à combler cette distance et donc faire le deuil de la toute-puissance. Le rituel judiciaire pourrait bien apparaître plus authentique que la commu-

3. M. Gauchet, « L'expérience totalitaire et la pensée de la politique », *Esprit*, juillet 1976, p. 24.

nication prétendument spontanée que proposent les médias. Il s'inscrit en contrepoint des médias dont il a été dit qu'ils n'avaient de cesse d'abolir la distance essentielle à toute démocratie.

Cette séparation entre la scène et la salle fait écho à la distinction du privé et du public, à la différence entre la contrainte des corps et la liberté de conscience. Les relations de prétoires sont extérieures et conventionnelles : prétendre leur donner plus de vérité menace plus encore les libertés. En conséquence, plus les frontières de cet espace seront fortes et symboliquement affirmées, plus elles favoriseront le jeu à l'intérieur de la scène et la liberté à l'extérieur.

Rappeler les origines

Quiconque entre pour la première fois dans un palais de justice est d'abord frappé par son aspect de temple grec. La plupart des palais de justice construits depuis la Révolution ont adopté ce style architectural. Une fois à l'intérieur, il sera frappé par la profusion de symboles tels que le glaive et la balance bien sûr, mais aussi les tables de la loi, les inscriptions latines, les allégories peintes sur les plafonds. Comment expliquer une telle densité symbolique ? Tous ces symboles sont autant de références aux *temps fondateurs* de notre civilisation. A commencer par la Bible dans laquelle notre morale judéo-chrétienne trouve sa source, et la Grèce qui a libéré la raison de sa gangue religieuse. C'est Rome, ensuite, qui a inventé le droit. Le symbole de la balance est bien plus vieux encore : il remonte à la pesée des âmes dans l'Égypte ancienne. On croise aussi souvent dans les prétoires l'effigie de nos grands législateurs : Justinien, Charlemagne ou Napoléon. Ou des rois-juges, comme Saint-Louis rendant la justice sous son chêne qui se trouve toujours à Paris dans la galerie de la Cour de cassation. La Révolution a également fourni son lot avec les bustes des légistes révolutionnaires ou des rédacteurs du Code civil.

Ces différentes époques ne se chassent pas mais s'empilent. On n'est pas surpris de voir à la Cour de cassation l'abeille napoléonienne côtoyer les fleurs de lis ou les insignes de la République. Mais comment la démocratie, qui rejette toute transcendance, peut-elle continuer d'invoquer pêle-mêle la Bible, la monarchie et les tyrans ? D'ailleurs, au palmarès du nombre d'inscriptions, la République est largement perdante : comme si elle se conduisait dans les palais de justice plus en invitée qu'en hôtesse. Voudrait-elle, dans ces lieux sacrés, se faire pardonner d'être née en tuant le roi ?

Faut-il s'offusquer de tant de rappels d'une histoire qui n'a pas toujours aimé la démocratie ? A dire vrai, ils sont tellement nombreux qu'ils s'annulent. Et une démocratie n'accède-t-elle pas à sa majorité que lorsqu'elle n'a plus peur de son passé ?

Nos palais de justice sont également truffés de visages de Méduse aux serpents en guise de cheveux et pleurant des larmes de sang. Dans la mythologie grecque, Méduse transformait en pierre les gens qui osaient la regarder. Comme le mauvais œil, elles forcent à détourner les yeux [4]. Le regard *s'inverse* : nous regardons moins ces symboles qu'eux-mêmes ne nous fixent. Les hommes délibèrent sous le regard de leurs pères fondateurs qui leur rappellent leurs serments.

Nos bâtiments parlementaires et judiciaires regorgent de bustes de grands légistes, d'images terrifiantes, d'emblèmes nationaux, de fresques historiques rappelant le long cheminement des libertés démocratiques comme la rotonde de la Cour suprême des États-Unis. La statue de Lincoln permet à ses successeurs d'invoquer son autorité. Aucun espace collectif n'est concevable sans une culture qui lui procure une expression symbolique propre, qui exprime ses valeurs dans un langage de pierre.

Le bâtiment de justice contribue à instituer l'autorité du juge, entendue comme capacité de mettre en forme – aussi bien matériellement, symboliquement qu'intellectuellement – la délibération publique. L'autorité est la force de la mise en forme. L'autorité compense le caractère évasif du pouvoir. « Le pouvoir est volatil, la fondation est ce qui le rend durable ; parce que l'action est plus fragile que l'œuvre, le pouvoir dont elle émane a toujours besoin d'être augmenté par quelque équivalent de l'expérience romaine de la fondation [5]. » Voici la fonction du rituel judiciaire : mobiliser autant de fois qu'il sera sollicité les symboles de la justice. L'autorité n'est rien d'autre que « l'énergie perdurante de l'acte de fondation, l'énergie des commencements », dit Paul Ricœur. Voilà le sens de la *répétition* qui est le propre de tout rite : il répète inlassablement le moment de la fondation du procès et reprend ce tra-

4. Cette image est très présente dans *Le Procès* de Kafka. Ainsi, dans le récit *Devant les portes de la Loi*, la sentinelle dit au paysan : « Tu trouveras à l'entrée de chaque salle des sentinelles de plus en plus puissantes ; dès la troisième, même moi, je ne peux plus supporter leur vue » (*Le Procès*, Paris, Gallimard, 1933 [trad. Alexandre Vialatte et préf. Bernard Groethuysen], rééd. 1978, p. 308). A la fin du chapitre VII, K. ne supporte plus la vue d'un bouton doré de l'habit de l'huissier (*ibid.*, p. 222).

5. P. Ricœur, *Lectures I*, *op. cit.*, p. 40.

vail sans cesse à recommencer de mise à distance du corps à corps, de la vengeance et de la violence.

Ces symboles en apparence désuets sont la clé de la modernité : en rappelant nos traditions sans cesse dépassées par l'aventure démocratique, ils permettent d'avancer. Le cadre est alors ce qui tient lieu de tradition pour les modernes. La culture commune devient fuyante au fur et à mesure que nos sociétés se diversifient. Le recours au moment de la fondation, par définition indisponible, est d'autant plus nécessaire et vital que le pluralisme est grand. Un pluralisme sans référence à une autorité est aussi illusoire qu'une expansion des droits subjectifs qui ne rencontre jamais la contrepartie ses obligations. Plus une société innove et se détache de la tradition, plus elle a besoin de rappeler avec force cet événement fondateur. La société démocratique substitue à la tradition une abstraction : le contrat social. Mais comment donner une consistance symbolique à cette réalité désincarnée ?

Les palais de justice modernes sont muets : plus rien ne les distingue des autres édifices publics. Ce silence architectural est dangereux. Les palais doivent continuer d'être, dans la démocratie de demain, des scènes, des temples et des forums. Nos sociétés qui, dit-on, recherchent éperdument un sens à leur action doivent commencer à le trouver dans ces bâtiments qui abritent leurs délibérations quotidiennes, c'est-à-dire leur gestation permanente. L'architecte ne sait quoi opposer au vide démocratique qui chasse toutes les traditions. C'est que, à beaucoup d'égards, nous sommes précipités dans un *futur fondateur*. Les textes supranationaux, parfois à portée universelle, sur lesquels nous fondons désormais notre destin collectif sont très récents. Les plus vieux de ces textes n'ont pas cinquante ans : qu'est-ce qu'un demi-siècle au regard de l'éternité ? Comment communiquer avec un temps fondateur dont nous ne sommes pas encore sortis ? Notre difficulté ne viendrait-elle non pas d'un trop grand éloignement mais plutôt d'une trop grande proximité avec ce qui nous fonde ? D'où l'importance de trouver un langage de pierre pour des textes comme la Convention européenne des droits de l'homme, la Déclaration universelle des droits de l'homme du 10 décembre 1948. Un artiste avait peint sur le pavé de la salle des pas perdus du tribunal de Strasbourg le fameux article 6 de la Convention européenne des droits de l'homme : « Toute personne accusée d'une infraction est présumée innocente jusqu'à ce que sa culpabilité soit légalement établie. » Pour des individus perdus, le palais doit être un repère et donc un lieu pédagogique : il doit autant renvoyer à un passé inaccessible que manifester le moment indisponible de la vie en société, là où s'arrête la liberté individuelle.

Sublimer la violence

On est également surpris de relever dans un palais de justice tant de représentations violentes, comme des gueules de lion impressionnantes, des objets tranchants et des corps transpercés. Cette symbolique cruelle surprend : on aurait pu imaginer qu'un tel lieu cherche au contraire à apaiser, à encourager la réconciliation par des images douces, à inspirer la concorde.

C'est que la violence n'y est pas refoulée mais au contraire montrée et sublimée. Ces images qui arrivent à peine à notre conscience remplissent sans doute un rôle de dédommagement. Ces vengeances terribles, ces gueules de lion, ces lances tranchantes non seulement inspirent le respect mais nous libèrent de notre agressivité en nous la restituant sous forme symbolisée, euphémisée. Ces représentations cruelles, parfois presque sadiques, nous dispensent de l'être à notre tour, elles désintéressent nos pulsions enfouies en offrant le spectacle terrifiant mais libérateur de la violence. Elles témoignent de la parenté du procès avec le sacrifice dont parle René Girard [6]. Cette symbolisation est d'autant plus nécessaire que le départ... Le défaut d'autorité se paie par un surcroît de violence, par une résurgence de sacrificiel, comme le démontre l'évolution de la violence dans la société démocratique.

A la différence de la violence rapportée par les médias, le rituel judiciaire montre *en même temps* le spectacle de la transgression et celui de sa résorption. Il lui procure ainsi un sens et lui propose un exutoire légitime. En d'autres termes, la violence ne se donne jamais à voir seule : elle est livrée avec une signification. Les réactions que suscite cette violence sont comme canalisées par le droit et la procédure. Le procès est une domestication de la violence par le rite et la procédure. A l'audience, le crime n'est pas refoulé mais répété dans un univers symbolique qui désamorce toute violence. Il est reconstitué symboliquement par la parole : tous les protagonistes – témoins, experts, policiers – sont convoqués et invités à dire ce qui s'est passé. Le procès est une commémoration du crime par le truchement de la parole et de la procédure. Il annule la violence sauvage par une violence euphémisée, celle qui est imposée à l'accusé. Cette violence cathartique n'est possible que grâce à l'effet de

---

6. R. Girard, *La Violence et le sacré*, Paris, Grasset, 1973.

dissimulation qu'opère le rituel. Ce spectacle de la violence médiatisé par la parole est indissolublement lié au spectacle de la résorption de la violence. Dans les médias, en revanche, la violence est le plus souvent livrée seule, crue, absurde ; et l'on comprend qu'elle suscite des réactions émotives incontrôlées. D'autant que l'intérêt pour la violence de droit commun ne peut que croître du fait de la disparition des exutoires classiques des passions démocratiques, comme l'était le combat patriotique, politique ou syndical. La société démocratique a d'autant plus de mal à assumer ses passions que l'émotion publique devient de moins en moins symbolisable.

Autoriser un débat rationnel

Le lieu de justice est un lieu séparé, ce qui n'est pas bien supporté par la télévision qui rend tous les lieux équivalents. L'institution d'un lieu de délibération ne se confond ni avec le lieu plus petit de la négociation ou de la thérapie, ni encore avec le lieu plus grand, c'est-à-dire l'espace public tout entier. L'État doit garantir le bon fonctionnement de la justice dans un *espace protégé*, délimité à l'intérieur de l'espace public.

Cette exorcisation de la violence collective, tout comme la mémoire vivante de la tradition que contient le cadre rituel du procès ne se comprennent pas mais se perçoivent. Le cadre, en effet, est perception : son action n'est pas immédiatement intelligible pour la raison. Il est présence ; c'est l'englobant, l'univers symbolique qui est d'ailleurs lui-même une représentation de l'univers, le lieu qui abrite le déroulement de l'instance. Le langage, à l'inverse, est linéaire ; il permet d'enchaîner de manière logique les arguments et d'exclure les différents sens possibles pour conduire à une solution. Il contraste en cela avec le symbole qui est, par définition, polysémique. Le cadre, au contraire, est immobile, il est répétition : il est insensible aux régimes politiques, au temps, à l'histoire. Il n'évolue pas, c'est un non-événement indispensable à ce qu'un événement se produise : celui du procès. Il donne aux arguments une situation, un enracinement dans l'histoire.

Ainsi, par ses rappels incessants de la tradition et par sa symbolisation de la violence, le cadre rituel n'opprime pas la raison mais la libère. Il permet de combiner raison et tradition, l'irrationnel de la violence avec une élaboration rationnelle. L'échange réglé d'arguments n'est que la « partie vive » du procès qui nécessite un « espace protégé ». Limiter la justice à un pur débat, c'est oublier que les débatteurs ne se trouvent jamais en état d'apesanteur sociale mais qu'ils sont aussi sujets de passion. Il n'y a de jugement – juridique tout du moins – qu'en situation, c'est-à-dire tributaire d'un langage et d'un cadre spéciaux. Le symbole fait lien entre texte et contexte. Cadre symbolique et débat vont de pair, comme tradition et argumentation, comme autorité et pouvoir. Le dispositif rituel combine l'espace indisponible d'autorité et l'espace ouvert de la discussion. Kafka, une fois encore, en apporte la preuve par l'absurde. Dans *Le Procès*, le sacré omniprésent mais impalpable oppresse et interdit toute communication. Aucune parole rationnelle n'est possible, ni aucun échange. Le travail de « distanciation du mental à travers des images » est impossible. Joseph K. ne parvient pas à maîtriser ces images qui finissent par le dévorer. Il succombe aux ordres d'une autorité introuvable et cruelle dont la loi a été perdue.

L'autorité d'un cadre symbolique repérable, d'une médiation institutionnelle est indispensable à l'exercice de tout pouvoir, à commencer par le pouvoir argumentatif. Le cadre symbolique nie le rapport de force et les différences sociales, il autorise un débat rationnel, il expurge la violence et célèbre, au-delà du conflit, la permanence d'un destin collectif et la paix. Le pacte démocratique initial est ainsi « augmenté » par les institutions.

RANIMER LE SUJET DE DROIT

Tant que la justice n'était que le relais du pouvoir, de la religion ou des mœurs, sa fonction symbolique était peu sollicitée. Ce rôle est en sommeil dans une société saturée de sens comme la société traditionnelle dans laquelle la justice se borne à apaiser les conflits. Une fonction d'autorité plus autonome dans une démocratie sevrée de sens suppose – c'est l'une des grandes originalités de la justice d'aujourd'hui – qu'elle assume mieux son rôle d'instance symbolique. Lorsque la justice est sommée de jouer le rôle d'autorité par défaut, *sa fonction symbolique est plus sollicitée*. Si la société démocratique est menacée d'effondrement symbolique, c'est donc ce rôle identificateur qui doit être réactivé tant pour l'espace public que pour le sujet de droit.

Pour saisir la notion de sujet de droit, il n'est peut-être pas inutile de la resituer dans une perspective historique. Tout système de justice repose implicitement sur une représentation du délit ou du trouble social, de la personne et de la manière d'y faire face. Plusieurs représentations du sujet de droit se sont ainsi succédé dans l'histoire.

La faute et le châtiment

Le Code pénal de 1810 se représentait l'infraction comme un mauvais usage du « libre arbitre », comme un calcul qu'il fallait rendre non rentable. La délinquance y était perçue comme un *acte* et donc comme l'expression soit d'une volonté saine qui a montré une faille, « une erreur de parcours », soit d'une volonté dévoyée persistant dans le mal comme les « vieux chevaux de retour ».

Parce qu'il ne conçoit pas d'autre solution que l'exclusion, ce premier modèle peut être qualifié de sacrificiel. On ne demande pas à la justice de prendre en considération la subtilité des rapports affectifs ou l'injustice des situations sociales. La justice a une fonction essentiellement punitive : elle doit exclure le fauteur de troubles. C'est aussi vrai en matière civile que pénale. Ainsi, le juge du divorce expulse du domicile conjugal le conjoint fautif et lui retire la garde des enfants, le juge des enfants éloigne l'enfant maltraité dans des colonies agricoles le plus loin possible de chez lui, et le juge pénal envoie le délinquant au bagne. Le condamné est purement et simplement retranché du monde : le meilleur exemple en étant la mort civile, c'est-à-dire la suppression de tous droits civiques et civils aux condamnés de longues peines.

Il s'agit d'un droit très « pur » qui n'est pas contaminé par des savoirs étrangers, comme les sciences humaines. Les catégories du droit sont claires : le problème est civil ou pénal, le délinquant est soit fou, soit complètement responsable. Il ne peut y avoir de graduation dans la responsabilité et donc pas de transition entre la liberté totale et l'emprisonnement. Il n'y a pas de place pour un entre-deux.

Tout le monde est supposé jouir de la même capacité sociale, et c'est là que le bât blesse. Ce système formel ne garantissait vraiment de droits qu'à un nombre limité de personnes : les hommes, majeurs, possédants, catholiques, mariés légitimement. Les autres n'étaient que partiellement – voire pas du tout – sujets de droit. Le droit positif a nécessairement besoin d'un modèle social qui tienne lieu de référent. Le législateur comme les juges, les avocats, les psychiatres ou les travailleurs sociaux se référaient implicitement à ce modèle. L'effondrement sociologique de ce modèle social dominant a perturbé tout l'équilibre du droit.

Le symptôme et le traitement

Cette dialectique de la faute et du châtiment a été progressivement supplantée par celle du symptôme et du traitement, le criminel apparaissant plus comme un malade que comme un scélérat. Dans le second modèle, la logique du soin a pris le dessus : c'est la raison pour laquelle on peut le qualifier de thérapeutique. La délinquance y apparaît, non plus comme une volonté mal employée, mais comme la manifestation d'une personnalité troublée. Marc Ancel, qui fut en France l'un des promoteurs de ce modèle de justice en matière pénale, ne cachait pas sa volonté de faire céder les fictions classiques du droit pour donner à l'intervention judiciaire une plus grande efficacité. Cette école de la défense sociale nouvelle « s'inscrit en réaction contre le juridisme et contre l'intrusion des notions métaphysiques ou des fictions légales dans le droit » et affirme la nécessité d'une certaine « déjuridicisation [7] » de la justice. Inutile de préciser que c'est à cette époque que remonte la perception psychologisante du sujet. La resocialisation est l'objectif premier, et donc la justice doit mettre toutes les chances de son côté, quitte à abandonner la responsabilité juridique si elle ne semble plus correspondre à la réalité. Pour cette conception très subjective du sujet de droit, c'est dans le sujet qu'il faut rechercher la responsabilité sous forme d'un sentiment de culpabilité. Ce fut le règne d'une conception déterministe du délinquant dont nous ne sommes pas tout à fait sortis.

Le sujet de droit au-delà de l'individu

A quelle représentation du sujet rattacher celle de notre fin de XXe siècle ? Certainement plus à cette fiction de la personne absolument libre, socialement et économiquement autonome, à ce commerçant ou à ce bourgeois du XIXe siècle, pas plus qu'à cet individu déterminé, dépossédé de toute souveraineté sur lui-même, si caractéristique de l'État-providence ; mais plutôt à celle d'un sujet de droit, d'un sujet *capable*. Notre fin de siècle redécouvre que la capacité n'est pas un fait : « Le lien entre l'action et son agent n'est pas un fait qui pourrait être observé ; c'est un pouvoir qu'un agent pense être capable d'exercer [8] », voire que les autres lui enjoignent de remplir. Le jugement *appelle* la responsabilité autant qu'il la constate.

Le troisième modèle – que l'on appellera *civique* – suppose que le sujet n'est pas réductible à ses déterminismes, ni à ses désirs. Il procède d'une distance intérieure, d'un rapport de soi à soi. « La

7. *Revue de science criminelle et de droit comparé*, Paris, 1959, p. 182.
8. P. Ricœur, « Morale, éthique et politique », *Pouvoirs*, 1993, n° 65, p. 7.

perspective d'une soumission à des lois que je me suis moi-même données suppose en effet la possible référence à une telle ipséité du *moi-même*, posée comme distincte de ce qui, en moi, s'y soumet. L'idéal humaniste d'autonomie requiert donc en moi la définition d'une part d'humanité *commune*, irréductible à l'affirmation de ma seule singularité et à laquelle ma singularité doit se soumettre [9]. » L'individualisme conteste cette part commune en estimant que les différences doivent « faire loi ».

Qu'est-ce au juste qu'un sujet de droit ? Une personne *autonome, capable* au sens juridique du terme, c'est-à-dire seule habilitée à définir ses intérêts, et donc *auteur d'une parole propre*. On ne peut limiter le sujet à une somme de revendications unilatérales, comme le faisaient les droits subjectifs, sous peine de le détruire et d'en oublier son essence même qui est d'être *à la fois* titulaire de droits et d'obligations. Le sujet de droit ne peut se voir reconnaître des droits que parce qu'il est capable d'en répondre. Il peut être défini comme sujet de parole *et* d'écoute, comme autonome *et* dépendant, comme dépositaire d'une dignité inaliénable *et* susceptible d'être passagèrement affaibli.

Notre époque semble redécouvrir la valeur réhabilitatrice de l'*obligation* comme moyen à la fois de réinsérer et de payer sa dette sociale, des *devoirs* comme l'autre face sociale des « droits à ». Tout ceci n'est possible que si le sujet de droit est reconnu comme sujet de parole, ce qui pour la justice n'est pas sans conséquences : la mise en demeure de s'expliquer mais aussi la faculté de prendre des engagements dont le juge sera le garant, la possibilité de modifier le cours de l'institution par une parole qui a du poids. Il faut postuler l'*indivisibilité* du sujet de droit qui ne peut jamais perdre cette qualité. Il ne peut y avoir d'exclus de ces attributs fondamentaux du sujet de droit que l'on désigne par « dignité » dans quelques traités internationaux. Le sujet de droit serait la version judiciaire du citoyen qui n'est plus lié à une nationalité mais à la condition d'homme tout simplement.

Le modèle civique sort de l'alternative sujet/non-sujet, personne réputée entièrement libre et saine d'esprit ou, au contraire, rejetée dans la folie et vouée à la mort civile. Chacun doit se voir reconnaître une égale et inaliénable dignité qui est déposée en chaque homme, quelle que soit sa situation sociale ou mentale. La limite du sujet ne passe plus *entre* les sujets pour séparer des autres

---

9. A. Renaut, « Individu, dépendance et autonomie », *Individu sous influences. Drogues, alcools, médicaments psychotropes*, publié sous la direction d'Alain Ehrenberg, Paris, Éditions Esprit, juin 1991, p. 231.

les citoyens qui auraient des droits, mais *à l'intérieur* de chaque sujet pour définir un seuil infranchissable qui permettra en retour de considérer avec plus de pragmatisme sa situation concrète. L'idée d'un individu entièrement assimilé à son désir éclate et se divise en deux : dans la qualité de sujet de droit dépositaire d'une irréductible dignité qu'il ne devra jamais perdre, d'une part, dans la considération d'un être singulier qui peut être en crise ou passagèrement affaibli, d'autre part. L'action des institutions aura pour matériau la *situation* et pour objectif la *dignité*. Ces deux états du sujet de droit introduisent une tension, une dynamique dans l'action de la justice. La reconnaissance de cette limite, la dignité fixant au-delà de laquelle il ne sera jamais possible de descendre, permet de prendre en considération des situations concrètes que le modèle du droit libéral ignorait délibérément mais sans s'y perdre, comme dans le modèle de l'État-providence. Le retour à la pleine capacité du sujet de droit fournit à l'action sociale son horizon : la crise étant considérée par principe comme passagère.

Cette combinaison de la reconnaissance d'une irréductible dignité et la prise en considération plus pragmatique du comportement du sujet est bien illustrée par cette charte de travailleurs sociaux spécialisés en matière de toxicomanie : « Le toxicomane est avant tout une personne ayant droit, comme toute personne, au respect et à la dignité. Il demeure un sujet responsable notamment quant à l'attitude qu'il développe vis-à-vis de sa toxicomanie. Son traitement doit être envisagé et se dérouler, avec son adhésion, hors de toute contrainte physique ou morale. Si, toutefois, l'individu présente un danger sérieux pour lui-même ou pour la société, et que la contrainte s'avère utile, elle ne pourra être exercée que dans le cadre des garanties prévues par la loi [10]. » Et dans un autre document, européen celui-là : « Le toxicomane est un citoyen à part entière, avec ses droits et ses devoirs. [...] La toxicomanie, même la plus prolongée, doit être considérée comme une situation transitoire. »

Ainsi s'établit une distance à l'intérieur même de l'individu par l'introduction de deux pôles – la commune dignité et la situation concrète – qui n'était pas possible tant que le sujet juridique et l'individu psychologique étaient confondus. « Au fond, remarque Denis Salas, l'enjeu de la reconquête de ce terrain perdu par le droit pénal est de réintroduire une distance entre l'individu dans sa dimension psychique et la personne juridique titulaire de droits et

10. Déclaration de l'Association nationale des intervenants en toxicomanie (non publié).

de devoirs. Laisser le mineur croire qu'il est toujours psychologiquement faible et juridiquement incapable, abandonner le " dément " à son seul statut de malade mental, c'est nier la fonction instauratrice du sujet par le droit. [...] Le droit pénal devrait dire à l'individu que sa personnalité n'est pas mesurable seulement à son individualité ; qu'elle lui donne un statut social et civique au-delà de sa personne privée ; qu'elle porte sur la part de lui-même qui est créancière et débitrice de multiples façons à l'égard de la société [11]. »

Le sujet de droit comme condition et finalité de la démocratie

Restaurer le sujet de droit devient un objectif politique – et non pas seulement humaniste ou caritatif – pour la justice. Entre sujet de droit et État de droit s'instaure, en effet, une sorte de circularité. « Le pouvoir politique, en raison de la fragilité que révèlent les paradoxes du pouvoir, n'est " sauvé " que par la vigilance de ces mêmes citoyens que la cité a en quelque sorte engendrés [12]. » Le sujet de droit non seulement est une condition de l'intervention sociale, mais il en constitue également l'objectif ultime. « La démocratie n'en finit pas ainsi de créer les conditions de son fonctionnement [13]. » Que cinq millions de Français n'aient pas accès à une quelconque forme de représentation est dangereux pour la communauté politique tout entière. Redonner une identité aux personnes devient une priorité politique... et une tâche très concrète pour les services sociaux travaillant près des juridictions dont le premier travail est souvent de reconstituer des dossiers d'affiliation sociale, de prise en charge diverse pour des individus désaffiliés.

Être citoyen, c'est avoir la possibilité de s'associer réellement à la gestion de la vie publique ; être usager, c'est simplement pouvoir défendre ses intérêts avant la prise d'une décision. La différence entre l'usager qui a des droits et le citoyen, c'est que ce dernier est à l'origine du pouvoir du fonctionnaire. Les citoyens, au sens politique du terme, détiennent la souveraineté originelle, ce qui signifie que les dirigeants doivent obtenir d'eux leur investiture et leur rendre compte de leur gestion. Les sujets de droit, à la différence des sujets du droit, sont tout à la fois des êtres dotés de droits et

---

11. D. Salas, « État et droit pénal, le droit pénal entre " Thémis " et " Dikè " », *Droits*, 1992, n° 15, 90.

12. P. Ricœur, « Morale, éthique et politique », *op. cit.*, p. 17.

13. P. Manent, *Histoire intellectuelle du libéralisme*, Paris, Calmann-Lévy, 1987, p. 387.

coauteurs du droit. Avoir des droits, c'est avoir avant tout le droit de participer au débat sur le droit, d'être soi-même auteur directement et indirectement de son propre droit. Restituer à l'individu dominé, déterminé, sous la pression de l'exclusion sociale, sa dignité de sujet de droit en réveillant la part de souveraineté contenue en lui, voilà l'objectif de l'intervention judiciaire.

Pas de sujet de droit sans parole commune

La justice devra fixer la frontière incertaine entre ce qui est à la libre disposition des sujets de droit et ce qui leur est en quelque sorte indisponible. Certaines choses doivent être soustraites à la liberté contractuelle. Le corps humain n'est pas un bien marchand, encore que les cultures juridiques européennes montrent des sensibilités différentes sur ce problème. Est-il possible de choisir son sexe ? Le rôle de la justice, en matière de transsexualisme, est de « réanimer l'ordre symbolique à l'intérieur duquel chacun doit s'inscrire au-delà de son individualité, fût-elle souffrante. En ce sens, le juge ne vient pas au soutien des histoires individuelles. Il ne se penche pas avec amitié ou sollicitude sur les épisodes heureux ou malheureux de la vie humaine. Il a en charge non les relations " courtes " de personnes à personnes mais les relations " longues " où l'identité de chacun se joue à travers les institutions [14] ».

Dans toutes ces nouvelles sollicitations, la justice doit protéger la part symbolique qui assigne une place dans la communauté humaine. L'ordre symbolique, à l'image de la salle d'audience qui en est la métaphore vivante, attribue une place précise à chacun. Aucune collectivité n'est possible sans systèmes symboliques, comme le langage ou le système de parenté qui ont en commun de rendre les places non interchangeables. Ce sont précisément ces montages symboliques qui sont menacés par l'illusion de la démocratie directe qui propose une relation immédiate au monde. L'enfant ne peut échanger sa place avec ses parents, leur relation n'est pas symétrique. Le droit est le gardien de cet ordre symbolique sans lequel aucun échange ne serait possible. Ce que la justice répare au-delà des cas individuels, c'est l'ordre symbolique tout entier, à commencer par ce qui nous fonde en humanité, c'est-à-dire le langage.

Pas de sujet de droit sans fonction symbolique, c'est-à-dire sans

---

14. D. Salas, *Sujet de chair, sujet de droit, la justice face au transsexualisme*, Paris, PUF, 1994, p. 151.

une parole commune qui le mette en perspective : qualifier la conduite de quelqu'un, c'est confronter le sens qu'il lui a donné, ce qui a fait événement pour lui, avec le sens que lui donne le groupe social. Personne ne doit être exclu de l'accès à cette parole, pas même ceux qui sont apparemment privés de leur conscience. Priver le malade mental de procès, comme le faisait le droit libéral sous prétexte qu'il n'a pas de libre arbitre ou au prétexte de lui épargner une peine injuste et inutile, comme le pensait le droit de l'État-providence, c'est tout simplement lui dénier l'accès au symbolique. Les montages juridiques « ont pour but de séparer l'assassin de son crime [15] », c'est-à-dire de faire en sorte que le meurtrier retrouve le troupeau humain en étant réinscrit dans l'humanité [...]. Le meurtrier répond de son acte, cet acte prend le statut d'acte humain du fait qu'un juge l'inscrit d'autorité dans la parole. Ne pas juger le « fou », c'est enlever au sujet, selon un psychiatre spécialisé en cette matière, « la possibilité de se repérer dans son histoire et donc de retrouver une identité cohérente. Il est condamné à ce que quelque chose soit fou en lui et le reste. Il est condamné à la folie [16] ».

La réinscription dans un espace commun

Comment échapper à une psychologisation du crime ? Comment laïciser nos représentations de la transgression ? Quel sens politique, et non plus moral ou eschatologique, donner à la peine ? Après la dialectique de la faute et du châtiment, puis celle du symptôme et du traitement, nous voici à celle du *trouble identitaire* et de la *réinscription dans le symbolique*.

Le délinquant cherche une référence commune, et la réponse en terme de psychologie ne suffit plus : il n'est pas possible de refermer la question identitaire sur une question purement privée, pas plus qu'on ne peut la soulager par une réponse stéréotypée. Mais si la réaction sécuritaire est illusoire, le refus libertaire de toute intervention auprès des individus est aussi dangereux tant la sanction pénale risque d'apparaître comme la seule efficace. Le psychopathe, le toxicomane, le délinquant sexuel, le jeune délinquant multiplient les passages à l'acte tant que leur problème n'est pas résolu et tant que la loi n'est pas dite. Il ne suffit pas de les soigner, il faut réaffirmer la loi symbolique.

---

15. P. Legendre, *Le Crime du caporal Lortie*, Paris, Fayard, 1989, p. 159.
16. M. Colin, J.-P. Beauchet, « L'article 64 ou le fou déshumanisé », *La Dangerosité*, Toulouse, Privat, 1991, p. 65.

Le juge est pris entre plusieurs impératifs contradictoires : appliquer le droit et réparer l'offense faite à l'ordre public, mais de manière intelligente, et surtout efficace. D'où le défi que constitue pour une société désacralisée et un individu désorienté la préservation d'un moment d'autorité, c'est-à-dire le maniement à la fois de la force légitime et de la dimension symbolique. Une telle confrontation avec la dimension collective de la vie sociale est indispensable à la constitution du sujet. La réinscription dans le symbolique passe par la réinscription dans le langage, l'institution des institutions. La dimension autoritaire de la justice n'a de sens que pour donner du poids au langage, aux paroles du juge et aux engagements pris devant lui. C'est à partir de cette violence symbolique de la *qualification*, c'est-à-dire du sens indisponible, que peut travailler le psychiatre. On a cru à tort que la psychiatrie pouvait « soigner » seule certains comportements déviants en se passant du judiciaire. C'est pourquoi les psychiatres disent à présent aux juges : « Rappelez la Loi, nous pourrons travailler ensuite. »

On ne répond pas de la même manière à une délinquance qui exprime un trouble identitaire qu'à une agression délibérée contre l'ordre public. Si la peine est la réaction à une faute, le contrôle social la solution à un symptôme, la réinscription dans le symbolique est la seule réponse à un trouble identitaire. La justice est prise dans une alternative infernale : si elle se borne à punir, elle se montre injuste, mais si elle ne veut que soigner, non seulement elle se dérobe devant la victime et l'ordre social tout entier mais, de surcroît, elle est contre-productive d'un point de vue thérapeutique. On ne parvient pas à sortir de l'alternative : aider ou punir ?

Or cette opposition semble à la fois fausse et nocive. Fausse tout d'abord, parce qu'il y a belle lurette qu'une répression « pure », c'est-à-dire sans aucune perspective de réinsertion, n'existe plus. Encore moins depuis la suppression de la peine de mort qui, symboliquement, donne à toute peine l'horizon d'un retour à la société. D'autre part, il n'y a pas d'aide qui ne passe pas par un moment contraignant, qui ne s'appuie pas sur un rappel de l'interdit. Nocive ensuite, parce qu'on ne gagne rien à trop contraster les deux logiques – la bonne santé réparatrice contre la mauvaise justice séparatrice, la valeur sûre de la répression contre les aléas de la thérapie. L'articulation de ces deux logiques pose plus de difficultés que leur disjonction.

Chapitre X

SANCTIONNER ET RÉINTÉGRER

Si la justice a été formelle et excluante sous l'État libéral, puis thérapeutique et redistributrice sous l'État-providence, elle se doit d'être à la fois symbolique et réintégratrice dans une société dont l'exclusion est le problème majeur. On reproche souvent à l'idée de réintégration un certain angélisme qui ne prend pas suffisamment en considération la défense sociale. Le débat risque de s'enfermer dans un dialogue de sourds où s'affrontent brutalement droits subjectifs et intérêt collectif, sécurité publique et libertés individuelles, exemplarité de la peine et fonction thérapeutique. Comment en sortir ? Il faut, tout d'abord, tenir compte de la dérive sacrificielle qui caractérise nos sociétés émancipées d'une tutelle étatique trop forte. Le caractère sacrificiel de la justice procède d'une double distinction : entre les sujets tout d'abord (le groupe et celui qui est expulsé) et entre l'espace commun et le non-lieu de l'exil. Il faut donc lui opposer la *continuité du sujet de droit* et la *continuité de l'espace public*. Une seconde condition consiste à repenser les modalités de la violence légitime. A force de voir la violence partout, on n'arrive plus à la penser dans le seul endroit où elle est légitime, c'est-à-dire dans la justice pénale. Il faut retrouver au-delà du sacrifice et de la thérapie, la juste distance, au-delà des droits et des besoins la dignité et au-delà de la peine et de la sûreté, la sanction.

AU-DELÀ DU SACRIFICE ET DE LA THÉRAPIE : LA JUSTE DISTANCE

L'individualisme rend l'opinion publique moins tolérante, plus apitoyée et plus peureuse. L'idée d'un citoyen, c'est-à-dire d'un sujet politique, se perd au bénéfice de l'individu souffrant. La logique des droits subjectifs et de l'autonomie d'une part, et celle de l'intégration dans une communauté vitale indispensable d'autre part, entrent en collision. L'idée de sujet de droit introduit un principe de *transitivité* entre tous les citoyens, la victime et l'auteur de l'infraction, le sujet souffrant et le sujet triomphant, le prisonnier et l'homme libre. Tous ont en commun, quelle que soit leur situation concrète, d'être et d'avoir vocation à demeurer sujets de droit.

Règle de droit, règle de jugement

L'impasse des droits subjectifs montre la différence de perspective entre le droit et la justice. Les droits subjectifs peuvent en effet s'accumuler sans craindre de se contredire. Le juge, au contraire, est chargé de départager des prétentions rivales et, la plupart du temps, d'une force juridique équivalente. Aussi la proclamation solennelle de droits n'est-elle que de peu de secours pour le juge. Un enfant est suspecté d'avoir fait l'objet de mauvais traitements de la part de ses parents ? Il a certes droit à l'intégrité corporelle, mais ses parents ont un droit égal à un juste procès. L'enfant ne pourra donc être cru sur parole et toutes les preuves devront pouvoir être discutées.

C'est alors qu'intervient l'idée de règle de jugement avancée par François Ewald, c'est-à-dire « non pas une règle qui serait énoncée par une instance, mais ce qui règle le jugement de toutes les instances, non pas donc quelque chose que l'on applique, mais ce à travers quoi on juge [1] ». En d'autres termes, il s'agit de la règle interne de jugement des juges. Cette règle a évolué ces dernières décennies. A la seule préoccupation de condamner, à laquelle s'est ajouté le souci de soigner, se substitue aujourd'hui l'objectif plus global de sanctionner et de réintégrer dans une même décision. On continue d'attendre des juges qu'ils condamnent, séparent, éloignent, mais on exige davantage. La réintégration est en effet deve-

1. F. Ewald, *L'État-providence*, Paris, Grasset, 1986, p. 436.

nue la finalité longue de l'acte de juger. Les juges sont dorénavant absorbés autant par la condamnation que par la réinsertion, autant par les droits de visite et les conséquences du divorce que par la séparation, autant par le retour de l'enfant placé que par le retrait. Ils ne cherchent plus à exclure mais à trouver la juste distance entre le délinquant, l'enfant en danger ou l'époux fautif et les autres membres du groupe. Les membres d'une même collectivité ont des intérêts à la fois antagonistes et solidaires. En matière de mauvais traitements, par exemple, les juges ont progressivement pris conscience que l'éloignement de l'enfant – voire l'incarcération des parents – revenait bien souvent à sanctionner l'enfant, celui-là même que l'on veut protéger, en le privant de tout contact avec ses parents dont il continue d'avoir besoin. La famille, symbole de la communauté dans laquelle jamais personne ne pourra être véritablement un tiers pour l'autre, montre les limites des droits subjectifs considérés comme unique règle de jugement de la justice.

Une telle recherche de la juste distance entre des intérêts contradictoires mais indissociables se caractérise par un certain pragmatisme. Notre époque se méfie des proclamations qui ne coûtent pas cher, elle conçoit la justice plutôt dans la réalisation concrète d'une valeur. Ainsi, l'intérêt de l'enfant, référent suprême de notre justice familiale, n'a pas de contenu identique et absolu comme un droit formel : il n'a de sens que dans une situation concrète sur laquelle s'appuiera le juge. Pour ce type de décisions, le possible vient au même rang que le souhaitable. Le jugement se fait plus mobile et cherche – autant que faire se peut – à s'adapter à la situation, à son histoire, à son évolution et à ses possibilités de changement.

Ce souci de la réintégration s'étend à la victime. Le procès doit lui donner également le sentiment d'avoir été entendue ne serait-ce que pour lui permettre de s'engager dans un travail de deuil. Les victimes sont souvent frustrées de ce qu'à la fin du procès, on ne les tienne pas informées de ce que devient le condamné. Ne devraient-elles pas avoir le droit de savoir où il est, comment il évolue ? Cela serait à mettre en parallèle avec la nécessité pour le détenu de continuer d'être confronté aux conséquences de ce qu'il a fait, même après le procès. L'idée d'organiser une aide spécifique pour certaines victimes déstabilisées par un drame fait son chemin. Les victimes ne doivent pas être abandonnées à leur détresse et à leur solitude, et sont en droit d'attendre de la justice qu'elle garantisse le respect de leurs intérêts dans une période où elles ne sont pas psychologiquement en état de les défendre elles-mêmes. C'est cet esprit qui a présidé à la création d'une prise en charge psychologique des victimes d'actes de terrorisme par l'État après l'attentat de la station Saint-Michel le 25 juillet 1995.

Ainsi, la recherche de la juste distance plutôt que la désignation d'un gagnant et d'un perdant semble anticiper les évolutions du droit. Le propre du droit n'est-il pas de prendre le contre-pied des évolutions de la société dans laquelle il s'inscrit. Ainsi, s'il était *individualiste dans une société hiérarchisée, ne va-t-il pas devenir solidariste dans une société atomisée* ?

AU-DELÀ DES DROITS ET DES BESOINS, LA DIGNITÉ

La question de la peine est à la fois très ancienne et radicalement nouvelle. D'un côté, en effet, elle continue de se montrer rebelle à toute rationalisation, tant est fragile la logique qui la lie au crime et tant l'imaginaire refoulé de la vengeance reste désespérément présent. Mais de l'autre, elle concentre sur elle toute l'ambivalence de notre individualisme moderne. La multiplication à l'infini des garanties, l'allongement des mesures d'instruction et le diffèrement du moment autoritaire de la justice, qui toutes doivent empêcher le recours à la force, trahissent les résistances de la « douceur démocratique » face au maniement de la violence. La prison incarne l'ambivalence démocratique à l'égard de l'autorité. Elle est le lieu de cette contradiction majeure : à cause de la déréliction du lien social, on y a de plus en plus recours, mais on ne sait que faire auprès des prisonniers si ce n'est leur donner toujours plus de droits.

L'amélioration de la prison a été jusqu'ici pensée exclusivement en termes de nouveaux droits subjectifs (parlons libres, télévision, abandon du costume pénal, etc.) pour le détenu. Ils sont essentiels et il faut les maintenir ; mais peut-on s'arrêter là ? En dehors de possibles effets pervers (sentiment de toute-puissance chez les détenus, frustration en cas de retard à la mise en œuvre, rivalité et jalousie d'un personnel de surveillance qui se sent oublié par les réformes), cette multiplication de droits montre vite ses limites. « Les parloirs libres, l'introduction de la télévision sont des choses extrêmement positives. Mais c'est vécu comme des petites choses qui leur ont été octroyées pour éviter le pire, et qui, finalement, ne font pas droit à ce qu'est leur revendication fondamentale qui est d'être considérés comme des sujets de droit. Ce qui est intolérable pour eux, c'est l'arbitraire, c'est-à-dire le fait d'être traités comme des objets : on ne choisit ni sa prison, ni sa cellule, ni ses voisins, ni son affectation, ni son avenir [2]. » Une véritable humanisation ne consiste-t-elle pas à renforcer non seulement les droits des personnes détenues mais également les *exigences* à leur égard ? C'est la seule manière de faire de la peine un authentique acte positif de paiement d'une dette, et non plus une souffrance absurde, subie passivement. A condition de savoir au nom de quoi les imposer.

On ne peut limiter le critère du juste procès au seul respect des droits de l'homme. Il s'agit certes d'une condition nécessaire mais non suffisante. Que fait le juge, une fois ces critères respectés ? La doctrine juridique devient subitement muette. Elle fait penser à une chirurgie qui se limiterait à l'asepsie. Mais que décider pour un vrai coupable ? Une institution juste ne doit pas seulement se préoccuper de ne pas condamner des innocents, elle doit également veiller à ne pas maltraiter les vrais coupables. La solution n'est pas dans le refus de toute violence en tant que telle ni dans l'atténuation de la violence avec la multiplication des droits subjectifs des détenus, mais dans l'*intelligence* de la violence nécessaire. La prison, comme la violence, n'est pas bonne ou mauvaise *a priori*, elle ne peut être que juste ou injuste. Ce qui lui manque le plus aujourd'hui, c'est un critère d'évaluation auquel confronter ses pratiques. Faute de pouvoir la penser comme une institution juste, on ne pourra que la rendre plus vivable sans véritablement la réformer.

Seul un critère de justice sera à même de donner à la peine une *dynamique* et permettra de se sortir des impasses actuelles. D'où l'urgence d'une réflexion éthique sur la peine, ce qui ne veut pas dire renoncer à tout discours sensé et laisser le champ libre à l'effusion des bons sentiments. Ce critère peut être trouvé dans l'idée de *dignité* entendue comme une exigence à la fois *en faveur* du sujet et *à l'égard* du sujet, comme condition et objectif de la communauté politique. On distingue traditionnellement les objets de droit qui ont un prix d'avec les sujets qui ont une dignité. La notion de dignité a fait son apparition dans des textes juridiques fondateurs à valeur universelle, à côté du concept de droits de l'homme dont elle est la substance : « Tous les êtres humains naissent libres et égaux en dignité et en droits. Ils sont doués de raison et de conscience et doivent agir les uns envers les autres dans un esprit de bienveillance », dit l'article premier de la Déclaration des droits de l'homme. Si les droits de l'homme sont une *condition* de la justice, la dignité de tous n'en est-elle pas le *projet* ?

---

2. H. Vertet, *op. cit.*, p. 4.

Des garanties formelles à l'idée de dignité

Chaque système appelle des garanties particulières adaptées aux risques propres qu'il génère : ainsi, un système centralisé de contrôle social doit avoir pour contrepartie le droit de se taire, un système civique exige au contraire que chacun ait voix au chapitre ! Si la garantie formelle fait système avec le contrôle social, l'aptitude à la parole s'accorde avec le modèle civique. Si le droit formel repose sur des garanties contre le contrôle social et l'intrusion de l'État, notre époque est plus sensible à l'idée de garantir un usage public de la parole pour chacun. Les procédures comme le *plea bargaining*, c'est-à-dire la possibilité de négocier son aveu contre une minoration de la peine, cessent alors d'être considérées comme l'abandon des droits formels. Toutes les procédures de réparation, de médiation ou de négociation ne sont ni des peines ni des mesures de sûreté mais des choix de procédure, où l'importance est la capacité offerte à chacun de se comporter en sujet de droit.

L'État social est peut-être allé trop loin dans le dessaisissement des sujets de leur propre destin, en accomplissant la célèbre prophétie de Tocqueville qui pensait qu'il finirait par nous « ôter entièrement le trouble de penser et la peine de vivre ». Le sujet de droit cherche à récupérer une souveraineté sur lui-même, dont un certain savoir scientifique ou technocratique l'avait dépossédé. L'éloignement grandissant entre les sujets et leurs représentants, du fait de la taille, de la complexité et de la spécialisation des sociétés modernes, risque, en effet, de stériliser la démocratie. Les « exclus » le sont d'abord des formes traditionnelles de représentation, c'est-à-dire de la vie politique, syndicale, associative, etc. C'est peut-être la raison du succès aujourd'hui de toutes les formes alternatives au procès (négociation, réparation, médiation...) qui traduisent le désir de garder la maîtrise du règlement du conflit en même temps qu'une tentative, certes timide, de constitution d'un espace public à la fois non institutionnel et non thérapeutique. Comme si notre démocratie cherchait à compenser ces fuites de souveraineté « par le haut », du fait de l'Europe, qui éloigne les centres de décision, ou de la mondialisation du droit, par exemple, par un exercice plus immédiat de la souveraineté.

Le procès comme une trêve

Prendre en compte la dimension du symbolique, c'est aussi s'éloigner d'une vision trop *matérialiste* de la justice, et notamment de la peine. Trop accaparée par ses effets dans le réel, l'institution n'a pas pris toute la mesure de la véritable demande. Ne limitons pas l'audience au passage obligé de la peine : elle a une dynamique propre qui, dans certains cas, peut rendre la peine quasi inutile. Le jugement, en rendant « visibles » la transgression et son auteur, est déjà une réinscription dans le symbolique. Le jugement est avant tout un acte officiel de nomination, un *dire public*. Au moment de la loi de 1954 sur les toxicomanes, les juristes ne semblaient pas s'émouvoir qu'un non-lieu soit prononcé par un juge d'instruction si la cure de désintoxication avait porté ses fruits. A présent, on insiste plutôt sur la nécessité de « rappeler la loi » en prononçant à l'encontre d'un toxicomane sevré une dispense de peine au motif que personne, pas même le juge, ne peut se dispenser de dire le droit. On est ainsi passé d'une justice qui acceptait à la limite *une peine sans dire la loi*, c'est-à-dire une réaction sociale comme la cure de désintoxication sans déclaration de culpabilité, à l'inverse, c'est-à-dire à la recherche des manières de *dire la loi sans peine*.

L'accession à la maturité, le sevrage ou l'intériorisation de la loi réclament du temps – en tous les cas un temps plus long que le seul moment du procès. Aucune solution sérieuse n'est envisageable sans une sorte de *trêve*. Partant, la représentation d'une peine rédemptrice suivant immédiatement le délit semble partiellement dépassée. On passe insensiblement de l'idée d'un jugement à une trajectoire judiciaire. L'intervention de la justice doit se comprendre comme un parcours composé de moments autoritaires et d'autres plus dialogués. La contrainte, loin de dénaturer le dialogue, le dynamise. La justice ne se situe plus entièrement du côté de la souffrance et de l'autoritaire mais dans une interactivité entre une justice imposée et une justice négociée, entre une justice arrêtée et une justice convenue qui renvoie à une réévaluation du rapport entre la parole et l'agir. L'histoire du procès est celle de son étirement dans le temps. Jusqu'à en perdre de vue le moment même du jugement comme dans la justice informelle. Le jugement ne doit plus être considéré comme un pouvoir qui s'épuise en s'exerçant mais comme un processus qui ouvre un espace et crée les conditions pour une certaine interactivité entre la personne prévenue et l'institution. L'introduction de la *durée* et de la *relation* est la condition d'une justice intelligente. Elles révolutionnent en profondeur le sens de la justice.

Un dialogue sous influences

Il est demandé à la justice de ne pas se montrer *avant tout* violente, c'est-à-dire de ne jamais envisager la répression comme première et principale réponse, mais de lui préférer des manières plus conventionnelles de garantir l'autorité du droit. Plutôt que de procéder par des contraintes décidées puis mises à exécution, la justice s'oriente vers un mode d'exercice de l'autorité faisant plus partager et intérioriser les contraintes et les nécessités aux parties prenantes du conflit, en faisant appel à leur responsabilité. La justice doit s'efforcer d'inventer des manières plus dialoguées et plus participatives de garantir l'ordre social. Ainsi, l'intervention de la justice est souvent inaugurée par un entretien : l'audience de conciliation aux prud'hommes ou au divorce (il est vrai très rarement positives), l'entretien chez le juge des enfants et, bien sûr, la mise en examen au pénal.

La première des obligations est de s'expliquer, depuis la garde à vue jusqu'au procès, ce qui n'est pas contradictoire avec le droit au silence mais qui supposerait peut-être de priver le prévenu du droit de ne pas comparaître à l'audience en refusant d'être extrait de sa cellule, comme s'était posé le cas lors du procès Barbie devant la cour d'assises de Lyon. La qualification des faits est, ensuite, un travail essentiel. C'est souvent l'objet d'un désaccord profond avec les parties. Tels parents estiment que leur comportement vis-à-vis de leur enfant ne relève que de leur liberté éducative, voire de leurs références culturelles ? La justice les qualifie de mauvais traitements. La justice est une *contrainte de sens* avant d'être une *contrainte physique*. Le juge donne au sujet le véritable nom de l'acte qu'il a commis : coups et blessures, escroquerie, violences à enfants, etc. Cette nomination est extrêmement importante pour la réinsertion. Le juge rappelle la part indisponible du droit et fixe la frontière entre ce qui est négociable et ce qui ne l'est pas. Par exemple en matière familiale, le juge des enfants fait le départ entre ce qui relève de la liberté dans les pratiques éducatives et ce qui n'est pas acceptable. Le juge cadre le débat, l'enserre dans des limites de temps, précise l'objectif et rappelle l'interdit.

Mais cet échange n'est pas un dialogue ordinaire. Le juge n'est pas un véritable interlocuteur : il incarne la figure de l'absent, de celui qui parle *ex officio*, qui représente le groupe social dans son entier. Combien de fois les parties prennent-elles le juge à témoin en lui demandant de compatir à leurs souffrances, de s'apitoyer ? Mais tel n'est pas son rôle. Il est celui qui voit sans être vu, comme le rappelle l'étymologie du mot « arbitre ». Quelle plus-value sa présence apporte-t-elle à cette discussion ? Elle donne du poids à ce qui y est dit, la parole de chacun y étant comme alourdie par le regard public. Le juge garantit les paroles ayant été « actées » selon les propres termes de la procédure ; il recueille le consentement, notifie les obligations et officialise les promesses, il est le notaire des engagements sociaux. L'engagement doit pouvoir être confirmé par les faits : le procès ne peut plus, pour cette raison, se limiter à un seul moment sans durée mais doit nécessairement s'étirer dans le temps pour permettre une mise à l'épreuve de la parole donnée.

De la même manière que le citoyen ne doit pas être confondu avec l'individu, la parole publique doit être distinguée de la parole privée. L'institution ne sollicite pas en effet n'importe quel type de parole : à la différence de la justice informelle de l'État-providence qui confondait volontiers l'aveu, la confidence et l'engagement, c'est un usage public de la parole qui est requis aujourd'hui. C'est bien le sujet politique, le citoyen qui est sollicité et non l'individu. Cela n'est possible qu'à la condition de le reconnaître comme l'auteur d'une parole propre capable de se raconter, de passer des conventions, de promettre.

Le consentement suppose la capacité de *comprendre* et de prendre conscience. D'où la priorité donnée à l'information et à la *prévention*, mot clé de toutes les politiques publiques ; d'où, également, la multiplication, y compris dans la procédure judiciaire, des mises en garde comme l'injonction thérapeutique [3]. Le postulat de la capacité d'entendement du sujet semble également dessiner une issue au délicat problème de la différence culturelle, si prégnant dans nos sociétés marquées par l'immigration. Comment concevoir une justice qui ne prenne pas le temps d'expliquer quelle est la loi ? Tout doit être mis en œuvre pour que l'étranger appartenant à une culture radicalement différente puisse connaître sa culture d'immersion. En tant que sujet de droit, il est également supposé capable de s'abstraire – au moins temporairement – de sa propre culture en prenant, par exemple, l'engagement de ne pas faire exciser son enfant, ou de modifier ses méthodes éducatives tant qu'il n'est pas sur son sol.

3. C'est la procédure qui permettait au substitut du procureur d'enjoindre aux personnes poursuivies pour usage de stupéfiants d'aller fréquenter des centres de soins.

Permettre au sujet de prendre des engagements

La parole n'a de sens que si elle influence le comportement de son interlocuteur et, en l'occurrence, de l'institution. On a vu, en effet, progresser en France ces dernières années les possibilités offertes à la personne déférée en justice de modifier le cours de la procédure par sa seule volonté, en demandant, par exemple, un délai pour préparer sa défense, en acceptant ou en refusant un travail d'intérêt général – voire, un jour prochain, en plaidant coupable.

C'est aussi vrai du pré-sentenciel que du post-sentenciel. Pratiquement toutes les nouvelles peines depuis 1945 ont en commun de ne pouvoir être prononcées qu'avec l'accord exprès de l'intéressé. La justice attend de lui un *engagement*. Il doit être distingué de la *promesse*, du *serment* et du *contrat*, même si l'engagement a quelque chose à voir avec tous ces concepts : avec la promesse la dimension de la volonté qui s'aliène, avec le serment l'auto-malédiction publique, avec le contrat la réciprocité. Il s'agit, en réalité, de réanimer le pacte fondateur du lien social qui a été meurtri. La réinsertion ne se borne pas à retrouver une place, elle consiste à rentrer à nouveau dans la dette sociale. La dimension identitaire de la délinquance incite à renforcer ce sens de la peine : donner l'occasion au sujet de payer sa dette.

AU-DELÀ DE LA PEINE ET DE LA SÉCURITÉ, LA SANCTION

A défaut d'être rationalisable, la peine serait-elle modernisable ? La seule alternative à la prison actuelle est-elle la non-prison, c'est-à-dire la liberté totale ? Notre époque, plus fataliste, se résigne à ce mal nécessaire et demande qu'on trouve une intelligence à la peine. Bref, après avoir rejeté dans l'utopie l'hypothèse d'un monde sans peines, comment concevoir une peine *intelligente* ? Comment ne pas surcharger un individu, certes coupable, des injustices dont il a lui-même été victime ? Peut-on dédommager une souffrance autrement qu'en en infligeant une autre ? On ne sortira des impasses actuelles qu'en se départant du langage ancien pour penser la *sanction* au-delà de la peine. « Sanction », du latin *sancire*, a la même étymologie que « sacré ». La sanction, pour le Littré, c'est l'« acte par lequel, dans un gouvernement constitutionnel, le souverain approuve une loi ; approbation sans laquelle elle ne serait point exécutoire », ce qui souligne la proximité des notions de sanction et d'autorité.

Toute réflexion sur la peine bute sur son ambiguïté entre sanction et réprobation publique d'une part, et *souffrance* d'autre part, toutes trois inscrites sous le signe de la *contrainte*. Dans la peine de prison, c'est la souffrance, la privation de liberté qui constituent la sanction ; en revanche, dans la mesure de travail d'intérêt général (TIG), c'est la contrainte et non plus la souffrance qui est recherchée. Dans l'interdiction prononcée par un juge de fréquenter la victime, il ne s'agit même plus d'une contrainte, mais d'une *limite*, d'une restriction de la liberté, qui seront peut-être vécues comme une *frustration*, mais n'est-ce pas inéluctable dans une société qui privilégie à ce point le désir ?

Égalité devant la loi et individualisation de la peine

Comment concilier ces deux impératifs concurrents et contradictoires que sont, d'une part, l'égalité devant la loi et, d'autre part, l'individualisation de la peine ? L'idée d'*égalité devant la loi* signifie moins à présent une sanction uniforme pour tous, un même contenu, une même peine par exemple, mais au contraire le droit de tous à un traitement individualisé de la part de la justice et des institutions pénales : en d'autres termes, pas le même tarif pour tous mais une attention égale, et, bien sûr, des garanties identiques. Mais comment peut-on concevoir qu'un individu voie sa peine minorée parce qu'il a moins besoin qu'un autre d'une prise en charge sociale ? L'individualisation heurte le principe de la justice distributive. Peut-on résoudre cette contradiction ?

Ne faudrait-il pas reposer la fameuse question de la césure du procès pénal, c'est-à-dire la distinction de la partie qui statue sur la culpabilité et celle qui fixe la peine ? « La première partie, propose Marcel Lemonde, [serait] consacrée à l'examen des charges et rien que des charges ; la seconde qui n'a de raison d'être qu'en cas de déclaration de culpabilité à l'étude de la personnalité du coupable [4]. » Pourquoi ne pas aller plus loin encore et, grâce à cette distinction entre la sanction et la peine, prévoir que la juridiction fixe la durée totale d'une sanction aménageable en fonction du comportement du condamné ? Une juridiction pénale pourrait ainsi décider de la culpabilité et de la durée globale de la sanction

4. M. Lemonde, « Le fou, le coupable, le psychiatre et le juge », *Le Monde* du 13 mai 1989.

en manifestant la mesure de la réprobation sociale en fonction notamment de la gravité des faits, une autre juridiction d'application des sanctions étant compétente pour arrêter les modalités les plus adaptées à la situation concrète de l'individu selon son attitude postérieure au procès (indemnisation de la victime, par exemple). Cette césure permettrait de conserver à la peine sa véritable nature de dette sociale. C'est d'ailleurs un peu ce qui se pratique déjà de manière empirique.

L'unité de la peine éclate ainsi au bénéfice d'une large palette de modalités différentes de purger sa dette sociale qui n'impliquent pas toutes nécessairement la souffrance. A l'intérieur des peines, la prison ne devrait-elle pas rester la forme extrême, réservée aux cas les plus graves ? Ne faudrait-il pas envisager d'inventer des formes d'incarcération très courtes (trois jours juste après la garde à vue pour marquer le coup et se donner le temps de trouver des solutions adaptées) ? De créer des institutions spéciales pour les étrangers en situation irrégulière qui ne réclament pas beaucoup de mesures sécuritaires ? Voire d'imaginer des centres dans lesquels l'isolement serait strict pour des courtes peines inférieures à deux mois dont on sait qu'elles sont socialement les plus dévastatrices ?

Une réponse systématique et diversifiée

On passe progressivement d'un système de peines sélectives et exemplaires à une sanction systématique, globale, diversifiée, positive et socialisée.

L'idée que chaque infraction doit être suivie d'une réaction sociale si minime soit-elle, sous peine de discréditer la loi pénale, fait son chemin. Cette *systématicité de la réponse pénale* est à l'ordre du jour. Une telle systématicité n'est pas envisageable si l'on continue de penser la peine sur un modèle unique. La *diversification des réactions* est indispensable. La prison doit cesser d'être la peine de référence. Cette diversification permet au judiciaire de retrouver sa place et de réserver la solennité de l'audience à certaines affaires seulement qui méritent ce traitement. En faire moins, mais mieux. Ce souci d'une plus grande effectivité des sanctions, loin d'être antinomique de la dimension symbolique, en est, en réalité, la condition même.

La *réponse* se substitue à la *sanction* traditionnelle : le droit cesse d'être cet inventaire assez rigide de mesures pour se rapprocher de la civilité. On voit d'ailleurs le terme de « réponse sociale » supplanter progressivement celui de peine. Grâce au traitement systématique de toutes les affaires élucidées encouragé par la Chancellerie, le magistrat du parquet doit être en mesure d'apporter immédiatement une première réponse judiciaire, laquelle est de ce fait plus crédible et tangible autant pour le délinquant, qui, sans cela, pourrait avoir la sensation de pouvoir poursuivre son comportement délictueux en toute impunité, que pour les services d'enquête et l'opinion publique en général. La souplesse de la mesure permet d'envisager des prestations très diversifiées, allant des simples excuses à un dédommagement ou un service rendu, soit à la victime directement, soit à la collectivité. Ces dernières modalités de réparation symbolique au bénéfice de la collectivité mériteraient d'être approfondies.

D'où la volonté de *globaliser* la réponse, c'est-à-dire de ne pas se satisfaire de réprimer l'infraction mais de s'attaquer à ses origines en prenant en considération également l'environnement affectif, social et économique, et en sollicitant la contribution de chacun y compris de la victime. C'est le fondement de l'idée de médiation par exemple. Peut-être des médiations devraient-elles être envisagées dans des cas plus graves que les affaires de voisinage ou la petite délinquance, à condition que la victime en soit également demandeuse.

Une réaction sociale plus intelligente suppose qu'elle soit *positive*. On a confondu sanction et répression alors que la première peut être positive (comme un examen sanctionne un cycle d'études). La réparation ou la médiation pénales sont plus tournées vers l'avenir que vers le passé ; elles cherchent moins à expier une erreur antérieure qu'à la réparer. Elles peuvent même s'éloigner de la matérialité de l'infraction en annulant la souffrance infligée à autrui, non pas par une autre souffrance mais par un plaisir, une gratification (par exemple, en rendant « un service » à la victime). La civilité, elle aussi, est touchée par le droit... Ne faudrait-il pas donner un tour plus officiel à la fin de la sanction, et la dynamiser par la perspective d'une réhabilitation plus ouverte, par un oubli plus rapide en cas de succès ? Le regard social est réintroduit mais de manière non sacrificielle : la notion de *visibilité* se substitue peu à peu à celle d'*exemplarité*.

La sanction devient l'affaire de tous, plus seulement des institutions pénales mais également des élus, du secteur associatif notamment, voire de l'entreprise (par exemple, la RATP pour les délits commis dans le métro). Le mouvement de division du travail social semble s'inverser au bénéfice d'une *socialisation* de la sanction pénale qui concerne désormais le groupe social tout entier. D'où la nécessité de penser la manière d'associer plus étroitement les citoyens à l'ensemble de la justice pénale. Pour la drogue, par exemple, ne faudrait-il pas penser à une prise en charge des toxicomanes plus citoyenne et moins institutionnalisée ? En faisant délivrer la méthadone par des pharmaciens et des médecins de ville ayant suivi une formation spéciale ?

Mais il y a des personnes pour lesquelles aucun travail social ou thérapeutique ne semble suffisant. Que faire pour eux ? Qu'envisager pour ces sujets non réintégrables, indifférents à toute dimension symbolique ? On ne peut échapper à la question de la peine en milieu fermé.

La continuité de l'espace public

La prison s'est d'abord organisée autour de l'idée de relégation. Elle était le lieu où l'on reléguait les gens qui n'avaient plus de droits. Elle était un non-lieu public, ou plus exactement un lieu de non-droit. L'État de droit concevait son rôle, comme celui d'autoriser cette interruption des droits de la personne et de l'espace public. Les lieux de relégation étaient d'ailleurs souvent à l'autre bout de la terre. Tout autre est la perspective actuelle. Le rôle de la justice n'est pas de limiter le nombre de rejetés mais de lutter contre cette tendance sacrificielle. C'est toute la différence entre rejeter, mettre hors jeu, d'une part, et mettre à distance mais toujours dans le même champ, d'autre part. La justice démocratique ne se borne pas à autoriser la suspension des droits mais cherche au contraire à assurer la *continuité de l'espace public* et l'*indivisibilité du sujet de droit*.

L'espace public est une idée politique avant d'être un lieu sensible. Lorsque le juge entend une affaire de divorce à huis clos, il est toujours dans l'espace public bien que la matière traitée soit privée. La justice est toujours publique, et le procès est la mise en scène la plus sensible de l'espace public entendu comme l'endroit où est reconnu à chacun sa capacité de sujet de droit et donc de faire un usage public de la parole. La prison pourra être un espace public si les rapports en son sein sont des rapports de droit, c'est-à-dire justiciables d'une référence commune. C'est la justification de la présence du juge d'application des peines en prison et le principal argument en faveur du renforcement de sa judiciarisation. Ni psychiatre, ni administrateur, ni défenseur, il est comme tout juge un personnage symbolique qui incarne la présence du groupe social tout entier. Il fait exister la parole publique des détenus comme président d'un débat qui est indispensable à la survie d'un sujet de droit.

La continuité de l'espace public suppose également une continuité du regard public. Ce regard public donne tout son sens à une initiative comme celle de l'Observatoire international des prisons qui se fixe pour tâche de médiatiser les rapports entre l'opinion publique et la prison en y informant régulièrement l'une de l'état de l'autre. La télévision peut contribuer à donner aux détenus une réalité dans l'imaginaire social. On a assisté ces dernières années à un grand nombre d'initiatives qui permettent aux détenus de s'exprimer dans des journaux, des émissions vidéo, voire de faire entrer des artistes en prison.

Une violence limitée

La violence de la prison est tout d'abord, cela va de soi, limitée dans le temps. Elle est également restreinte dans son objet : elle se cantonne à la privation de liberté et donc à la restriction de la liberté de mouvement. La mesure ne se trouve pas que dans le quantum de la peine, c'est-à-dire sa durée, mais aussi dans la délimitation sans cesse à refaire entre ce qui relève de la privation de la liberté et ce qui est humiliation inutile. Parce que l'humiliation disqualifie la violence et la rend illégitime. La violence légitime est sans cesse menacée de verser dans l'injuste : c'est la raison pour laquelle elle doit s'efforcer de protéger cette qualité fragile et précaire.

Une véritable réforme de la prison doit mettre fin bien évidemment aux *traitements dégradants* qui nient la dignité de l'homme, elle doit combattre la *froideur technocratique* de laquelle toute trace d'humanité a disparu et s'opposer aussi à l'*infantilisation* qui peut être encouragée par l'accumulation de droits subjectifs qui sont trois perversions possibles de l'univers carcéral. La dignité a, pour la personne incarcérée, un contenu très sensible et concret.

La mesure de la violence se traduit également par la *retenue* face à un sujet qui est à la merci de l'institution. Elle se définit négativement comme un *infranchissable* : l'emprise institutionnelle doit s'arrêter devant une zone d'intimité du sujet, inviolable par quiconque. Le détenu n'a aujourd'hui pas d'espace personnel qui ne soit susceptible d'être visité à l'impromptu ; il peut être surpris à tout moment par le regard d'un surveillant, son courrier peut être lu par tout le monde, il est sans cesse fouillé, et parfois mis complètement nu. Faut-il accepter la « tinette » ? Le tutoiement systématique ? La dignité a quelque chose à voir avec l'image, avec la capacité de se mettre en scène, c'est-à-dire de choisir ses habits, de se laver, de se raser, d'offrir de soi l'image sociale que l'on souhaite donner, d'avoir accès à tout ce qui s'apparente à l'identité culturelle et religieuse, bref, avec tout ce qui concerne « les fondements cérémoniels du moi », selon l'expression d'Yves Bertherat.

L'affirmation d'un « je » suppose un jeu institutionnel, et par conséquent de mettre fin à une certaine conception de l'institution totale, sinon totalitaire, qui apportait *tout* au détenu (nourriture, emploi, culture, santé, éducation, etc.) en refusant, de surcroît, tout regard extérieur. Le détenu reste un *citoyen* (il conserve notamment le droit de vote tant qu'il n'est pas condamné) et, plus précisément, un *usager* : de la santé, de l'éducation, voire de la culture. C'est d'ailleurs dans ce sens-là que vont toutes les réformes depuis quelques années, jusqu'à la loi de janvier 1994 qui dévolue au ministère de la Santé les soins en détention. Enfin le détenu reste un *justiciable* : l'institution judiciaire n'est pratiquement jamais saisie de délits commis en détention (vol, viol, coups et blessures volontaires). Cette sorte de suspension de l'ordre public républicain va du plus petit détail (mais qui, en milieu carcéral, prend rapidement des proportions importantes), comme la disparition d'objets personnels lors des transfèrements contre lesquels il n'y a de fait aucun recours, jusqu'aux viols, c'est-à-dire aux atteintes les plus graves à l'intégrité de l'individu. Pourquoi ne les juge-t-on pas de manière ordinaire ? Cette internalisation des conflits est très mauvaise, tout règlement juridictionnel étant par nature visible et public. Dedans comme dehors, le détenu doit continuer d'être protégé par les lois de la République : comment lui inspirer le respect des lois si l'institution elle-même ne s'y soumet pas ?

Une peine articulée à une parole

Être sujet de droit, on l'a vu, c'est avant tout se voir destiner une parole : celle qui sépare, celle qui accompagne, celle qui réconcilie, qui notifie une décision ou qui consent. L'imaginaire du contrat a envahi également la justice jusqu'en son cœur, c'est-à-dire la peine. Depuis une vingtaine d'années, toutes les réformes présentent cette caractéristique commune de ne pouvoir s'appliquer qu'avec le consentement du condamné. C'est le cas du sursis avec mise à l'épreuve, du contrôle judiciaire, du travail d'intérêt général, etc. On pourrait craindre que la justice s'épuise dans cette négociation infinie pour obtenir l'adhésion des intéressés aux mesures qu'elle envisage de prendre, mais cela serait oublier que ces engagements sont beaucoup plus que des dispositions de procédure. Ils sont déjà le début de la réaction sociale qui consiste à restaurer la personne dans sa qualité de membre d'une communauté politique.

La souffrance de la peine n'a donc de sens que dans la perspective de la réinscription dans le symbolique, c'est-à-dire d'une parole qui lui donne sens. Dans l'inacceptable de la peine et de la prison, l'absurdité y entre pour beaucoup. La souffrance est d'autant plus absurde – et donc violente – qu'elle n'est suspendue à aucune parole ni orientée vers aucun objectif clair. Cela commence d'ailleurs au niveau judiciaire : une bonne audience dans laquelle le prévenu a pu s'expliquer et comprendre quelque chose – et donc reconnaître la sanction comme juste – est la condition indispensable pour le bon déroulement de la sanction qui suit. La peine doit être inaugurée par une parole. Les juges prennent-ils assez le temps d'expliquer leur décision ? Le droit à la parole signifie ensuite très concrètement d'être associé à un certain nombre de décisions essentielles, comme celles de la Commission d'application des peines, de pouvoir faire valoir son point de vue et de connaître, en cas de refus, la motivation exacte pour savoir à quoi s'en tenir la prochaine fois. Transformer le « subi » en « négocié » suppose de considérer le détenu comme susceptible d'entendement. Le juge d'*application* des peines n'est-il pas bien souvent un juge d'*explication* de la peine ?

Si l'on veut aider quelqu'un à se réinsérer, la première chose est de lui faire reconnaître sa déviance. Encore plus dans ce nouveau contexte dans lequel l'incertitude de la norme empêche les détenus de comprendre qu'ils ont enfreint la règle. L'intériorisation de la norme devient aujourd'hui un enjeu essentiel. Or tout le régime actuel fait que le détenu est confronté à sa peine et jamais à son crime ou à son délit. Aujourd'hui, la pratique veut que l'on ne parle jamais au détenu condamné de ce qu'il a fait, c'est-à-dire de ce qui a motivé la détention postérieurement au jugement. Le travail thérapeutique ne peut pourtant commencer véritablement qu'après le jugement : or l'intervention d'un psychiatre n'est prévue par le Code qu'avant le procès, lors de l'expertise dans laquelle le juge pose la question de la réinsertion (« l'accusé est-il accessible à une sanction pénale ? Est-il curable ou réadaptable ? »). La justice ne se préoccupe pas de savoir si les moyens de cette réadaptation seront mis en œuvre. Il se peut que le détenu ne voie pas de psychiatre par la suite, sauf pour des raisons d'orientation interne à l'administration pénitentiaire. Tout reste concentré autour de l'enjeu judiciaire et non pas autour de l'enjeu humain. Tout à fait à contre-courant de l'apitoiement et donc de la dé-responsabilisation, il faut au contraire permettre au détenu de se ré-approprier son histoire, d'intégrer l'acte qu'il a commis dans sa propre histoire, bref de reconstituer sa propre cohérence narrative. La prison doit lui procurer l'occasion d'une autoréflexion critique, d'un retour sur soi. Pour cela il faut que la psychiatrie entre en détention, ce qu'elle fait mais de manière encore insuffisante.

Le bénéfice de la peine pour le détenu est, on le sait, parabolique : après une période positive dans laquelle il évolue, arrive un moment où le sens du temps s'inverse et travaille à le détruire, à le déshumaniser en annulant les acquis antérieurs. « Être détenu, c'est être exclu de l'écoulement du temps. Le temps s'écoule sans repères. Chaque jour, chaque mois, chaque année, est identique à l'autre. Le passé est souvenir, le futur imprévisible et redoutable. On ne peut pas faire de projets pour dans cinq, dix, vingt ans [5]. » Comment structurer intelligemment le temps ? Comment rythmer le temps de la peine, lui donner un sens, c'est-à-dire un objectif, le ponctuer, le dynamiser, le mettre à profit pour relancer un individu plutôt que de le briser ? Comment le faire dépendre d'un engagement, ce que contient la traduction anglaise de la libération conditionnelle qui a gardé l'ancien sens du mot français : *parole* ? Aujourd'hui, ce n'est pas l'accompagnement qui réduit la peine mais seulement des mesures de grâce (lors du 14 Juillet ou à l'occasion d'une élection présidentielle). Comme la progression de la population pénale est de moins en moins maîtrisable, on l'élague de la manière la plus arbitraire (la mesure de grâce) ou la moins stimulante, (la réduction automatique).

La dignité comme bien commun

La restauration du détenu comme sujet de droit, sa réintégration dans l'espace public redonne au personnel de surveillance toute l'importance politique et la noblesse de sa mission : le respect de la dignité des détenus. A travers la dignité des détenus, c'est la leur que les surveillants affirment. La dignité est par définition un bien commun que nous nous garantissons mutuellement, c'est-à-dire dont nous sommes tous à la fois garants et bénéficiaires. Les droits de l'homme, ce n'est pas la victoire des délinquants mais la dignité des policiers. Ainsi, on fait fausse route lorsqu'on transforme la prison en une poche de non-droit, alors qu'au contraire

---

5. H. Vertet, *op. cit.*, p. 5.

elle doit anticiper le retour à la vie civile par une sorte de « cure de citoyenneté » en permettant à des personnes souvent très démunies de recouvrer l'usage de la parole, de se reconstruire une identité, de retrouver la dignité de l'engagement.

Faut-il voir avec Foucault, derrière cette immixtion de la justice pénale dans la vie personnelle des sujets, une forme encore plus euphémisée de domination politique et redouter, avec Tocqueville, le spectre d'un État tutélaire ? La volonté de considérer, derrière la misère des individus, la dignité du sujet de droit et de pallier le déficit symbolique que certains paient si cher est peut-être le meilleur antidote pour lutter contre ce sadisme plus ou moins conscient des institutions qui, tout en prétendant réinsérer, marginalisent davantage. Le rôle de la justice consiste aussi à réinscrire les personnes qu'elle a soustraites à la vie civile dans le tissu social traditionnel, ce qui est peut-être beaucoup plus difficile que de condamner. Tous les juges des enfants le savent bien, il est beaucoup plus délicat de remettre un enfant à sa famille que de l'en retirer. C'est au moment du retour que les risques de mauvais traitements sont plus grands. Nos sociétés démocratiques sont beaucoup plus promptes à organiser des cérémonies d'exclusion que des cérémonies de réintégration. C'est la pente naturelle de toute société : mais le rôle de la justice n'est-il pas d'aller contre nature ? Ne consiste-t-il pas également à réintégrer les citoyens qu'elle a exclus ? Le problème majeur des sociétés démocratiques qui génèrent l'exclusion ne sera-t-il pas bientôt la *réconciliation* ?

Chapitre XI

PROMOUVOIR LE DÉBAT

Un marché, de bonnes procédures et un arbitre : de quoi donc d'autre aurions-nous besoin ? Pour les néolibéraux qui poussent l'individualisme à l'extrême, le rôle du droit doit se limiter au strict minimum, c'est-à-dire à énoncer quelques interdits essentiels et à s'en remettre pour le reste à la régulation interne de la société. Mais les conservateurs s'inquiètent de la « perte des valeurs » du droit, « du désinvestissement législatif », de l'émergence de « principes flous ». Ils se demandent où se tiennent l'unité et la cohérence du droit ? Et d'ailleurs, le droit prétend-il en avoir ? Où est la loi commune ? Comment concevoir l'espace commun lorsque, précisément, la démocratie se fonde sur le droit de chacun à opposer sa liberté au groupe ? Le libéralisme politique n'est-il pas viable qu'à la condition de renforcer les appartenances concrètes des individus ? C'est le débat qui oppose, aux États-Unis, les « libertariens » aux « communautariens ». Est-il possible d'échapper soit au retour à un droit plus classique, c'est-à-dire substantiel, soit à l'atomisation des individus et donc à la déréliction de l'espace public ? Existe-t-il une troisième voie au-delà de la dissolution du droit ou de la restauration de l'ordre ancien ?

Après les excès de l'État-providence, retournerions-nous purement et simplement, comme le pensent certains, au modèle arbitral classique ? La solution des difficultés que rencontre la justice dans la démocratie se résume-t-elle au retour au *statu quo ante*, c'est-à-dire à un retour pur et simple à la forme traditionnelle de la justice ? Le modèle qui s'annonce est celui d'une *justice décentralisée*. Après un caractère symbolique plus affirmé, c'est la seconde caractéristique de la justice démocratique. La justice devient à la fois plus symbolique et plus décentralisée. Le monde commun n'a pas déserté l'horizon démocratique mais il se loge moins dans des valeurs substantielles communes que dans une méthode commune, dans une procédure. Pour bien saisir ce nouveau modèle qui est en train de naître, il faut tout d'abord analyser son enracinement dans des formes nouvelles de justice qui annoncent une transformation de l'acte de juger lui-même.

DE NOUVELLES FORMES DE JUSTICE

Pour avancer dans ce débat, il faut partir des deux grands modèles qui ont été proposés pour mieux identifier les grands choix auxquels sont confrontés tous les systèmes judiciaires des pays démocratiques.

Le droit positif des sociétés homogènes

Le premier modèle qui naît avec le Code civil au début du XIXe siècle est intimement lié à l'État libéral et à la société industrielle. Il s'agit du modèle le plus proche de la séparation classique des pouvoirs : le législateur prévoit pour l'avenir, le juge est le serviteur de la loi. Le droit est conçu comme un univers clos de règles techniques qui approche la réalité à travers ses catégories propres sans se soucier de leur conformité avec la vie.

Le droit se fixe pour objectif la délimitation de sphères d'action pour la poursuite d'intérêts privés dans lesquelles il intervient peu. C'est pour cette raison que l'on parle de droit « autonome ». Il se garde d'empiéter sur le pouvoir économique, politique ou domestique respectivement maîtrisés par le marché, la représentation nationale ou l'autorité paternelle. En matière économique, il se borne à délimiter les règles du marché en s'interdisant de revoir l'équilibre des prestations contractuelles, par exemple. De la même manière en politique, le droit délimite le pouvoir de chacun des organes constitutionnels. En matière domestique enfin, il définit des liens de parenté et renvoie pour le reste à l'autorité du *pater familias*.

Ce modèle serait impensable hors d'une société hiérarchisée, stable et homogène qui enferme les comportements sociaux dans des rôles très précis et canonisés. Le locataire doit jouir du bien « en bon père de famille », l'époux est fautif s'il est sorti du rôle conjugal défini par la famille catholique et bourgeoise qu'avaient en tête les rédacteurs du Code civil.

Les promesses du « droit providence »

Une nouvelle conception de l'État n'a pas tardé à contredire ce bel agencement du droit classique. L'État a voulu intervenir directement dans les sphères naguère autonomes par l'intermédiaire de lois sociales afin d'assurer non plus seulement une égalité formelle mais une égalité matérielle entre les citoyens. C'est la période du SMIC par exemple, qui interdit au contrat de travail de prévoir une rémunération inférieure à un certain seuil. La plus belle illustration de ce nouveau modèle est la célèbre loi de 1948 qui fixait le montant des loyers suivant les catégories de logement pour protéger les locataires contre des propriétaires tout-puissants en période de pénurie de logement. Ce modèle est lié à l'État-providence et à ses promesses de bonheur pour tous.

La justice est mise en demeure de réaliser matériellement – et plus seulement formellement – l'égalité des droits et de pallier le déséquilibre entre les parties. Si le parlement a été le grand bénéficiaire du premier modèle, c'est l'administrateur qui est le grand maître du second. Le juge se voit assigner des objectifs déterminés : mettre l'enfant hors de danger, sauver des emplois, réinsérer les détenus. Le juge est validé par sa performance dans la réalité sociale et non plus, comme auparavant, par un strict critère de légalité. Avec l'avènement de l'État-providence, le juge se fait « entraîneur », sommé de redresser toutes les injustices du marché et de soigner les sinistres de l'industrialisation. Tant que la justice ne réglait la vie sociale qu'à la marge, comme au siècle dernier, elle pouvait se contenter de célébrer quelques beaux procès. Les exigences de l'État-providence l'obligent à adopter un fonctionnement bureaucratique. Le cabinet, c'est-à-dire le bureau du juge, succède à la salle d'audience comme meilleur lieu de la justice : là, le juge, assisté de tout un aréopage d'experts et de travailleurs sociaux, peut se montrer plus performant. Le droit doit s'appuyer sur des savoirs qui lui sont complètement étrangers, comme la psychologie, la comptabilité, etc. Les rôles du juge, de l'expert et de l'administrateur se confondent. La raison du juge devient instrumentale, il lui faut non plus appliquer des principes mais rechercher les moyens les plus sûrs et les plus rapides pour parvenir à une fin donnée.

Ce second modèle montre aujourd'hui de sérieux signes d'essoufflement. On parle beaucoup aujourd'hui d'un « retour du droit », mais il s'agit plutôt de la fin de l'oubli du droit sous l'État-providence. Après les modèles du droit formel et du droit matériel, comment concevoir aujourd'hui le rôle du droit ? Si le droit libéral du XIXe siècle fut celui du pouvoir législatif, le droit matériel de l'État-providence du XXe siècle celui de l'exécutif, le droit qui s'annonce pourrait bien être celui du juge. Mais de quel juge ? L'arbitre ou le « juge-entraîneur » ?

Des nouveaux lieux

Deux grands modèles de justice, formés d'une représentation du droit, d'une conception du sujet de droit et, bien sûr, d'une pratique judiciaire, se sont donc succédé historiquement. On est passé d'un modèle de *justice rituelle*, qui a correspondu historiquement à l'État libéral et que l'on peut appeler ainsi parce que l'essentiel du rôle de la justice se déroulait dans la salle d'audience, à un modèle de *justice bureaucratique* dans lequel la justice devait avoir plus le souci de l'amont et de l'aval de l'audience. Ce second modèle montre incontestablement aujourd'hui ses limites en raison du fait de l'essoufflement de l'État-providence auquel il correspondait. Si la salle d'audience fournissait au premier modèle sa plus parfaite représentation – un rôle à la marge qui se borne à statuer rarement et majestueusement –, si le cabinet, c'est-à-dire le bureau du juge, lui a succédé dans le second, le nouveau modèle de justice ne pourrait mieux être symbolisé que par la *maison de justice* qui pratique la médiation civile ou pénale et l'*arbitrage commercial*. Il s'agit de lieux en apparence extérieurs à la justice, et pourtant elle n'en est pas absente, loin de là. Ils ont en commun, en effet, d'emprunter à la justice sa *méthode*.

A la différence de la simple transaction ou de l'arrangement qui ont toujours existé, ces nouvelles instances sont en lien constant avec la justice : le juge est présent mais par son « ombre » projetée, voire supputée. Il s'agit d'une présence symbolique : on en parle, on y fait référence, on anticipe ses réactions.

La médiation se caractérise par une grande liberté mais qui n'est cependant pas totale. Tous les programmes de médiation partent d'une sorte de constitution, un protocole, autrement dit une procédure, que toutes les parties doivent s'engager à respecter avant de s'engager dans le dialogue. L'accord ne pouvant intervenir d'emblée, le travail commence souvent par un agrément préalable sur la manière selon laquelle il sera recherché. Sous le bénéfice de cet accord initial, les parties pourront aborder toutes les faces du conflit en s'écartant du carcan des catégories juridiques. Ainsi, dans le cadre d'une médiation pénale, il sera possible d'aborder le contexte du conflit qui s'inscrit dans un tissu social souvent complexe, et de tenir compte des relations futures que les intéressés sont appelés à avoir. Des locataires, excédés par le bruit du commerce de leur voisin du dessous, en viennent un jour aux mains avec lui dans la cage d'escalier. Une procédure du chef de coups et blessures réciproques est établie par la police à l'encontre des deux parties, renvoyée à la médiation par le parquet, et un protocole d'accord est signé au terme duquel, d'une part, le boucher – car c'est son métier – s'engage à sortir son matériel pour le marché la veille au soir plutôt qu'à l'aube et, d'autre part, les voisins acceptent de modifier la disposition des pièces de leur appartement pour que leur chambre ne soit plus au-dessus de la remise. Il s'agit, comme on le voit, de solutions très simples mais qui vident véritablement des contentieux là où la justice n'aurait probablement fait qu'envenimer les choses.

Un couple en train de se séparer ne parvient pas à un accord ? Il lui est proposé de rencontrer un centre de médiation familiale qui aura pour objectif non pas de rechercher avec eux la genèse de la séparation dans une perspective thérapeutique mais de créer les conditions d'un dialogue pour que la séparation puisse se faire au mieux des intérêts de chacun et des enfants. Parfois le centre de médiation familiale intervient après afin de proposer un lieu neutre pour la remise des enfants, voire pour l'exercice du droit de visite lorsqu'il n'est pas possible de l'exercer autrement. La plupart du temps, il n'y a pas un seul médiateur mais un collège composé de plusieurs personnes aux qualifications différentes (le plus souvent travailleurs sociaux et juristes). Il existe depuis quelques années des formations spécialisées de médiateur. Dans certains programmes, notamment dans l'un des tout premiers, à Valence, le collège devait obligatoirement comporter un représentant de la communauté d'origine de chacune des parties, c'est-à-dire de l'auteur de l'infraction et de la victime.

Les programmes sont désormais très variés, chacun a sa propre histoire, son profil, ses particularités, et il n'est donc pas possible de les répertorier tous ici. Certains sont proches géographiquement et intellectuellement du palais de justice, quand ils ne se trouvent d'ailleurs pas dedans, d'autres sont absolument indépendants. Mais même les plus proches ne doivent pas s'analyser comme une excroissance de l'institution judiciaire tant ils s'inscrivent dans un mouvement de *multiplication de diversification des instances de débat*, comme l'illustrent les comités de prévention de la délinquance, les maisons de justice et les divers programmes associatifs de médiation civile ou pénale.

Toutes ces nouvelles formes de justice ont en commun d'accorder une grande importance au contact direct entre les parties, avec leur consentement, bien entendu. Le cadre est particulier : il est bien sûr plus souple que la procédure juridique mais n'est pas absolument informel pour autant. Contre la bureaucratie et le comportement de guichet, le face-à-face est paré de toutes les vertus. Les protocoles insistent sur la nécessité de rassembler *toutes* les parties concernées. Au-delà d'une technique de résolution des conflits, on voit se dégager une nouvelle conception du sujet de droit à qui est reconnue la capacité de se défendre lui-même. Dans la plupart de ces nouvelles instances, l'avocat est absent ; en effet, il ne peut représenter que des intérêts de son client et ne peut se substituer à sa « souveraineté », consentir à sa place par exemple. L'individu ne peut plus être réduit à une somme d'intérêts affectifs, financiers ou juridiques : il doit pouvoir exprimer directement sa volonté.

La médiation n'est pas qu'une alternative à la justice, une nouvelle technique de résolution des conflits : elle préfigure l'émergence d'un nouveau mode de régulation sociale. Et peut-être aussi une nouvelle socialité : « Il reste à se demander si la médiation, tout en se proposant d'organiser la vie de la famille dissociée selon des principes élaborés par les conjoints eux-mêmes, ne se fait pas le promoteur de nouvelles règles du fonctionnement familial, voire d'une nouvelle idéologie de la famille [1]. » La médiation est non seulement signe d'une nouvelle conception de l'intervention judiciaire mais, au-delà, d'une évolution de l'imaginaire contemporain.

Ces nouveaux lieux décentralisés de justice se donnent pour objectif non pas de soigner l'individu, ou d'intervenir directement dans le social, mais de favoriser une *autoréflexion critique* de la part de toutes les parties (usager/professionnel, infracteur/victime, parents/enfants, etc.) en offrant une instance de discussion. On sollicite, pour féconder cette réflexion, un *tiers* qui enserre l'action des différentes parties prenantes dans certaines limites et les pousse ainsi à trouver des solutions. Il fixe des limites dans le temps, précise l'objectif, sanctionne les engagements pris, et, enfin, *garantit* la juste application du protocole à tous, à commencer par lui-même.

---

1. B. Bastard, L. Cardia-Vonèche, *Le Divorce autrement : la médiation familiale*, Paris, Syros-Alternatives, 1990, p. 45.

Justice informelle et justice décentralisée

En quoi ces nouvelles formes de justice décentralisée divergent-elles de la justice informelle qui était pratiquée depuis longtemps par les juges dans leur cabinet ? La justice informelle, on le sait, c'est l'assouplissement des règles de procédure par les juges eux-mêmes qui se caractérise par la confusion des lieux, des moments et des acteurs. C'est la « justice de cabinet » par excellence qui superpose le jugement et le traitement social du problème dans une même enceinte. Le prototype en est le juge des enfants qui cumule les fonctions civiles (protection de l'enfance en danger) et pénales (enfance délinquante) ; il est à la fois juge d'instruction, juge de jugement et juge de l'exécution des peines. Il est l'homme-orchestre de notre justice des mineurs, ce qui lui est d'ailleurs parfois reproché. Cette confusion des pouvoirs (concentration dans un même homme), des matières (civile et pénale), des temps (instruction, jugement et exécution) et des savoirs (psychologie et droit), demande une clarification du rôle de chacun. La décentralisation de la justice – appelons ainsi ce mouvement d'autonomisation des lieux de résolution des conflits – apporte peut-être une réponse à cette critique.

La décentralisation de la justice, tout au contraire, se caractérise par une méfiance non plus à l'égard du formalisme mais de la justice informelle. Elle dénonce cette confusion et y répond par le développement de lieux poursuivant des objectifs distincts, en reconnaissant leur autonomie par rapport à la justice et en tentant de les combiner avec elle. Elle encadre par des règles *sui generis* ce qui se développe en marge du judiciaire. Alors que, dans la justice informelle, le juge se fait volontiers thérapeute ou médiateur, là, c'est plutôt le contraire qui se produit. Tout le monde se fait juge dans le sens où chacun doit faire abstraction de ses intérêts particuliers pour envisager la meilleure solution pour tous. Elle procède non pas d'une méfiance mais au contraire d'une confiance retrouvée dans la procédure entendue au sens plein du terme. On se méfie des institutions mais on aime les instances, c'est-à-dire les possibilités de discussion, de délibération.

Les multiples conventions passées entre les associations et les juridictions témoignent de ce souci d'une *dialectique plus claire* entre les différents acteurs. Cette différence plus nette entre le judiciaire et l'extrajudiciaire permet des échanges interactifs. D'ailleurs, une telle décentralisation de l'acte de juger ne se réalise pas uniquement entre l'institution judiciaire et une association, mais également entre le juge et la famille. Qu'y a-t-il de différent, pour une famille, à présenter un protocole d'accord préparé avec son avocat ou élaboré avec l'aide d'un centre de médiation familiale ? C'est donc toute une nouvelle manière de juger, de conjuguer le droit et le fait qui se profile ainsi. La justice ne se trouve plus directement dans un critère substantiel mais indirectement dans le moyen de l'inventer, c'est-à-dire dans le débat, la procédure.

De nouvelles relations entre l'État et la société civile

Le grand événement de ces dernières années est, sans conteste, la décentralisation de l'État. Ce terme ne doit pas seulement être entendu dans son sens juridique – le transfert d'une partie de souveraineté de l'État vers des collectivités locales – mais comme un nouveau rapport politique caractéristique d'une société polycentrique. Il a partie liée, d'une part, au mouvement des sociétés occidentales – et notamment de la société française – vers un plus grand pluralisme social et, d'autre part, au retrait de l'État-providence. Prenant conscience qu'il avait peut-être un peu trop accaparé le lien social, l'État moderne se désengage. Le gouvernement depuis le centre, rendu difficile – voire improductif – par la complexité des réseaux de communication administratifs, ne semble plus correspondre à l'évolution de la démocratie elle-même. Dans une société aux légitimités multiples, plus aucun acteur, public ou non, ne peut prétendre à lui seul incarner l'intérêt général. Même sur ses fonctions les plus régaliennes, l'État se trouve désormais soumis à la concurrence. L'État se fait animateur : ainsi, dans la politique de la ville, c'est-à-dire les politiques particulières destinées à améliorer la vie des quartiers en difficulté, il n'est pas le seul prestataire de services mais le *pivot* autour duquel gravitent un ensemble d'acteurs qu'il mobilise dans l'objectif de garantir la prestation la plus finement adaptée aux besoins de chacun. Il a mis en place ainsi les Comités de prévention de la délinquance et toute une série d'instances délibératives locales qui ont parfois un rôle non négligeable.

Cette méthode de gouvernement s'est répandue dans de nombreux autres secteurs. On constate une diffusion rapide des concepts et des méthodes de la politique de la ville dans les grandes administrations et dans les collectivités locales. La politique de la ville constitue aujourd'hui une référence majeure dans le processus de modernisation des services publics, intégrée par un nombre croissant d'administrations centrales ou d'organismes parapublics.

Ce modèle se retrouve dans de nombreux pays aujourd'hui avec les mêmes caractéristiques. « Les conseils locaux de réduction de l'insécurité sont des lieux d'expression et d'écoute de tous les acteurs ayant à faire avec la délinquance. Le diagnostic y est le résultat d'une confrontation entre plusieurs lectures, plusieurs points de vue sur la réalité. Les rumeurs y côtoient l'enquête scientifique, le point de vue de l'élu celui du technicien, le regard du citadin celui du décideur. Ce croisement des savoirs suppose trois conditions : la parité des protagonistes (quelle que soit leur qualité), le respect des règles déontologiques et des garanties des droits individuels, et la définition d'un protocole d'accord permettant de définir des objectifs et des plans d'action communs [2]. »

Chacun sait, par exemple, que l'insécurité à l'intérieur ou à l'extérieur proche des établissements scolaires est très préoccupante (racket, drogue, violences, vols de cyclomoteurs, etc.). Aussi le ministère de l'Éducation nationale a-t-il établi des comités locaux de lutte contre l'insécurité scolaire en précisant ses objectifs : « Si l'action locale pour la sécurité relève de la coopération de professionnels, elle doit être aussi l'affaire de tous. Les groupes d'action locale doivent donc veiller à l'information et à la participation des principaux intéressés : les élèves, leurs parents, les personnels des établissements ainsi que les habitants des quartiers concernés doivent connaître le travail engagé. Ils doivent en être également, autant que faire se peut, partie prenante. L'amélioration de la sécurité implique en effet que soient abordées les questions de comportement, de relations humaines, de responsabilisation individuelle et collective qui ne peuvent l'être sans la participation de tous ceux qui ressentent un intérêt pour la vie de l'établissement [3]. » Ce n'est pas le bien-être direct de l'individu ou du quartier qui est recherché, ni seulement la paix publique comme dans l'État libéral, mais l'*autorégulation*, c'est-à-dire une prise en charge des problèmes de sécurité par les intéressés eux-mêmes. Cette volonté de restituer l'aménagement de la vie collective aux intéressés hors la médiation exclusive de l'État montre que c'est bien d'une transformation de la démocratie qu'il s'agit.

Une réponse à la crise de la représentation politique ?

Cette nouvelle orientation des politiques publiques inaugure une nouvelle forme de représentation politique. Les exclus, on le

---

2. M. Marcus, C. Vourc'h, *Sécurité et démocratie, op. cit.*, p. 139.
3. Circulaire conjointe des ministères de l'Éducation nationale, de l'Intérieur et de la Justice nº 92-334 du 13 novembre 1992.

sait, le sont d'abord des mécanismes traditionnels de la représentation politique, syndicale et associative. Ces nouvelles instances cherchent à retrouver un contact avec les populations marginalisées, que la représentation politique classique a perdu. C'est bien une nouvelle forme de représentation qu'appelle de ses vœux le rapport Cardo sur la lutte contre l'insécurité urbaine, par exemple, en proposant de « rechercher des personnes-relais, issues du quartier, et qui soient les porte-parole des habitants auprès du tribunal ou du commissariat. Il peut s'agir de représentants d'associations locales, notamment des associations de locataires ou d'animateurs locaux bénévoles, chargés en quelque sorte de défendre l'identité d'une population [4] ». Plus loin, il affirme que tout cela s'inscrit « dans une politique publique globale ayant pour effet, au-delà des dispositifs d'insertion, d'aide, etc., de mobiliser les habitants pour prendre en charge leur propre avenir en terme de solidarité communautaire et non plus seulement d'assistanat [5] », l'objectif affirmé étant le « remaillage social [6] », c'est-à-dire de revitaliser le tissu social en le responsabilisant.

Il s'agit d'une forme d'engagement nouveau qui double la représentation politique institutionnelle en donnant à ceux qui le souhaitent la possibilité de la vie politique locale. Cette représentation n'est pas automatique mais dépend de l'investissement personnel que certains voudront bien mettre dans cette nouvelle offre politique. La participation rejoint la représentation. Ce mouvement de *dé-professionnalisation* de la représentation et la revendication correspondante d'une « *self-advocacy* » du sujet manifestent une tendance lourde de nos démocraties. Plus que d'une crise de la représentation politique, c'est d'une crise de la représentation tout court qu'il s'agit et qui n'est pas étrangère à l'effondrement symbolique de nos sociétés modernes.

Mais nos députés ne prennent-ils pas pour postulat ce qui est l'objectif ? Ainsi, lorsqu'ils partent de l'hypothèse d'une société, capable de gérer ses conflits, ne tiennent-ils pas pour acquis précisément ce qui est à construire, à savoir une société civile adulte ? Le problème n'est-il pas précisément l'érosion des médiations intermédiaires qui, de surcroît, ont toujours été faibles dans notre pays ?

---

4. Rapport du groupe de réflexion Justice/Ville sous la direction de M. Cardo, Mme de Veyrinas et E. Raoult (non publié), p. 5.
5. *Ibid.*, p. 9.
6. *Ibid.*, p. 10.

Le rôle du parquet

Le meilleur indicateur de cette évolution de la justice se trouve dans la transformation du rôle du parquet. Des initiatives locales, qui ont foisonné ces dernières années, montrent l'importance que la notion de « politique pénale » est en train de prendre. Le ministère de la Justice a un rôle secondarisé, ce qui ne veut pas dire secondaire, mais au contraire réflexif : il donne l'impulsion initiale, stimule, coordonne, réfléchit les initiatives locales, les homologue, les finance mais ne les décide pas à proprement parler.

La compétence traditionnelle du parquet, faire respecter la loi, doit désormais être complétée par l'aptitude de ses titulaires à « coller au terrain », à se montrer pragmatiques, concrets, adaptés à leur environnement. Les parquets doivent avoir non seulement le souci de la répression mais aussi proposer une « réponse judiciaire *effective* ». Pour cela, il leur faut accroître la rapidité de réaction. C'est le sens du « traitement en temps réel des affaires élucidées » qui consiste à donner une suite immédiate à une infraction en fixant immédiatement une date d'audience, et qui permet d'apporter une solution réelle et concrète aux affaires de moindre importance. Une telle politique bouleverse assez profondément la culture traditionnelle de la juridiction qui considérait volontiers le différement comme un signe de majesté.

Le plus remarquable de l'évolution actuelle du rôle du parquet est l'émergence d'un fonctionnement par objectifs, une plus grande latitude étant laissée aux procureurs, voire aux substituts, pour mobiliser les moyens locaux adéquats. La logique verticale technocratique est remplacée par une logique absolument inverse, horizontale, d'ouverture sur le tissu social, vers ce que les Anglo-Saxons appellent *communauté*. « De manière plus ambitieuse, la création d'une maison de justice peut entraîner une véritable déconcentration de l'action parquetière au niveau du quartier concerné, le magistrat responsable de l'antenne étant alors (entre autres) chargé des relations avec les unités de police et de gendarmerie [...] responsable des liaisons avec les élus locaux, les conseils communaux de prévention de la délinquance et les associations, chargé de coordonner l'action judiciaire sur ce même territoire [7]. » Le traitement en temps réel « permet au parquet de disposer d'un observatoire privilégié de la délinquance commise dans son ressort ainsi que de l'activité des services d'enquête. Le procureur de la République est

7. Circulaire du garde des Sceaux du 2 octobre 1992.

ainsi en mesure d'ajuster en permanence, en fonction de l'évolution de la criminalité, ses priorités locales de politiques pénales [8] ».

L'habilitation légale du parquet, sans être secondaire, n'apparaît plus comme exclusive et suffisante pour fonder sa reconnaissance sociale et donc son autorité. Il n'y a là qu'une illustration supplémentaire de l'évolution de l'autorité dans notre monde. La force d'une décision sera tributaire pour une large mesure du respect attaché à la personne qui l'a rendue, à son expérience, à sa compétence, à sa diligence et à son « professionnalisme ». On comprend mieux le haut degré de *personnalisation* des innovations dans ce domaine ces dernières années. La conception moderne de l'indépendance n'est plus le cloisonnement, le repli sur une légitimité exclusivement juridique et corporatiste mais procède, au contraire, d'une accumulation de plusieurs types de légitimité.

Apparaît désormais comme légitime le parquet – ou plus exactement le parquetier – qui a fait ses preuves. Cette efficacité doit être d'abord reconnue par les partenaires directs avec lesquels travaille le parquet et, par-delà, par la population tout entière. C'est le sens de l'attention, chaque jour plus présente, portée aux victimes, comme le recommande cette circulaire : « Les victimes, habitants de ces mêmes quartiers, ont, pour leur part, le sentiment que leurs intérêts ne sont pas suffisamment pris en compte [...]. A cette fin, justice et police judiciaire doivent d'abord s'attacher à mieux répondre aux attentes de la population et, notamment, celles des victimes. L'efficacité des réponses judiciaires doit aussi être accrue pour éviter que ne se développe, chez le délinquant, un sentiment d'impunité, cause évidente de réitération. [...] Police, gendarmerie et justice pénale ont la charge de répondre à la demande sociale qui s'exprime par les plaintes des victimes. De la capacité des institutions répressives à répondre à cette demande dépendent, pour beaucoup, l'image et la place de la justice dans la société [9]. »

Ce nouveau rôle du parquet s'est accompagné d'une réarticulation avec les magistrats du siège. Il devient l'*interface* entre l'État et la justice, entre le collectif, la politique publique d'une part et la situation individuelle d'autre part, en redécouvrant le sens fort du terme « action publique ». Le juge du siège avait peut-être pris une place trop importante qui ne convient pas à un juge dont on attend aujourd'hui une distance plus importante à l'égard des politiques publiques. Cela explique peut-être la réserve de certains juges des

8. *Ibid.*
9. *Ibid.*.

enfants à l'égard de la politique actuelle de maisons de justice et de médiation qui les dépossède de fait d'une image de pionniers.

UN NOUVEL ACTE DE JUGER

Ces nouveaux lieux de justice incarnent une forme de démocratie *décentralisée*. L'État, en effet, conçoit son rôle normatif de manière réflexive par la concertation, la délibération associée ou la négociation collective, c'est-à-dire en homologuant le droit arrêté par les parties elles-mêmes. Protéger l'intérêt collectif se conçoit autant de manière dirigiste et volontariste que de manière secondaire et indirecte. Un droit plus adapté à la réalité sociale doit être pour partie sécrété par les intéressés eux-mêmes. Ainsi, à côté de l'État qui détenait auparavant le monopole de la production normative, on voit se développer d'autres foyers de juridicité : les marchés, les sociétés professionnelles, la famille elle-même.

Une nouvelle conception de l'action collective juste

Il ne s'agit pas que d'une nouvelle manière de sécréter du droit : c'est le critère même de justice qui a évolué vers une forme plus procédurale. Le terme de procédural est souvent mal compris : on voit se profiler un droit formel, froid et moralement inexpressif, une démission devant toute prétention éthique. De telles critiques ne sont pas fondées : non seulement la préoccupation éthique n'a pas disparu, mais elle est peut-être plus présente que dans le modèle précédent du droit de l'État-providence. Seulement, sa forme a changé : il ne s'agit plus d'une injonction abstraite imposée de l'extérieur mais de l'homologation par le juge d'une décision dont le contenu moral a été arrêté par les parties elles-mêmes. Le contenu de la norme n'est plus à rechercher du côté d'un comportement social standardisé ou abandonné à la fantaisie de chacun, mais fait l'objet d'une définition au cas par cas.

L'article 372-1 du Code civil illustre bien ce nouvel acte de juger. Il prévoit que « si les pères et mères ne parvenaient pas à s'accorder sur ce qu'exige l'intérêt de l'enfant, la pratique qu'ils avaient précédemment pu suivre dans des conditions semblables leur tiendrait lieu de règle ». La famille est ainsi habilitée à sécréter son propre droit. Le juge ne déduit pas d'un modèle social ou d'une quelconque expertise ce qu'exige l'intérêt de l'enfant, il l'apprendra à l'écoute des intéressés. Comment le juge pourrait-il connaître, en effet, cette pratique antérieure autrement que par un dialogue direct avec les parties ? La règle n'a plus de contenu positif, mais la procédure devient un mode d'appréhension de la réalité, la seule manière d'appliquer des valeurs communes, comme l'égalité ou la proportionnalité à des situations concrètes.

Une conception procédurale demande au juge de remplir un rôle réfléchissant et non plus déductif pour mettre en demeure les parties de définir elles-mêmes – et de respecter – leur propre règle morale. Le juge garantit les intérêts de la justice non plus comme auparavant par le simple truchement d'une règle de droit mais en entretenant avec la réalité qui lui est déférée un rapport de type nouveau, à la fois plus concret et plus soucieux de certains principes. Le juge doit donner un sens concret aux principes pour chaque situation. La norme n'a plus de contenu général et universel *a priori* déductible, c'est au juge d'actualiser et de contextualiser sans cesse son esprit. Il ne s'agit donc pas d'une capitulation de la justice mais au contraire de son souci d'assumer la perte de critères substantiels de justice voulue par la démocratie.

Le deuil d'un critère unique de vérité

Dans le premier modèle du droit positif, le juge doit être avant tout bon juriste. Dans le deuxième, il confie à l'expert le soin d'intervenir en son nom sur la réalité du sujet, de la famille ou de l'entreprise. Ce savoir prétendument scientifique évacue la représentation politique ou le droit : que vaut une conviction face à la certitude scientifique ? Dans le modèle de l'État social, les sciences sociales sont investies de la fonction de dire la réalité et donc de fonder l'action. C'est le propre de la technocratie et de l'idéologie du tableau de bord, c'est-à-dire du politique conduisant la société en fonction des indicateurs fournis par ses services. Notre époque, qui voit s'effondrer cette idéologie des sciences sociales, se retourne vers la délibération collective. Ce troisième modèle fait le *deuil d'un critère unique de vérité, qu'il soit tiré de la science ou de la loi*.

La justice se conçoit désormais comme la réarticulation des savoirs entre eux : elle ne s'assimile plus à un savoir, le droit, mais à la conjugaison de différents savoirs dans un point de vue supérieur et récapitulatif. Désormais, les références sont multiples, et c'est dans la justice que devront être résolus les conflits entre des « mondes éthiques » qui s'éloignent progressivement les uns des autres. Le jugement devient le fruit d'un processus autant que d'un procès. C'est un discours ouvert sur d'autres discours portés par les acteurs les plus divers. Le juge qui se trouve à l'intersection de plusieurs mondes est donc appelé à jouer un rôle essentiel dans cette recherche délocalisée de sens. Il ne s'agit plus d'un ordre idéal, d'un monde utopique préexistant auquel le droit devrait ressembler. En faisant le deuil de toute cohérence *a priori*, nous voici condamnés à la rechercher *a posteriori*. Voilà peut-être une conséquence supplémentaire de la disparition des grands systèmes de sens et du droit naturel.

L'unité du droit n'est pas sacrifiée, mais elle n'est plus recherchée de manière globale dans un système juridique positif national. Le sens sera recherché de manière casuiste, c'est-à-dire au cas par cas, en fonction des difficultés qui se présentent, au niveau du sujet, du quartier, de la branche professionnelle, c'est-à-dire à un échelon décentralisé. La cohérence continue d'être l'objectif, mais elle n'est plus donnée d'emblée. La décentralisation du droit signe le déclin d'un auteur unique de l'ordre normatif, comme l'était le mythe du législateur rationnel. Se pose en effet dans la société moderne le problème, déjà aperçu par beaucoup, de la *cohésion* des sous-systèmes. Tel Sisyphe, les juges doivent reconstruire sans arrêt une cohérence qui leur échappe toujours, tant l'imagination est stimulée par cette nouvelle configuration juridique.

Un acte de juger contextualisé

L'acte de juger s'en trouve profondément modifié. Il se contextualise. Cela se manifeste de deux manières : tout d'abord, le juge doit prendre en considération les ressources propres mises à sa disposition et s'intéresser ensuite aux conséquences de sa décision.

On ne juge pas de la même manière à Paris ou à Mont-de-Marsan. Les décisions du juge seront tributaires des équipements locaux, de la surcharge des services de police, voire, un jour – qui sait ? – du *numerus clausus* de la prison. A quoi sert de prendre des commissions rogatoires ou des mesures de placement si les services qui doivent les exécuter ne peuvent les absorber ? Ne risque-t-on pas de disqualifier davantage la justice ? Cette dépendance du jugement ne date certes pas d'hier, mais aujourd'hui on l'assume, voire on la revendique, ce qui permet de mieux distinguer le rôle du juge de première instance, nécessairement tributaire du contexte, d'avec celui du juge d'appel. Celui-ci doit continuer de se montrer plus juridique et moins pragmatique. La cohérence n'a pas le même sens à l'intérieur même de l'institution judiciaire entre la première instance et l'appel. L'idée d'une prestation identique était intimement liée à une vision monolithique de l'institution, typique de l'État-providence.

Cette prise en considération du contexte soulève une seconde question : le juge doit-il tenir compte des conséquences que sa décision peut entraîner ? La question reste ouverte : doit-il s'interroger, au moment de mettre en examen un grand patron, sur les conséquences de son action pour l'entreprise dans son ensemble, sur la situation des salariés, voire ses répercussions sur le commerce extérieur de la France ? Probablement pas, mais la question a été soulevée au moment des « affaires ». Ne doit-il pas s'interroger sur la proportionnalité entre le fait poursuivi et les conséquences de son action pour des personnes innocentes ?

L'explosion des contentieux a transformé silencieusement l'acte de juger, à tel point que l'on ne sait plus très bien lequel, du défi quantitatif ou du défi qualitatif, a été le plus déterminant. Ce nouveau modèle de justice puise son origine autant dans une nouvelle raison juridique que dans la rationalisation des choix budgétaires. Cette transformation du rôle de la justice n'est pas, en effet, sans lien avec la crise financière de l'État-providence. La politique décentralisée est d'autant plus nécessaire que les ressources de nos États sont à présent limitées. Il faut gérer non plus sous l'horizon dégagé d'un enrichissement permanent comme pendant les « trente Glorieuses », mais au contraire sous celui d'une pénurie endémique qui n'est d'ailleurs pas propre à la justice. L'horizon est désormais bouché.

Ce nouveau modèle, qui fait le deuil d'un développement infini, procède d'une nouvelle économie politique de la justice. Ce n'est plus vers l'État-providence et vers sa bureaucratie qu'il faut se retourner mais vers soi-même, vers les ressources propres du groupe social. Le mot *communautaire* revient d'ailleurs fréquemment. Nous abordons probablement une ère de « dé-bureaucratisation » du social et de la justice qui se manifeste, entre autres, dans le souci de restituer une part de souveraineté à la société civile et d'exiger des institutions régaliennes – comme le parquet – qu'elles lui rendent compte directement de leur travail.

Dans la conception de l'État-providence, le droit est matériel dans le sens où on lui demande d'intervenir directement pour rétablir l'égalité, pour soigner, pour redresser. La nouvelle rationalité juridique devient plus soucieuse d'effectivité et de réalisme. Dans ce sens-là, elle est plus *empirique* que *matérielle*. Ce souci de la performance se vérifie dans l'importance donnée à l'*évaluation*, maître mot des politiques publiques et des programmes de médiation. Plutôt que d'affirmer de manière incantatoire des droits unilatéraux, il faut les concilier dans une situation concrète. A défaut de guérir les individus en grandes difficultés, contentons-nous de leur permettre de vivre en société. On privilégie l'adaptation à la guérison [10]. Cette forme de justice sera plus centrée sur la *relation* que sur la *personne*, comme le montre l'exemple de la médiation.

Ce modèle correspond également à une nouvelle économie politique de l'autorité. Notre démocratie n'a plus les moyens de faire respecter des décisions autoritaires venues du centre et exécutées de manière volontariste. C'est pourquoi il est nécessaire de rechercher l'adhésion des intéressés. Cela se vérifie autant pour l'action de l'État que pour l'action de la justice. De quels moyens dispose le juge des enfants pour faire respecter ses décisions ? Les services de police sont débordés et renâclent à intervenir dans des affaires familiales. Et le juge civil ? Les sociétés démocratiques ne disposent plus des moyens ni matériels (encore moins au moment où l'État-providence est en faillite financière) ni symboliques de faire appliquer des décisions autoritaires. Elles ont besoin d'être relayées par un consensus. C'est le sens de ce que les Américains appellent *the compliance enforcement*, c'est-à-dire une application du droit qui repose sur l'adhésion et la persuasion plus que sur la force.

Des rapprochements pourraient être faits avec les défis de la drogue ou de l'emploi : la perspective d'une société exempte de toute drogue ou d'un retour au plein-emploi a déserté pour longtemps l'horizon de nos démocraties. Il est plus sage d'apprendre à « vivre avec » et à nous organiser pour en limiter les effets dévastateurs. Peut-être cette politique décentralisée inaugure-t-elle un autre type de démocratie dans les rapports directs entre périphéries qui ne passent plus par le centre. La justice décentralisée témoigne d'une politique désenchantée mais aussi plus réaliste, plus pragmatique : elle est le signe d'une démocratie plus associative, plus participative et plus délibérative sur laquelle il faut désormais adapter nos institutions, à commencer par la place du juge.

---

10. C. Ehrenberg, C. Barazer, « La folie perdue de vue », *Esprit*, octobre 1994, pp. 29-40.

Chapitre XII

ENCADRER LA NOUVELLE PLACE DU JUGE

L'idéalisation actuelle de la justice considère volontiers le juge comme délié de toute appartenance nationale, subjective ou politique. Les limites de la fonction de juger sont rarement aperçues et dénoncées, et un nouveau dogme de l'infaillibilité judiciaire s'installe insidieusement au nom même de l'approfondissement de la démocratie. Dans l'incapacité de fonder sa légitimité, on justifie la prééminence du juge par une nécessité anthropologique que requerrait dans toute société l'exercice d'une fonction tierce pour résoudre ses conflits. Le juge serait le tiers dont la parole est réputée souveraine, c'est-à-dire ultime et incontestable. Le juge est ainsi « naturalisé » par une anthropologie volant au secours d'une théorie du droit incapable de refonder sa légitimité.

Gardons-nous d'encenser le juge avec la même naïveté que le positivisme célébrait hier la règle. Agiter l'épouvantail du gouvernement des juges est aussi stérile qu'invoquer de manière incantatoire l'indépendance de la justice. A hypostasier la distance entre le juge et la communauté politique, on s'expose à l'arbitraire, mais à la nier on s'y condamne tout autant, voire davantage. La démocratie a besoin de cette distance intérieure, de cette fonction sacralisée, de cette abstraction voulue et concertée « pour sa respiration humaine », nous dit Paul Ricœur. « Les procès de Moscou, de Budapest, de Prague et d'ailleurs ont été possibles parce que l'indépendance du juge n'était pas techniquement assurée ni idéologiquement fondée dans une théorie du juge en tant qu'homme hors classe, en tant qu'abstraction à figure humaine, en tant que loi incarnée [1]. »

La position d'un tiers désincarné est aussi illusoire que celle d'un juge sans références. Les rapports entre justice et démocratie prennent donc corps dans cette contradiction majeure : *nécessité d'un tiers, impossibilité d'un tiers*. D'ailleurs, n'y a-t-il pas quelque chose de symétrique entre la logique des droits subjectifs et la revendication d'une indépendance *absolue* des juges à l'égard du pouvoir politique ? Chaque fois est mise en avant une créance unilatérale sans sa contrepartie, c'est-à-dire sans servitude. La démocratie réclame à la fois l'attestation et la contestation de cette fonction qui ne peut être complètement tierce et de ce jugement qui ne peut être entièrement rationalisable. Ne pouvant prétendre à une indépendance radicale, le juge ne peut avoir dans une démocratie que le statut de *tiers inclus*, toujours comptable de ses jugements devant la communauté politique. Concevoir une nouvelle place pour la justice oblige à repenser nos agencements institutionnels comme un jeu de *checks and balances* sophistiqués, au-delà d'une adulation sans retenue ou d'une suspicion infondée à l'égard du juge.

Cette transformation de la démocratie sera non seulement l'œuvre d'une réforme du système juridique, c'est-à-dire de nos lois, mais également d'une évolution de notre culture juridique, soit d'une nouvelle considération pour le droit. Si l'on accepte la distinction de Laurence Friedman [2] entre la culture juridique *externe* – la place du juridique dans une culture donnée – et la culture juridique *interne*, composée de l'ensemble des présupposés partagés par les professionnels du droit, force est de constater que la culture française, à la différence de la culture anglo-saxonne, n'était pas juridique. Or elle se voit contrainte de le devenir pour communiquer avec ses partenaires étrangers, le droit étant devenu la nouvelle grammaire des rapports mondialisés.

Les garanties actuelles ne protègent pas totalement contre les excès de l'activisme juridictionnel. Les concevoir n'est pas, il est vrai, chose aisée tant cela exige de penser l'équilibre plutôt que la séparation, la dépendance légitime plutôt que l'indépendance radicale, la juste distance entre le privilège aristocratique et la collusion populiste. Contre la tentation rédemptrice, réévaluons l'*impartialité* ; contre la personnalisation de la fonction, réhabilitons l'*éthique*,

---

1. P. Ricœur, *Histoire et vérité*, *op. cit.*, p. 282.
2. L. M. Friedman, *The Legal System : a Social Science Perspective*, New York, Russel Sage Foundation, 1975.

contre la dérive aristocratique, retrouvons la *représentativité*. Plutôt, donc, que de détailler des réformes, ce sont les linéaments de cette nouvelle culture que l'on voudrait saisir : la nouvelle *conception de la règle* que suggère la question de l'impartialité, la *responsabilisation des acteurs* de la démocratie, juges comme journalistes, que traduit la régulation éthique et la *nouvelle idée de l'intérêt général* sur laquelle repose la représentativité des juges.

C'est autant dans l'affirmation de garanties constitutionnelles d'indépendance que dans l'aménagement d'espaces de rencontre que se trouve l'apaisement des relations difficiles entre le juge et la communauté politique. D'où la faveur de la plupart des pays démocratiques pour l'institution du *conseil supérieur de la magistrature* qui, sous des expressions diverses selon les pays, cherche à protéger l'impartialité des juges, à en assurer la représentativité et à en garantir l'éthique.

L'IMPARTIALITÉ RÉÉVALUÉE

La culture française, à la différence de la culture anglo-américaine, ignore le « conflit d'intérêts », c'est-à-dire une situation où l'individu, en raison de loyautés contradictoires, doit sacrifier l'un de ses intérêts. Elle se caractérise par le mélange des genres (politisation de l'administration, fonctionnarisation de la politique) et la confusion des rôles (décider et contrôler, par exemple) au sein d'un cercle restreint de dirigeants interchangeables. Le cumul n'est pas interdit, et le droit ne sanctionne que les excès lorsqu'ils sont patents et s'en remet pour le reste à la vertu des hommes. L'un des traits de la culture juridique nord-américaine est, à l'inverse, la fragmentation du pouvoir. Aux États-Unis, en effet, il n'y a pas de pouvoir qui ne soit assorti d'un contre-pouvoir. Comparée à l'éclatement américain, la légitimité en France est toute concentrée en un foyer unique. La démocratie y évolue sans instance de contrôle. S'il y a trop de contre-pouvoirs dans la démocratie américaine, ils sont quasiment inexistants en France.

Ce trait culturel se retrouve de part en part du système juridique français : dans le statut si particulier du Conseil d'État, à la fois juridiction et conseil du gouvernement ; dans le rôle dévolu au président d'audience qui préside et juge, dans le juge d'instruction censé instruire à charge et à décharge ou dans le statut de la magistrature qui regroupe les membres du parquet et les juges du siège, d'ailleurs issus d'une même école. Le *paternalisme* des institutions françaises contraste avec le *légalisme* de leurs homologues anglaises [3]. Chaque fois sont concentrés dans une même personne physique – ou un même corps de l'État – des rôles non seulement différents, mais bien souvent contradictoires.

Les récentes affaires de corruption ont révélé cette même « organisation monarchique du pouvoir dans l'entreprise » selon les termes de Jean Peyrelevade. Le P-DG est le seul maître à bord, qui à la fois gère et contrôle la gestion de l'entreprise. « On le voit désigner les membres de son conseil d'administration, c'est-à-dire ceux et celles qui représentent les actionnaires et seront chargés de la surveiller ! Avec les privatisations, le P-DG français a même pu choisir ses actionnaires – l'inverse du jeu anglo-saxon où ce sont les actionnaires qui désignent le président. Un petit groupe de quelques amis – le " système barbichette " où chacun tient l'autre – compose ainsi les principaux conseils d'administration de la place de Paris [4]. » Là également, deux cultures s'affrontent : le paternalisme et le secret français d'un côté, et la transparence des marchés et la souveraineté de l'actionnariat de type anglo-saxon de l'autre. Sommées d'intégrer le droit dans leur stratégie, les entreprises françaises, elles aussi, sont soumises à un choc culturel.

Une telle confusion a vécu et il faut à présent, plus que de quiconque, exiger du juge une authentique impartialité.

Promotion de l'impartialité ou rationalisation de la partialité ?

L'impartialité du juge peut consister soit à rationaliser la partialité en la rendant plus loyale, soit à tendre vers une totale neutralité. Les deux hypothèses se rencontrent aujourd'hui.

Une première possibilité institutionnalise la partialité mais la limite dans le temps au rythme des changements politiques. C'est le *spoil system*, surtout répandu aux États-Unis, qui veut qu'un certain nombre de postes importants changent de titulaires à chaque changement de majorité. Ainsi en France un procureur général revendiquait-il récemment, lors de son audience d'installation, de représenter une sensibilité politique nouvelle en remarquant que depuis un siècle les procureurs généraux avaient changé deux fois plus que les premiers présidents. Cette position ne serait pas choquante si le passage de procureur général à premier président était

3. A. Garapon, « Paternalism and Legalism in Juvenile Justice : Two Distinct Models », *The Liverpool Law Review*, vol. XII, 1990, pp. 115-127.

4. E. Israelewicz, « Gouverner l'entreprise autrement », *Le Monde* du 21 décembre 1994.

impossible, ce qui n'est pas le cas dans notre pays. Un autre système est pratiqué par l'Italie avec son fameux principe de la *lottizzazione,* qui consiste à reproduire au sein du conseil supérieur de la magistrature le rapport de force politique national. Cette attitude présente l'inconvénient de reproduire à l'intérieur de la justice les tensions politiques et de méconnaître l'aspiration profonde contemporaine à bénéficier d'un espace neutre pour arbitrer ses conflits.

Une deuxième solution consiste à reconnaître la partialité et à tenter de la sublimer. La nomination est ouvertement politique (juges à la Cour suprême des États-Unis, Conseil constitutionnel en France) mais pondérée par la fameuse théorie de la « transfiguration » qui incite le juge fraîchement nommé à changer de comportement et à limiter ses fréquentations publiques (comme ses anciens amis politiques ou les relations liées à son ancien cabinet d'avocat par exemple). Il faudrait, dans cet esprit, se montrer plus exigeant sur les qualifications juridiques requises pour une nomination au Conseil constitutionnel et interdire tout mandat électif aux juges. Il faut en outre garantir ce système en s'opposant à la *dissent opinion* qui rend publique la position du juge et donc son éventuelle ingratitude à l'égard de ceux qui l'ont nommé.

Une troisième attitude consiste à tenir la justice éloignée des influences politiciennes et à organiser la neutralité des juges depuis le recrutement jusqu'à la fin de la carrière de juge. Une telle recherche de la vertu, à la différence de la position précédente qui se résignait à pondérer la passion partisane, réhabilite le professionnalisme et récompense la neutralité. Cette troisième solution répond mieux aux aspirations contemporaines. La société démocratique a, en effet, besoin plus que toute autre de tiers vraiment neutres. Dans une démocratie plus juridique et moins républicaine, la qualité de tiers doit être réévaluée. Celui qui désire l'occuper doit s'en donner l'apparence et en payer le prix – peut-être élevé – par l'engagement de ne plus jamais exercer aucune autre fonction publique, par un respect scrupuleux de l'obligation de réserve et par un silence médiatique absolu. Or l'organisation actuelle de notre magistrature rend difficile l'exercice d'une réelle fonction tierce.

Pour atteindre cette impartialité, il ne suffit pas de réformer une nouvelle fois le statut de la magistrature, voire la Constitution, il faut installer une nouvelle considération pour la règle de droit. L'État de droit est un État de règles avant tout. La nouvelle démocratie demande moins de lois mais plus de principes, moins de règles de fond mais plus de règles de procédure, moins d'interdits mais plus de sanctions, un droit moins sacralisé mais plus respecté.

La solution ne réside pas dans la multiplication des règles, parce que « plus la loi est compliquée, plus elle a des failles [5] ». Il faut sortir d'un certain formalisme au nom du respect de la règle. Il faut moins de contrôles mais plus de vrai contrôle. « La tradition française de cumul des mandats et de mélange des genres empêche un véritable système de contre-pouvoir à l'américaine. Il n'y a pas de contrôle quand la Cour des comptes et le Conseil d'État sont des tigres de papier [6]. » Dans ce sens-là, le travail de la commission présidée par Mireille Delmas Marty [7] anticipe cette nouvelle culture plus soucieuse de dégager des principes directeurs que d'édicter des formalités dont le juge aurait à s'acquitter. Cette règle doit réunir trois qualités relativement nouvelles pour notre culture juridique et administrative : *clarté, réalisme et respect scrupuleux*.

Des règles claires

Justice must not only be done but also be seen to be done [8], disent à juste titre les Anglais. Il faut probablement se diriger vers une conception plus objective prenant en considération l'*apparence* de l'impartialité conformément à une jurisprudence européenne constante. Cela s'applique autant à la fonction du juge dans le procès qu'à son statut. Il faut, en effet, distinguer l'impartialité dans les nominations d'avec l'impartialité de la fonction. Sur l'impartialité du juge dans le procès, tout, pratiquement, a été dit, et c'est désormais d'initiatives politiques que nous avons besoin pour entreprendre une véritable réforme de la procédure que l'on attend toujours. Mais la procédure pénale, pour être la plus visible, n'en est pas pour autant la seule. C'est l'ensemble de nos procédures qui doit être assaini, y compris les procédures administrative et constitutionnelle. Est-il normal que le commissaire du gouvernement assiste au délibéré du tribunal administratif ? Que les audiences devant le Conseil constitutionnel ne soient pas publiques ? Que sa saisine ne soit pas ouverte à tous les citoyens ?

L'impartialité dans la nomination est tout aussi problématique. Les liens entre la classe politique et la justice sont à la fois *trop distendus* et *trop rapprochés*. Trop distendus, parce que les juges

---

5. Y. Mény, *Libération* du 19 octobre 1995.
6. *Ibid.*
7. *La mise en état des affaires pénales*, Paris, La Documentation française, 1991.
8. Littéralement : la justice ne doit pas seulement être rendue, il faut aussi voir qu'elle a été rendue.

judiciaires sont trop tenus à l'écart de la politique par leurs fonctions : ils n'ont aucune expérience de l'État, qui ne peut être jugé que par les juridictions administratives, et n'ont guère la même familiarité avec les hommes politiques que leurs collègues de la haute juridiction administrative. Ils font – encore plus depuis la création de l'École nationale de la magistrature – toute leur carrière à l'intérieur d'un même corps.

Mais les contacts avec la classe politique, lorsqu'ils existent, ne font l'objet d'aucune restriction. Rien n'empêche un président d'une juridiction importante de devenir directeur de cabinet d'un garde des Sceaux et d'occuper ensuite à nouveau un poste important au siège. L'affaire Carlos est à cet égard très révélatrice. On y voit des magistrats d'hier devenus hommes politiques, comme le juge d'instruction devenu porte-parole d'un des principaux partis de France ou le chef de la section antiterroriste du parquet de Paris d'alors, aujourd'hui député du même parti, polémiquer avec l'ancien procureur général, devenu par la suite garde des Sceaux, et des membres des cabinets de l'Intérieur et de Matignon, également magistrats, dont l'un est retourné à la Cour de cassation !

Ces aller et retour sont d'autant plus préjudiciables que les anciens magistrats devenus députés restent des juges aux yeux de l'opinion publique. La presse ne cesse de faire référence à leurs anciennes fonctions lorsqu'elle ne continue pas de les appeler le « juge X... ». Il faudrait se montrer plus intransigeant à l'égard de ces ex-juges qui continuent de faire état de leurs anciennes fonctions pour commenter l'actualité, voire pour valider ou critiquer telle décision judiciaire. Cet abus d'autorité, qui est de nature à jeter le trouble dans l'esprit des électeurs, mérite d'être sanctionné. Ne serait-il pas opportun de choisir à partir d'un certain rang hiérarchique, les juges du siège plus tard dans la carrière – parmi les membres du parquet, les juges spécialisés ou les avocats – et de leur interdire tout retour à une carrière administrativo-politique ? Dans quel autre pays voit-on un juge du siège faire autant d'aller et retour entre la justice et la politique ? Cet embrouillamini fait le lit de ceux qui ont intérêt à déconsidérer l'institution judiciaire. La dernière arme d'une défense désespérée, c'est bien connu, consiste à disqualifier le juge faute de pouvoir résister aux charges.

En réalité, l'absence totale de communication entre le monde politique et les juges n'existe nulle part et n'est peut-être pas souhaitable. Chaque système – y compris en Grande-Bretagne – organise à sa façon une influence de la politique sur la justice. Le problème est de la rendre transparente plutôt que d'en nier vertueusement le principe. Peut-être faut-il faire varier en intensité l'exigence d'impartialité selon les fonctions exercées ? La neutralité doit-elle être exigée avec la même rigueur pour tous les magistrats ? Certains sont naturellement en contact avec le politique. Il y a des fonctions où elle doit être totale et d'autres où c'est au contraire une neutralité active qui est requise. Ainsi, on gagnerait à distinguer plus nettement les fonctions du parquet, de l'administration et de la juridiction. Les détachements seraient réservés aux magistrats du parquet, en affirmant l'incompatibilité radicale avec les fonctions du siège, et certains choix seraient rendus *irréversibles* – comme le passage du parquet au siège ou le renouvellement du mandat électif – sauf à démissionner de la magistrature. Il est possible de transfigurer un homme politique en juge mais à la condition de lui interdire de retourner ensuite à la politique. Il n'est pas possible d'envisager de véritable impartialité si les va-et-vient entre la magistrature jugeante et la politique engagée ne sont pas sévèrement réglementés.

Des règles réalistes

Beaucoup de nos règles ne sont pas appliquées tout simplement parce qu'elles ne sont pas réalistes. Le récent débat sur le statut du parquet en est un bon exemple. N'est-il pas illusoire de vouloir rendre le parquet totalement indépendant du pouvoir exécutif ? Dans quel autre pays un tel statut existe-t-il ? Est-il vraiment raisonnable de penser que le gouvernement puisse ne pas disposer de la maîtrise de l'action publique ? Plutôt que de se cacher les yeux devant les interventions, ne serait-il pas préférable de les reconnaître et de les encadrer juridiquement ? L'indépendance totale du parquet n'a pas de sens, si ce n'est de renforcer le corporatisme et de favoriser les arrangements occultes pour des affaires sensibles. Un cloisonnement trop strict peut pousser le pouvoir exécutif à rechercher des moyens d'influence plus discrets. Il serait sans doute plus réaliste de prendre acte de ce lien nécessaire et de séparer les magistrats du parquet et les juges du siège en deux corps distincts et indépendants. Cette solution semble mieux adaptée aux attentes de notre temps qui aime la transparence et n'a rien plus en horreur que l'hypocrisie.

Des règles respectées

La règle, en France comme dans tous les pays latins, est moins censée reproduire la régularité des comportements qu'exprimer un devoir être idéal. Une loi investie d'une telle mission – exprimer le vouloir vivre collectif – ne peut qu'être très générale. Sa mise en œuvre entraîne inéluctablement de multiples arrangements mais qui doivent rester cachés. Le culte de la loi a pour corollaire de refouler les négociations en coulisses, d'assimiler le droit vécu à un « droit honteux ». Rien n'est plus étranger pour un public français que la possibilité de transiger avec la justice pour éviter une condamnation et échapper ainsi à la confrontation avec la loi. Le récent rejet par le Parlement du projet de loi sur la transaction pénale s'inscrit dans le droit-fil de cette culture. On ne peut se passer des arrangements, mais on n'ose pas l'avouer craignant de menacer le droit tout entier.

De là un grand malentendu : si une règle du jeu, comme dans les pays de *Common Law*, doit être respectée sous peine de fausser complètement le jeu, l'idéal contenu dans la loi des pays latins se satisfait au contraire très bien de l'ineffectivité, son objectif étant une expression symbolique plus que son application réelle. D'où, en France, un rapport aussi paradoxal à la règle qui s'exprime par une distorsion entre la rigidité du droit et la tolérance de multiples transgressions dans la pratique. *Une règle rigide, une pratique molle,* disait Tocqueville, à laquelle répond de l'autre côté de la Manche, au contraire, *une règle souple mais une observation rigoureuse.* « L'Ancien Régime est là tout entier... Qui voudrait juger le gouvernement de ce temps-là par le recueil de ses lois tomberait dans les erreurs les plus ridicules. Je trouve à la date de 1757 une déclaration du roi qui condamne à mort tous ceux qui composeront ou imprimeront des écrits contraires à la religion ou à l'ordre établi. Le libraire qui les vend, le marchand qui les colporte, doit subir la même peine. Serions-nous revenus au siècle de Saint-Dominique ? Non, c'est précisément le temps où régnait Voltaire [9]. »

L'impartialité ne sera pas assurée que par le truchement de textes et de garanties procédurales. Elle fait pièce avec une culture, elle s'enseigne, se valorise, se rémunère, se sanctionne : elle est inséparable d'une réhabilitation de l'éthique.

L'ÉTHIQUE RÉHABILITÉE

Une telle sacralisation de la loi a également pour effet de se méfier des hommes. Celle-ci n'est pas faite pour eux mais contre

---

9. A. de Tocqueville, *L'Ancien Régime et la Révolution,* chap. VI, Paris, Gallimard, 1967, p. 140.

eux. C'est pourquoi le juriste français a tant de mal à comprendre les fameux codes de bonne conduite anglo-saxons. Non seulement il ne peut être satisfait par une règle aussi imprécise, mais surtout une telle confiance aux personnes lui est totalement étrangère. Tout au contraire, la règle en France se fonde sur l'hypothèse du mauvais citoyen qui n'a de cesse de tourner la loi (et pour cause, puisqu'elle est la plupart du temps inapplicable !). « La défiance à l'égard de l'individu (potentiellement pécheur et coupable) se traduit par la multiplication des chicanes et des précautions procédurales au point de bloquer souvent, de ralentir toujours l'ensemble du dispositif. La machine ne peut tourner qu'en prenant ses aises avec les règles édictées, les interdits affichés, les procédures établies... Le fonctionnaire lui-même, prisonnier d'un univers légal-rationnel, empêtré dans ses normes, ne retrouve de l'autonomie qu'en " interprétant " la règle. Le système marche à la complicité et à l'arrangement [10]. » La culture juridique française ne veut pas voir cette réalité des acteurs qui négocient la règle, ce qui ferait dire que les Anglais ont théorisé l'*equity* peut-être sans l'appliquer et que les Français ont pratiqué l'équité sans jamais le reconnaître.

Tout l'esprit de Montesquieu, le fantasme révolutionnaire et l'imaginaire du Code civil sont là : dans une règle qui se suffit à elle-même, dans le rêve d'une justice fondée entièrement en raison, dans des juges dont on n'aurait jamais à solliciter la vertu. Il est vrai que les rédacteurs des codes avaient encore à l'esprit le souvenir des parlements d'Ancien Régime. Mais la République peut-elle se passer de gardiens du temple dont elle exigerait plus, et notamment une vie privée sans scandales ? La conséquence ultime de cette incomplétude des règles pour garantir l'État de droit, c'est la nécessité de penser l'articulation de personnes (en chair et en os) et de règles.

Le refoulement de l'éthique des systèmes inquisitoriaux

A la différence des États-Unis où la question de l'éthique judiciaire n'est pas honteuse et où elle donne même lieu à une littérature abondante, notre tradition juridique répugne à aborder cette question, alors que paradoxalement le bon fonctionnement de notre système judiciaire repose largement – plus que bien d'autres systèmes – sur elle. Nombre de nos garanties procédurales (telles que la possibilité de ne pas faire de déclarations lors de la première

---

10. Y. Mény, *La Corruption de la République*, *op. cit.*, p. 20.

comparution devant le juge d'instruction, de demander un délai pour préparer sa défense ou d'accepter au contraire de comparaître volontairement) ne connaissent pas d'autres garanties que la conscience du juge : que ce dernier omette d'en informer le prévenu, personne, hormis le greffier ou l'inculpé, ne serait en mesure de le contrôler. C'est le paradoxe des systèmes inquisitoriaux que de refouler cette question alors que des pays où les pouvoirs du juge sont beaucoup moins étendus (même si leur poids politique est infiniment plus fort) n'hésitent pas à l'aborder. Notre tradition juridique a, au moins, trois bonnes raisons de refuser à l'éthique du juge un quelconque droit de cité : tout d'abord sa tradition positiviste, le déni, ensuite, de toute autonomie au juge, et enfin la prédominance du point de vue doctrinal sur l'approche pragmatique.

Or force est de reconnaître que l'acte de juger n'est pas entièrement rationalisable et qu'une part de la décision revient au juge lui-même. C'est souvent plus la prudence que la science que l'on attend du juge. Notre culture juridique et politique française découvre qu'il vaut mieux prendre acte de cette irréductible part de sagesse du juge que l'ignorer superbement. Mais cette évolution n'est cependant acceptable qu'à la condition de garder à l'esprit que la prudence n'est qu'un pis-aller qui doit nous encourager à perfectionner nos procédures et, faute de mieux, à cultiver la vertu des hommes.

La montée en puissance de la justice a pour conséquence de réserver plus d'importance à la personnalité des juges, les lois ne suffisant plus à assurer la sécurité juridique. Toute réflexion sur la justice doit être précédée d'une évaluation de la qualité des hommes, c'est-à-dire de leur choix et de leur contrôle. « Nul débat sur l'indépendance du juge n'est bien utile, écrit Jean-Denis Bredin, s'il est séparé d'une réflexion sur la stature intellectuelle et sociale du juge [...]. Offerte à un juge sans compétence, sans réflexion ou encore à un juge socialement mal traité, l'indépendance serait peu de chose, et elle pourrait n'être plus que le moyen de l'arbitraire, une arme de la médiocrité, au mieux un confort frileux [11]. »

Quelles doivent être les qualités d'un juge ? Comment les évaluer ? Les garanties doivent être accordées à la fonction réelle que remplissent les juges. Tant qu'ils se bornaient à appliquer des textes législatifs, un double contrôle – juridictionnel et hiérarchique – suffisait. Mais le juge est passé ces dernières années du statut de gardien du temple à celui de *chercheur de droit.* Où le juge va-t-il trou-

---

11. J.-D. Bredin, « L'indépendance de la justice, c'est quoi ? », *Libération* du 6 mai 1991.

ver à son tour ses référents pour trancher de telles questions ? Dans la loi ? Elle est sur le déclin. Dans sa propre subjectivité ? C'est inacceptable. Dans sa conscience ? Qui la contrôlera ? Dans une adaptation raisonnée et transparente des principes qui fondent notre droit ? Peut-être, à condition de redoubler de rigueur et d'honnêteté intellectuelle. Le juge ne peut plus prétendre à une légitimité exclusivement positiviste dans un univers qui a cessé de l'être. Pour pouvoir se prétendre censeur de l'éthique des autres, il doit répondre de sa propre éthique. Comme le souligne Pierre Truche, la réflexion sur la responsabilité des juges est d'autant plus urgente que « l'irresponsabilité est la règle et que les propos tenus ne peuvent être censurés [12] ».

La référence au serment

Si seul le pouvoir arrête le pouvoir, seul un autre tiers arrêtera le tiers. Il faut donc *trouver un tiers au tiers* : en d'autres termes, aménager une certaine réflexivité qui serait la garantie de l'autorité. C'est en termes de *réflexivité* plus que de *souveraineté* qu'il faut penser la légitimité du juge. Si la souveraineté est l'exercice d'une volonté dont on n'a pas à rendre compte, l'autorité du juge doit toujours être soumise à recours. Toute la difficulté du juge démocratique est donc là, dans cette réflexivité que nous ne savons pas organiser. Penser l'indépendance comme une créance contre le pouvoir politique sans envisager le corollaire de la dette ainsi née, non pas à l'égard du pouvoir exécutif mais de l'État de droit, n'est tout simplement pas juste. La nécessaire irresponsabilité des juges devant les instances de droit commun, parce qu'ils en sont les gardiens, doit être compensée par une responsabilité spéciale et supplémentaire. Comment l'aménager concrètement ?

Le serment ouvre la voie à ce jugement des juges en en indiquant à la fois le fondement et la sanction. Le juge moderne naît et n'acquiert le droit de juger que par son serment, c'est-à-dire qu'à la condition d'être justiciable d'une instance supérieure. Le serment des juges s'adressait, au Moyen Age, à Dieu. Il s'inspirait, comme le rappelle Robert Jacob, de cette phrase des Écritures : « Comme vous jugez, vous serez jugés. » La fonction de juger doit être pensée à la fois comme liberté et comme responsabilité, comme un double lien. Si l'on voit bien le premier lien entre le juge et le pouvoir temporel, on a plus de difficulté à entrevoir le second, c'est-à-dire

12. P. Truche, *L'Anarchiste et son juge*, Paris, Fayard, 1994, p. 181.

le référent interne du juge comme le fut Dieu autrefois, puis le droit naturel. C'est désormais le rôle de l'éthique du juge.

Une autre matière que le contenu juridique de ses jugements

L'interrogation éthique ouvre à la réflexion tout un champ de pratiques jusqu'ici inaccessibles parce que insaisissables par la voie de l'appel. Un premier travail consiste à formuler ces pratiques, à les faire sortir du non-dit. Prenons l'exemple de l'audience : les codes de procédure civile ou pénale sont curieusement muets à ce sujet. Le président pourrait fort bien se contenter du rappel de l'identité du prévenu et passer immédiatement aux réquisitoires et plaidoiries. La manière de s'y comporter, de poser les questions, de recommencer une instruction publique à l'audience est du domaine exclusif de la coutume professionnelle. La transmission de ces pratiques ne peut se faire que de manière informelle, lors du stage par exemple. Il est probable que l'arrivée massive de jeunes magistrats dans les années soixante-dix a contribué à brouiller cette transmission.

L'éthique concerne le *comportement*, c'est-à-dire tout ce qui n'est pas codifiable parce que trop évanescent, trop personnel et trop spontané en apparence mais qui, dans la réalité de la pratique, se révèle d'une grande importance. Il y a, par exemple, une manière raciste de s'adresser à un prévenu étranger à l'audience, ne serait-ce que dans la manière de prononcer son nom. Cette manière d'être échappe par définition à toute tentative de contrôle procédural. L'éthique intéresse ainsi la conduite de la procédure par le juge, processus rarement explicité et même souvent refoulé, comme, par exemple, la présentation des faits ou des preuves à l'audience, la technique d'interrogatoire du juge d'instruction et ses armes non codifiées par le droit telles que la pression psychologique, les menaces de voies de droit au demeurant légales (comme la suppression de visites pour un détenu, qui échappe à toutes voies de recours), la rétention d'informations, etc.

Où un tel contrôle doit-il s'arrêter ? Doit-on exiger du juge un niveau éthique supérieur ? Et qui en décidera ? Le principe de nos libertés publiques repose sur une séparation claire entre vie privée, d'une part, et vie professionnelle ou publique d'autre part. Une telle distinction ne devient-elle pas problématique pour le juge ? Un bon chirurgien qui ne paierait pas ses impôts n'en est pas moins un bon professionnel, peut-on en dire de même d'un juge ? Faut-il étendre à la sphère de la vie privée les exigences éthiques requises dans la vie professionnelle ? Par exemple, des règles assez strictes empêchent mari et femme d'exercer certaines fonctions dans un même tribunal : faut-il les étendre aux concubins (et donc leur demander de se faire connaître) ? Soit cette incompatibilité n'est pas fondée et il n'y a pas de raison de la maintenir pour des gens mariés, soit c'est une garantie de bonne justice et elle doit s'appliquer également aux concubins.

Institutionnaliser l'éthique ?

Pour nécessaire qu'elle soit, l'éthique ne se heurte pas moins à de sérieux paradoxes. Paradoxe de la *neutralité*, tout d'abord : le juge doit certes se tenir éloigné des passions mais pas trop cependant ; il n'y a de bon juge qui ne partage avec ceux qu'il doit juger une même part d'humanité. Pour bien juger, le juge ne doit-il pas avoir connu la passion et finalement, tel le sage, s'en être détaché ? Paradoxe de la *loyauté*, ensuite, qui étymologiquement demande au juge de respecter la loi ; mais que faire si la loi est injuste ? Au nom de quoi sa conscience pourrait-elle le libérer de cette obligation ? Trop de loyauté transforme le juge en collaborateur actif de gouvernements injustes, pas assez fait planer une menace d'arbitraire. Paradoxe enfin de l'*éthique judiciaire* elle-même : l'éthique, pour le juge, ne peut être cette sorte de valeur ajoutée à son action comme elle l'est pour d'autres professions, puisqu'elle est l'essence même de son action. Aucune division du travail moral n'est concevable pour le juge : à trop rechercher l'éthique, on risque d'instaurer un contrôle insupportable pour la démocratie même, qui menacerait l'indépendance et qui aboutirait à l'inverse de ce qu'elle recherche. L'excès d'éthique dissout l'éthique !

En définitive, l'éthique du juge ne peut reposer que sur un équilibre, sur une juste mesure, sur une prudence, inscrite au cœur de sa mission. Faut-il pour autant renoncer à tout contrôle de cette prudence ? La responsabilité n'est pas qu'un problème de conscience personnelle ni d'éthique professionnelle, elle doit pouvoir, le cas échéant, être sanctionnée. C'est la contrainte publique qui distingue la règle juridique de la règle morale. Dans un État de droit, personne ne peut revendiquer de « grâce d'état ». Pas même un juge. Si l'on se plaît à répéter que le droit repose sur l'hypothèse du *bad man*, c'est-à-dire de l'employé indélicat, du contractant de mauvaise foi ou du conjoint volage, un État de droit doit organiser ses sauvegardes sur la base du *bad judge*, c'est-à-dire du juge paresseux, caractériel, partial, extrémiste.

Reste à imaginer les formes que pourrait prendre cette instance où l'on jugerait les juges non plus sur leur application du droit mais sur leur éthique. Qui va juger les juges ? Aucune démocratie moderne n'a encore véritablement résolu cette question. C'est l'une des fonctions nouvelles que doivent exercer les « structures d'autogestion » de la justice, comme les conseils supérieurs de la magistrature. Ce rôle ne sera acceptable qu'à certaines conditions. Comment le conseil supérieur de la magistrature pourrait-il, par exemple, remplir un rôle tiers s'il est composé majoritairement de juges ? La composition peut en faire une force corporatiste hostile à tout changement ou, au contraire, une réelle instance garantissant l'indépendance et la qualité de la justice. L'équilibre doit être maintenu entre la désignation politique et les représentants de la magistrature. Ces derniers devraient impérativement être minoritaires. Le fonctionnement de ces instances doit présenter les mêmes garanties que celles d'une véritable juridiction. La publicité est un élément capital : l'éthique du juge doit être objet de débat et ne plus être cantonnée à une question confidentielle interne à la magistrature. Le contradictoire est une autre condition essentielle : comment les juges ne pourraient-ils pas bénéficier des mêmes garanties que celles qu'ils garantissent à leurs concitoyens ?

L'éthique des journalistes

Les juges ne sont pas les seuls concernés par l'éthique. Puisque l'activisme juridictionnel est à ce point lié aux médias, il faut poser la question de leur déontologie, notamment en ce qui concerne le secret de l'instruction.

Il ne semble pas possible de faire taire par une simple interdiction des centaines de médias qui diffusent quotidiennement des informations sur notre territoire et se livrent une concurrence sans pitié. Édicter des interdits que l'on ne peut tenir est mauvais pour l'État de droit. Cela affaiblit la règle juridique et discrédite son auteur, en l'occurrence le Parlement. La législation-spectacle épuise la possibilité même d'édicter de nouvelles règles. « Comme les lois inutiles affaiblissent les lois nécessaires, celles qu'on peut éluder affaiblissent la législation. Une loi doit avoir son effet, et il ne faut pas permettre d'y déroger par convention particulière [13]. » La puissance de créer du droit par de simples lois s'est essoufflée, et l'État ne doit y avoir recours qu'avec parcimonie. Des lois faites à la hâte

---

13. Montesquieu, *L'Esprit des lois*, livre XXIX, chap. XVI, *op. cit.*, t. 2, p. 305.

et non respectées renforcent, de surcroît, le sentiment d'impuissance du politique face au marché et à la toute-puissance de l'image. Il semble préférable d'imaginer une approche qui prenne acte d'une nouvelle conception de la règle, d'une nouvelle méthode de régulation de situations complexes, qui repose sur de nouvelles instances bénéficiant d'une nouvelle légitimité.

La règle positive rigide, formelle, préétablie, envisageant *a priori* tous les cas de figure possibles et imaginables a vécu. On lui préfère désormais des principes plus souples mais moins aisément contournables. Nous avons besoin de règles moins nombreuses mais plus respectées, moins besoin de bonnes intentions que d'une règle du jeu claire et acceptée par tous. Peut-être serait-il plus approprié, en s'inspirant de la méthode suivie par la commission Delmas-Marty, que le législateur réaffirme solennellement les principes directeurs du procès pénal s'imposant à tous, juges, policiers, avocats et journalistes (en prenant acte que ces derniers sont devenus *de facto* des acteurs de la procédure).

Dans une démocratie, personne ne peut exercer de pouvoir exorbitant s'il ne se voit pas reconnaître une responsabilité équivalente. Ne faudrait-il donc pas responsabiliser les journalistes en exigeant d'eux ni plus ni moins que la *prudence* aujourd'hui attendue de tout professionnel (médecin, scientifique, chef d'entreprise, etc.), de surcroît lorsqu'il exerce un rôle politique ? Plus qu'une observation formelle et scrupuleuse de règles, on exigerait désormais des journalistes qu'ils anticipent les conséquences pratiques de leurs écrits ou de leurs paroles. Risqueront les foudres publiques les journalistes dont l'absence de la plus élémentaire prudence a nui gravement à une personne impliquée à quelque titre que ce soit (partie, expert, juge, etc.) dans une affaire judiciaire. Ce nouveau mode de régulation, qui demande aux professionnels intéressés d'intérioriser davantage la règle, diminue certes la sécurité juridique, mais présente le mérite de favoriser l'élaboration au cas par cas d'un corpus de règles mieux adaptées à la complexité économique et politique de la matière, plus souples et plus facilement amendables qu'une régulation législative traditionnelle.

Une règle qui n'est jamais sanctionnée n'est pas une règle, et une règle qui n'est sanctionnée que de temps en temps sombre dans l'arbitraire. Le point sur lequel achoppent toutes les réformes concernant les médias, en France comme en Europe, est celui des sanctions. On ne sait quelles sanctions appliquer à ceux qui ne respectent pas la règle. C'est la limite des codes de bonne conduite, de l'éthique professionnelle ou autres règles déontologiques, c'est-à-dire de toutes les prescriptions sans sanctions. La sanction pénale classique (amende, emprisonnement) n'est plus adaptée à la matière. Il serait plus intelligent d'imaginer des pénalités se situant sur le registre même du mal causé, en l'occurrence, l'honneur. Ainsi, tout manquement d'un journaliste ou d'un organe de presse à l'éthique professionnelle la plus élémentaire se verrait publiquement réprouvé. Il serait appliqué au journaliste le même traitement que celui qu'on lui reproche d'avoir fait subir à autrui : l'atteinte à la réputation. Les blâmes et leur motivation seraient rendus publics et largement diffusés y compris sur les chaînes de télévision à un emplacement et une heure choisis par l'instance disciplinaire auxquels les médias ne pourraient se soustraire sous peine de fortes amendes. Dans les cas les plus graves ou les cas de récidive, la suspension de la carte de journaliste – et des avantages qui y sont attachés (abattement fiscal, accréditation, etc.) – pourrait être prononcée. La publicité pourrait avoir, en outre, un effet pédagogique pour le public.

Qui apprécierait cette responsabilité ? Pour appréhender une matière aussi complexe, il ne suffit pas de connaître le droit, il faut peut-être avoir connu la fièvre des salles de rédaction ou les difficultés d'une enquête. Pourquoi ne pas confier à un conseil supérieur de l'audiovisuel rénové – plus transparent et au recrutement plus démocratique – un rôle quasi juridictionnel dans une matière à la fois très technique et très sensible ? Pourquoi ne pas diriger vers cette nouvelle structure toute personne s'estimant victime d'un mauvais fonctionnement des médias ? Peut-être faudrait-il également, à l'heure d'une communication de masse, ouvrir un tel recours à des sortes de *class action* [14] pour les émissions susceptibles de porter préjudice à l'ensemble des téléspectateurs ? La justice n'interviendrait qu'en appel contre les décisions de cet organisme.

Les évolutions de la démocratie amènent à se montrer plus exigeant non seulement sur la qualité mais aussi sur la vertu des hommes. Peut-on s'arrêter là ? Le salut ne viendrait que de comités de sages ? La sagesse ne peut-elle avoir un aspect antidémocratique ? Cette interrogation sur la légitimité doit être poursuivie par la question de la représentativité du juge.

---

14. Une *class action* est une action juridique introduite non pas au nom d'une personne physique ni d'un groupe de personnes bien identifiables, mais au nom d'une collectivité ou d'un grand nombre de personnes : par exemple les usagers du métro en cas de grève ou de dysfonctionnement grave du service public.

LA REPRÉSENTATIVITÉ RETROUVÉE

On se souvient des sarcasmes de ce parlementaire qui se demandait, il y a quelques années, par quelle étrange arithmétique les neuf voix des sages du Conseil constitutionnel pouvaient l'emporter sur les 15 714 598 des Français qui avaient voté pour la majorité parlementaire. Mais n'y a-t-il pas quelque chose de spécieux à mettre les voix des neuf sages sur le même plan que celui des électeurs ? Le pouvoir est représentatif, et la justice ? Faut-il élire les juges ? L'élection des juges n'est pas nécessairement le meilleur moyen de garantir leur représentativité. D'ailleurs, de quoi le juge est-il représentant ? D'une volonté politique ou d'un consensus social sur des valeurs fortes ?

Un débat très vif sur l'absence de représentativité de la magistrature agite l'opinion publique britannique en ce moment. Il est reproché aux juges anglais d'être trop masculins, exclusivement issus de la haute bourgeoisie et de ne pas comporter en nombre suffisant de représentants des minorités culturelles et ethniques, bref de ne pas être suffisamment représentatifs de la société anglaise. C'est la raison pour laquelle en Angleterre et au pays de Galles les *magistrates* sont recrutés en nombre plus important parmi des femmes, des personnes originaires des pays du Commonwealth ou des handicapés. Un débat similaire se retrouve aux États-Unis. Mais s'agit-il d'une véritable représentation ? Cela ne heurte-t-il pas notre conception de la citoyenneté ?

Dominique Turpin [15] rappelle que la caractéristique d'un représentant est, non d'être élu mais de « vouloir pour la nation » et que dans ce sens-là le juge, qui actualise la volonté générale, peut être qualifié de représentant. Le juge constitutionnel s'exprime au nom de la nation comme le juge judiciaire rend ses décisions « au nom du peuple français ». Mais si tout juge est un représentant, tout citoyen est également un juge : voilà le grand héritage de 1789. Tout citoyen est à ce titre détenteur d'une partie de la souveraineté. Cette partie judiciaire de la citoyenneté mérite d'être réveillée au moment où les missions de la justice se diversifient, se banalisent et se dépositivisent. L'accaparement de la fonction de juger par l'État nous a fait oublier que, dans la République, ce n'est pas le juré qui est l'exception, mais plutôt le juge. Les débats révolutionnaires

15. D. Turpin, « Le juge est-il représentatif, réponse : oui », *Commentaires*, été 1992, pp. 381-390.

insistent beaucoup sur le fait que la justice est une *fonction* et non un *métier*, et encore moins un état, et qu'elle gît en puissance en tout citoyen. « C'est une chose étonnante, disait déjà Cicéron, que, lorsqu'il faut produire, il y ait tant de différence entre l'homme instruit et l'ignorant, et qu'il y en ait si peu lorsqu'il faut juger [16]. »

Un antidote à la cléricalisation

Ouvrir la fonction de justice à une plus grande représentativité peut offrir tout d'abord une solution concrète à la crise de moyens de la justice. On ne se sortira pas des problèmes de la justice en recrutant des milliers de juges professionnels supplémentaires. La citoyenneté est ensuite l'antidote au détournement de la souveraineté par une nouvelle cléricature de juristes. Si la professionnalisation se concevait aisément lorsque la justice était cantonnée au rôle de dire le droit positif, elle est dépassée lorsque la justice se charge de tant d'autres missions – comme la magistrature du sujet – et repose alors sur un sursaut de citoyenneté. Les fonctions de juge aux affaires familiales, de juge des enfants ou de juge des tutelles peuvent être exercées par n'importe quel citoyen normalement intelligent et soucieux de la chose publique. Dire si telle pratique éducative met l'enfant en danger ne relève pas seulement d'une expertise psychologique ni ne se déduit de l'application de règles techniques, mais s'apprécie souverainement. Pourquoi les petites sanctions ne pourraient-elles pas être administrées par les citoyens comme le demandent les différents rapports sur la politique de la ville ? Pourquoi ne pas faire contrôler les sanctions internes à la prison – prononcées jusqu'à présent par le directeur d'établissement dans le prétoire, sorte de tribunal de la prison – par des civils qui viendraient rendre la justice en prison et qui surveilleraient l'état du mitard ? L'hypothèse n'est pas aussi farfelue puisqu'elle est déjà pratiquée par nos voisins britanniques.

La fonction d'autorité dans la société démocratique n'étant plus révélée mais reconnue en chaque citoyen, elle ne doit plus être cléricalisée, technicisée ou professionnalisée. Si elle est accaparée par un petit nombre de fonctionnaires de la loi, elle ne peut que s'affaiblir. C'est moins la fonction de dire le droit qui doit être déléguée que l'administration de la fonction symbolique d'autorité qui doit être partagée. Les deux ne sont pas antinomiques, comme le

---

16. Cicéron, *De oratore*, III, Paris, Les Belles Lettres, 1953 (trad. E. Gourbaud), t. III, p. 80.

montre l'exemple du jury qui est enchâssé dans le travail des juges professionnels.

Beaucoup de personnes jugent en France sans être juristes, comme les juges au tribunal de commerce, les conseillers au prud'homme pour les conflits du travail, les jurés, les assesseurs au tribunal pour enfants, etc. Les juges non professionnels ne tirent pas leur droit de juger de la connaissance de la loi mais d'autres qualités. Lesquelles ? De leur intérêt pour la matière, de leur connaissance du milieu ou de leur élection par une profession comme les conseillers de prud'homme. Ces juges d'un jour renforcent la légitimité de la juridiction en amenant avec eux la réputation dont ils jouissent dans leur secteur d'activité. C'est particulièrement visible pour les tribunaux de commerce. La représentation peut être soit directe comme à la cour d'assises, soit professionnelle comme pour les tribunaux paritaires composée d'un nombre égal de chacun des intérêts en cause. L'échevinage qui fait asseoir sur un même banc des juges professionnels et des assesseurs non juristes semble promis à un bel avenir. C'est d'ailleurs la solution retenue par nos voisins allemands pour le tribunal correctionnel.

Une solution à la crise de légitimité

Une meilleure représentativité des juges pourrait combler la crise de légitimité dont souffre actuellement la justice. Une justice moderne, pour être efficace et donc respectée, doit connaître admirablement la matière qu'elle doit juger. S'agissant de régulations de plus en plus complexes mettant en jeu des intérêts – aussi bien politiques qu'économiques – importants, il ne suffit plus de connaître le droit, encore faut-il se pénétrer de ce qu'il y a autour, de la technique et de la « culture » propre à la matière. D'où le succès de l'arbitrage ou de toute justice paritaire en général. Les récentes affaires ont révélé le gouffre culturel qui sépare l'univers des patrons de celui des juges : différence de revenus, d'approches, de réflexes, de formation, etc. Après s'être trop longtemps ignorés, juges et patrons, membres d'une même communauté politique devront apprendre à vivre ensemble : les premiers à mieux connaître l'entreprise, les seconds à intégrer cette nouvelle culture juridique.

Plus de représentativité couperait peut-être court à ce recours sauvage à l'opinion publique qui caractérise le populisme et qui se nourrit de la technicisation grandissante du droit. L'opinion publique ne peut réagir de la même façon à un jugement pris par des juges professionnels et à une décision prise par des représentants directs du peuple, c'est-à-dire par elle-même. La légitimité de la justice ne peut plus être exclusivement rationnelle mais doit procéder d'une *combinaison* entre plusieurs types de légitimité : charismatique, rationnelle et représentative. Le juge doit non seulement maîtriser les concepts juridiques mais jouir d'une autorité personnelle et permettre au groupe social de se reconnaître en lui. La légitimité du juge dépend désormais de sa stature autant que de son statut.

Un rapprochement de la démocratie

Tous les professionnels des assises s'accordent à reconnaître le grand sérieux avec lequel les jurés s'acquittent de leur mission. Comment expliquer autrement qu'il ait résisté aussi longuement dans les pays anglo-saxons ? Cette capacité de jugement est la base même de notre citoyenneté, comme le rappelle le grand connaisseur des assises qu'est Henri Leclerc. Les jurés « sont brusquement en situation de citoyens, et ceux qui, au bar du café du commerce éructaient contre la montée de la délinquance et exigeaient que l'on ne prenne pas de gants pour mater ces malfaisants, cherchent à savoir le vrai visage de ces hommes qui leur parlent, ils s'interrogent sur le juste et l'injuste, sur la fonction de la peine. Il y a peu de lieux où se lit aussi ouvertement l'évidence de la démocratie. C'est la responsabilité sociale qui a fait le citoyen. L'électeur est plus citoyen que le sondé, le conseiller municipal que l'habitant, le maire plus que le conseiller municipal. La conscience citoyenne est plus importante pour juger que le professionnalisme [17] ».

La représentativité bénéficie autant à la justice qu'à la démocratie. Si à celle-là elle procure de la légitimité, à celle-ci elle donne l'occasion d'une expérience citoyenne forte. La participation à des missions de justice fournit à quelques citoyens l'occasion – rare dans une démocratie moderne – d'exercer une véritable responsabilité, et laquelle ! A l'heure où les citoyens se plaignent de n'avoir plus prise sur la complexité des fonctionnements politiques, la juridiction leur offre la possibilité d'exercer leur jugement sur les valeurs essentielles de la démocratie à l'état brut : la liberté, la faute, la sanction. Le retrait de l'État doit être compensé par une plus grande responsabilisation des citoyens eux-mêmes. Il faut

---

17. H. Leclerc, « Faut-il en finir avec le jury populaire ? », *Esprit*, mars 1995, p. 45.

réveiller un sens civique que l'assistanat et le bien-être providentiel avaient un peu endormi. C'est la réponse des communautariens aux États-Unis contre la désaffection publique, pour lesquels la critique de l'État n'est possible qu'à la condition de se montrer capable d'une auto-organisation susceptible de le remplacer. Les termes de notre Code n'ont pas pris une ride depuis la Révolution en demandant au juré de se comporter en « homme libre », c'est-à-dire en citoyen capable de s'abstraire de ses préjugés pour faire un usage public de sa faculté de jugement.

Le jury enrichit la démocratie par sa vertu pédagogique qu'a bien aperçue Tocqueville. « Le jury sert incroyablement à former le jugement et à augmenter les lumières naturelles du peuple. C'est là, à mon avis, son plus grand avantage. On doit le considérer comme une école gratuite et toujours ouverte, où chaque juré vient s'instruire de ses droits, où il entre en communication journalière avec les membres les plus instruits et les plus éclairés des classes élevées, où les lois lui sont enseignées de manière pratique, et sont mises à la portée de son intelligence par les efforts des avocats, les avis du juge et les passions mêmes des parties [18]. »

Une nouvelle définition de l'intérêt général

Cette représentation ne s'assimile pas à une représentation électorale et arithmétique mais se rapproche d'une participation active qui procède d'une démarche volontaire, d'un engagement citoyen, comme le montre la politique de la Ville. La justice décentralisée repose sur un engagement pour être médiateur ou participer à un comité de prévention de la délinquance. D'où le risque d'une sorte d'auto-investiture qui n'est pas sans effets pervers. Le meilleur exemple en est fourni par les associations auxquelles est reconnu le droit de dénoncer des infractions et qui se substituent à l'action publique.

Une telle délégation du droit de parler au nom de l'intérêt général n'a de vertu démocratique qu'à la condition de garder à l'esprit que représenter signifie « vouloir pour la cité » et non pas protéger des intérêts privés. Le simple label « société civile » ne suffit pas à gagner la respectabilité. Défendre l'enfant maltraité est une cause noble, le faire au mépris du droit des parents, en disqualifiant le travail de l'Aide sociale à l'enfance et en attisant la haine à l'égard des parents maltraitants, n'est pas conforme à l'intérêt public.

---

18. A. de Tocqueville, *De la démocratie en Amérique*, *op. cit.*, t. I, p. 376.

La justice, on le voit, devient un véritable lieu de représentation, ce qu'elle n'aurait jamais dû cesser d'être. Elle prend les allures d'un véritable lieu politique de confrontation d'intérêts et de délibération. La représentation d'intérêts est d'autant plus forte qu'elle est directe, casuelle et privée. Cette évolution est une véritable révolution culturelle : elle introduit là où on ne l'attendait pas – par le biais de la justice – un rééquilibrage des forces sociales. Elle fait évoluer notre démocratie, traditionnellement centralisatrice et unitaire, vers une forme plus délibérative. L'intérêt général lui-même n'est plus l'apanage des serviteurs de l'État et se déduit désormais de la rencontre d'intérêts divergents soutenus par des parties privées dans une enceinte de justice. La souveraineté tout d'un coup devient plus partagée.

CONCLUSION

La justice ne peut régler tous les problèmes et dire à la fois la vérité scientifique, historique, définir le bien politique et prendre en charge le salut des personnes. Elle ne le peut pas et elle ne le doit pas, sous peine de nous faire tous sombrer dans un enfer procédurier frustrant, stérile et destructeur qui n'est enviable pour personne. La justice ne nous débarrassera jamais du trouble d'avoir à faire de la politique, mais elle invite à inventer une nouvelle culture politique. Notre vieille culture républicaine, qui aimait édicter des lois mais ne pas les respecter et qui réglait la pratique de ses institutions sur l'hypothèse d'un ordre judiciaire faible et asservi, a vécu. Voilà que les juges, portés par un puissant consensus, prétendent appliquer toutes les lois et exercer la plénitude de leur fonction. Ils prennent le législateur au mot et veulent faire correspondre leur rôle réel à leur rôle annoncé. Cette révolution culturelle est en marche, et peut-être n'en prend-on conscience, comme souvent, qu'au moment où elle est partiellement consommée. Les institutions françaises sont au milieu du gué, et les vices de notre système, plutôt que de protéger l'État, accélèrent encore ce tournant judiciaire de la démocratie. Le salut viendra de notre capacité à favoriser la clarté des procédures, à retrouver la certitude de la norme et à stimuler la responsabilité des acteurs.

Face à l'incertitude de la norme, la politique doit avoir à cœur de faire mieux se correspondre les dénominations, les missions et les statuts pour mettre fin à l'hypocrisie actuelle. Celle-ci ne nuit pas qu'aux institutions politiques : elle porte préjudice au langage lui-même, c'est-à-dire l'institution des institutions. Le vocabulaire de la démocratie doit retrouver sa force et sa fraîcheur originelles : citoyen, tiers, impartialité, faute, responsabilité, règle... Comment le pourra-t-il ? Les projets ne manquent pas : la commission Delmas-Marty a fait du bon travail, de même que des groupes parlementaires sur la codification. Qu'attend-on pour les mettre en œuvre ? Combien d'hommes politiques devront être sacrifiés, quelles conséquences dévastatrices pour notre économie devrons-nous attendre avant que l'on s'attelle à la tâche ? C'est que l'irruption du droit dans un pays qui ne le privilégiait pas tellement se heurte à trois obstacles : il bouleverse nos élites, brouille la position de chacun sur l'échiquier politique et déroute le discours politique qui n'arrive pas à s'adapter à ce nouveau langage de la démocratie.

Des élites prises au dépourvu

Ce succès de la justice bouleverse un pays dont le droit n'a pas d'élites et dont les élites ne font pas de droit, tout du moins privé. Le Conseil d'État voit son influence diminuer du fait de l'alignement de son droit sur le régime commun, de la construction européenne qui ne comprend pas les particularismes français, et des lacunes de son statut. Les universitaires sont désemparés tant leurs repères positivistes se brouillent dans un droit d'origine jurisprudentielle, et ils ne restent pas insensibles à la séduction de la pratique privée. Dans l'attente d'une grande direction du droit dans un ministère de la Justice rénové centralisant les réformes nécessaires, c'est toujours Bercy qui prend l'initiative des réformes, voire l'agent judiciaire du Trésor, c'est-à-dire des énarques qui pratiquent le droit en hommes plus dévoués à l'État qu'à la règle juridique. L'actuel fossé entre le privé et le public empêche l'État de comprendre les enjeux contemporains en même temps qu'il le prive de la cohérence de son droit économique qui cède devant le professionnalisme anglo-saxon.

Comparée à l'influence du Conseil d'État ou de l'université, celle des avocats est faible. La perte d'influence politique des barreaux, relativement récente, est une autre caractéristique de la situation française, comme le montre Lucien Karpik. Ces derniers sont contraints pour survivre d'investir massivement dans le droit des affaires et négligent la défense des personnes. Ils subissent la plupart des réformes et ne semblent pas profiter collectivement de la montée en puissance du droit. L'absence d'élites judiciaires a offert une proie facile aux *law firms* étrangères. Le fossé qui demeure entre une noblesse d'épée constituée de hauts fonctionnaires, très imprégnée de la puissance publique, et une noblesse de robe, commerçante et davantage proche de la société civile qu'incarnent les avocats, empêche la fonction médiatrice désormais dévolue aux juristes de s'exercer, ce qui explique peut-être les crispations actuelles autour des évolutions de la justice.

L'entreprise, enfin, après avoir applaudi à la dérégulation en y voyant un allégement du contrôle de l'État, s'inquiète de la tournure que prennent les événements. Elle y voit trois inconvénients économiques majeurs : son coût financier tout d'abord, le risque de reconstruction de monopoles, comme ceux qu'acquièrent certains gros cabinets européens, et enfin l'incertitude grandissante des transactions.

Un débat politique à fronts renversés

Le débat politique ne trouve pas ses marques : il a opposé ces dernières années les libéraux aux jacobins selon une ligne de partage qui traverse toutes les familles politiques. Parmi les premiers, certains, comme Laurent Cohen-Tanugi, voient dans la procédure une forme prometteuse de démocratie tandis que d'autres avocats, comme Daniel Soulez-Larivière, se focalisent sur le retard de la réforme de la procédure et sur l'arrogance de certains petits juges. A l'image du marché qui est leur dogme central, la justice est censée, pour les néolibéraux, se réguler spontanément et compenser elle-même ses propres excès. Le point faible de ce discours est l'égalité devant la loi dans cette nouvelle forme de justice qui, à en croire l'exemple américain, avantage les riches. Le discours républicain, cela ne surprendra personne, est nostalgique. Sa faiblesse est de refuser de s'interroger sur les raisons profondes de cette montée en puissance du droit. Il ne dit pas non plus comment les juges, et les juristes de manière générale, pourraient restituer spontanément le pouvoir qui leur a été donné par un consensus profond.

La position de la gauche est plus complexe tant elle est prise de court par ce phénomène, subitement dépossédée de son rôle alternatif et victime de ses non-dits. Son programme s'étant historiquement organisé autour de la défense des libertés individuelles contre l'arbitraire de l'État, elle se montre incapable de penser les contre-pouvoirs. L'esprit de réforme s'est arrêté à mi-chemin et, passé l'abolition de la peine de mort et quelques autres mesures symboliques, elle n'a pas su mener une réforme de la justice. Elle a prolongé – voire accentué – la structure monarchique de l'État et a renoncé à faire évoluer la République. Elle s'est fait ravir le thème des libertés et a laissé à la droite le discours alternatif qui a pour nom « dérégulation ». Elle se surprend à réclamer la censure, comme pour certaines émissions aux relents populistes banalisant l'extrême droite, et c'est la droite qui vante désormais la liberté. Il y a quinze ans, c'était l'inverse. Une même évolution se constate aux États-Unis. L'histoire du syndicat de la magistrature est révélatrice de cette inversion de place : issu de Mai 68 et d'une critique de la justice de classe et de la loi bourgeoise, il est devenu le plus ardent défenseur de l'activisme judiciaire.

La gauche paie enfin le poids de ses non-dits : craignant l'inculpation de racisme, elle ne sait aborder les difficultés de l'immigration et le défi du multiculturalisme ; hantée par le pacifisme qui assimilait volontiers la violence des institutions à la violence tout court, elle n'arrive pas à appréhender l'enjeu de la sécurité ; influencée par le mépris marxiste du droit et n'ayant pas toujours fait la critique du totalitarisme, elle n'a pas revu les fondements monarchiques de la république ; enfin, travaillée principalement sous l'influence de Foucault par la phobie du contrôle social, elle continue de dénier à la question de la justice, de la norme et de la peine la place qui leur revient dans la démocratie d'aujourd'hui.

De nouveaux enjeux politiques

L'État ne peut éternellement avouer son impuissance en matière économique, voire politique, en reconnaissant que les décisions essentielles se prennent au niveau supranational. Il compense cette perte de maîtrise par un repli sur son obligation première, la sécurité. Cette idéologie sécuritaire n'est pas celle des années soixante-dix mais procède d'un contrôle aux contours nouveaux et aux incidences plus subtiles. Elle se nourrit d'une incertitude profonde, angoissante et multiple qui s'identifie non à la peur mais à une angoisse d'autant plus paralysante que l'agresseur potentiel n'a pas de visage. Le terroriste n'est pas forcément celui que l'on croit, le toxicomane est peut-être votre fils ou votre voisin. Les médias impriment notre imaginaire d'une violence sans paroles ni terrain d'affrontement. Le contrôle social se dilate et navigue désormais entre le mondial et l'intime. Cette nouvelle violence anomique est alimentée par l'impuissance de l'État. Tout ce qui ne fait pas débat, parce que renvoyé à des experts ou à des juges, finit par ressortir sous forme de violence ou de défiance à l'égard du politique. On attendait de la démocratie juridique un débat pacifié, mais c'est la violence qui progresse ; on voulait la liberté, et c'est une nouvelle normalisation qui menace de s'installer ; on espérait la raison, mais c'est la passion qui semble l'emporter ; on vantait la transparence, mais c'est plutôt l'illusion qui prévaut ; on pensait avancer dans la civilisation, mais c'est le retour à l'état de nature qui se profile ; on a milité pour les droits de l'homme, et on a légitimé l'exclusion.

Tant que l'on sous-estimera la nouveauté radicale de ces enjeux, voire qu'on la niera, on ne pourra pas imaginer de solutions satisfaisantes. Les hauts fonctionnaires sont manifestement coupés de cette réalité et n'arrivent pas à comprendre que l'exclusion est beaucoup plus qu'un défi à notre technostructure. Elle est ce que furent l'esclavage pour Athènes ou Rome, la classe ouvrière à l'État libéral et la pauvreté a l'État-providence, c'est-à-dire à la fois le signe de leur échec et l'annonce de leur dépassement.

L'exclusion lance un défi majeur qui oblige le droit à repenser sa mission. Il ne peut plus se contenter d'une approche formelle qui dressait des barrières autour de chaque individu. Il doit savoir aussi être positif et instituer le monde commun. Le combat contre une exclusion si sévère qui nous divise actuellement ne se fera pas que de manière administrative ou caritative mais aussi symbolique. Pour cela, le politique doit se repenser non seulement comme une instance de redistribution des richesses mais aussi comme l'architecture d'un espace politique commun pourvoyeur d'identité civique à tous. Cette réalité inédite oblige le projet politique à renouveler son projet en s'articulant à la souffrance de l'homme moderne.

La peine qui touche au cœur de la fonction symbolique de l'État montre que la multiplication des droits formels n'apaise pas la colère des détenus qui demandent à être traités en sujets politiques et non en sujet d'apitoiement. Ainsi, ce n'est pas notre commisération qui sauvera les exclus de leur condition, ni seulement une démocratie délibérative formelle – comme le pensent les libéraux – parce qu'ils resteront en dehors, mais une nouvelle politique, un monde commun régénéré. La réaction à de tels défis ne se trouve pas que dans la réforme des institutions, ni dans un nouvel humanisme aussi impuissant à fonder un programme que l'humanitaire à tenir lieu de politique étrangère. Ce n'est pas seulement dans le droit que se trouve la solution à la crise de la justice mais dans la politique qui doit s'adapter à ce nouveau langage de la démocratie. Il faut conclure à l'impossibilité de ce projet démocratique qui place la justice en son cœur s'il n'est complété par un retour du politique, c'est-à-dire par l'élaboration commune d'un destin collectif à partir de nouvelles catégories et d'une nouvelle définition de la justice sociale.

Qu'est-ce que la politique si ce n'est refuser les régulations spontanées de la nature, c'est-à-dire du marché, de l'hygiène, de la force, pour se faire des promesses les uns aux autres ? Nous sommes aujourd'hui redevables à nos ancêtres révolutionnaires – et à tant d'autres – du pacte républicain qui nous a été transmis, et nous nous préoccupons à notre tour de la possibilité de vie pour les générations futures à l'égard desquelles nous sommes engagés. Que vaudraient ces promesses si elles n'avaient été gardées tant bien que mal pendant des générations ? Notre siècle se termine sur deux sortes d'asservissements volontaires qui ne cessent de l'interpeller : celui du nazisme et celui de la drogue. Le premier a justifié l'existence des cours constitutionnelles – dont on peut dater la naissance à la date du 10 décembre 1948, lorsque les nations se sont engagées à prévenir le retour de la barbarie totalitaire. Nous nous interrogeons sur la nécessité de dépénaliser le second, mais chaque fois l'interrogation est la même : comment la liberté peut choisir l'aliénation, la nuit et la mort ? Le juge – qu'il s'agisse de celui de Nuremberg ou plus modestement de nos petits juges des banlieues – se maintient là pour rappeler à l'humanité, à la nation ou au simple citoyen, les promesses faites à elle-même, à commencer par la première d'entre elles, la promesse de vie et de dignité. Ces promesses, les juges les gardent mais ne les nouent pas : ils en sont les témoins, les garants et les gardiens. Elles leur ont été transmises, ils les ont entendues et ils les rappellent, le cas échéant, à ceux-là mêmes qui les leur avaient confiées : comment pourrait-on le leur reprocher ?

BIBLIOGRAPHIE

Les ouvrages de réflexion sur la justice sont rares. Ne sont recensés ici que les livres ou les articles se rapportant directement à la justice.

Ouvrages

Arendt H., *Juger, sur la philosophie politique de Kant*, Paris, Seuil, 1991.
Arendt H., *Eichmann à Jérusalem*, Paris, Gallimard, 1966.
Atienza M., *Tras la justicia*, Barcelone, Ariel, 1993.
Barak A., *Judicial Discretion*, New Haven, Yale University Press, 1989.
Barret-Kriegel B., *L'État et les esclaves*, Paris, Payot, 1989.
Bell J., *Policy Arguments in Judicial Decisions*, Oxford, Clarendon, 1983.
Cappelletti M., *The Judicial Process in Comparative Perspective*, Oxford, Clarendon Press, 1989.
Cardozo B. N., *The Nature of Judicial Process*, New Haven, Yale University Press, 1921, rééd. 1991.
Carlen P., *Magistrates' Justice*, Londres, Martin Robertson, 1976.
Cohen-Tanugi L., *Le Droit sans l'État*, Paris, PUF, 1985.
Cohen-Tanugi L., *Les Métamorphoses de la démocratie*, Paris, Odile Jacob, 1989.
Draï R., *Le Mythe de la loi du talion*, Aix-en-Provence, Alinéa, 1991.
Del Vecchio G., *La justice – la vérité, essai de philosophie juridique et morale*, Paris, Dalloz, 1955.
Dworkin R., *Taking Rights Seriously*, Londres, Duckworth, 1977.
Eschyle, *Les Euménides*, trad. Mazon, Paris, Les Belles Lettres, 1993.
Ferraioli L., *Diritto e ragione, teoria del garantismo penale*, Rome, Laterza, 1989.
Foucault M., *Surveiller et punir, naissance de la prison*, Paris, Gallimard, 1975.

Frank J., *Courts on Trial, Myth and Reality in American Justice*, Princeton (N. J.), Princeton University Press, 1949.
Friedman L. M., *Total Justice*, New York, Russell Sage Foundation, 1985.
Garapon A., *L'Ane portant des reliques, essai sur le rituel judiciaire*, Paris, Le Centurion, 1985, réédité Éd. O. Jacob, Collec. Opus, 1996.
Girard R., *La Violence et le sacré*, Paris, Grasset, 1973.
Gorphe F., *Les Décisions de justice, étude psychologique et judiciaire*, Paris, Sirey, 1952.
Griffiths J. A. G., *The Politics of the Judiciary*, Londres, Fontana, 1981.
Guarnieri C., *Magistratura e politica in Italia, pesi senza contrapesi*, Bologne, Il Mulino, 1992.
Holland K. (sous la dir. de), *Judicial Activism in Comparative Perspective*, Londres, Macmillan, 1991.
Jacob R., *Images de la justice*, Paris, Le Léopard d'Or, 1994.
Kafka F., *Le Procès*, traduction d'Alexandre Vialatte et préface de Bernard Groethuysen, Paris, Gallimard, 1933, rééd. 1978.
Kriegel A., *Les Grands Procès dans les systèmes communistes*, Paris, Gallimard, 1972.
Legendre P., *Le Crime du caporal Lortie, traité sur le père*, Paris, Fayard, 1989.
Lenoble J., *La Crise du juge*, Bruxelles, LGDJ Story-Scientia, 1990.
Lieberman J. K., *The Litigious Society*, New York, Basic Books, 1981.
Merryman J. H., *The Civil Law Tradition : an Introduction to the Legal Systems of Western Europe and Latin America*, Stanford, Stanford University Press, 1969.
Montesquieu, *L'Esprit des lois*, Paris, Garnier/Flammarion, 1979 (Chronologie, introduction, bibliographie par V. Goldschmidt).
Rawls J., *Théorie de la justice*, Paris, Éd. du Seuil, 1987 (trad. fr. par C. Audard).
Ricœur P., *Le Juste*, Paris, Éd. Esprit, 1995.
Robert C.N., *L'Impératif sacrificiel, justice pénale au-delà de l'innocence et de la culpabilité*, Lausanne, Éditions d'en bas, 1986.
Royer J.-P., *Histoire de la justice en France*, Paris, PUF, 1995.
Salas D., *Le Procès pénal, pour une théorie interdisciplinaire du procès*, Paris, PUF, 1991.
Shapiro M., *Courts, a Comparative and Political Analysis*, Chicago, The University of Chicago Press, 1981.
Théry I., *Le Démariage, justice et vie privée*, Paris, Odile Jacob, 1993.
Tocqueville A., *De la démocratie en Amérique*, Paris, Garnier/Flammarion, 1981 (biographie, préface et bibliographie par François Furet).
Tricaud F., *L'Accusation, recherche sur les figures de l'agression éthique*, Paris, Dalloz, 1977.
Van Gerven W., *La Politique du juge*, Bruxelles, Swinnen, 1983 (trad. F. Rigaux et B. Dejemeppe).

Articles

Beiner R., « Hannah Arendt et la faculté de juger », *Hannah Arendt, Juger, sur la philosophie politique de Kant*, Paris, Seuil, 1991, pp. 29-217.

International Political Science Review, « Judicialization of Politics », 1994, vol. 15, n° 2.

Bredin J.-D., « Un gouvernement des juges ? », *Pouvoirs*, Paris, 1994, 68, pp. 77-87.

Bredin J.-D., « Insupportable indépendance », *Le Monde*, 20 novembre 1987.

Bredin J.-D., « L'indépendance de la justice, c'est quoi ? », *Libération*, 6 mai 1991.

Di Federico, G. (1989), « The Crisis of the Justice System and The Referendum on the Judiciary », *Italian Politics : A Review*, vol. 3, Londres, Pinter, pp. 25-49.

Droits, n° 9, *La fonction de juger*, 1989.

De Munck J., « Le pluralisme des modèles de justice », *La justice des mineurs évolutions d'un modèle*, Paris, LGDJ, 1995, pp. 91-139.

Gauchet M., « Les droits de l'homme ne sont pas une politique », *Le débat*, 1980, n° 3 , pp. 3-21.

Gauchet M., « L'expérience totalitaire et la pensée du politique », *Esprit*, 7-8, 1976, pp. 3-28.

Guarnieri C., « Justice et politique : le cadre institutionnel », Les cahiers français, *La documentation française*, Paris, 1994, n° 268, pp. 53-71.

La documentation française, Paris, 1991, n° 251.

Le Débat, n°s 43, 64, 74.

Lavau G., « Juge et pouvoir politique », *La justice*, PUF, 1961, pp. 59-92.

Ost F., « Juge pacificateur, juge arbitre, juge entraîneur. Trois modèles de justice » in *Pouvoir judiciaire et fonction de justice*, Éditions des facultés Saint-Louis, Bruxelles, 1983, pp. 1-71.

Ost F., « Jupiter, Hercule, Hermès : trois modèles du juge », *La Force du droit*, Éd. Esprit, 1991, pp. 241-272.

Peltason J. W., « Judicial Process : Introduction », *International Encyclopedia of the Social Sciences*, McMillan, New York, 1968, pp. 283-291.

Pouvoirs, Paris, Seuil, 1995, n° 74.

Raynaud P., « Le juge, la politique et la philosophie », *Situations de la démocratie*, Paris, Gallimard/Le Seuil, 1993, pp. 110-120.

Raynaud, P., « La démocratie saisie par le droit », *Notes de la Fondation Saint-Simon*, n° 74, Paris, 1995.

Ricœur P., « Le juste entre le légal et le bon », *Lectures 1*, Paris, Seuil, 1993, pp. 176-196.

De Maillard J., « Les maux et les causes. A propos de la crise du droit pénal », *Commentaires*, 1994, 67.

Turpin D., « Le juge est-il représentatif, réponse : oui », *Commentaires*, 1992, 58, Paris.

TABLE

DEUXIÈME PARTIE

La justice dans une démocratie rénovée

CET OUVRAGE A ÉTÉ TRANSCODÉ
ET ACHEVÉ D'IMPRIMER SUR ROTO-PAGE
PAR L'IMPRIMERIE FLOCH À MAYENNE
EN JANVIER 1996

N° d'impression : 38652.
N° d'édition : 7381-0364-1.
Dépôt légal : janvier 1996.
Imprimé en France